W9-BIQ-449

FRANCE DE NOS JOURS

Charles Carlut

DEPARTMENT OF ROMANCE LANGUAGES
THE OHIO STATE UNIVERSITY

Germaine Brée

INSTITUTE FOR RESEARCH IN THE HUMANITIES
UNIVERSITY OF WISCONSIN

FRANCE de nos JOURS

SECOND EDITION

THE MACMILLAN COMPANY
A Division of the Crowell-Collier Publishing Company

First Printing

DESIGNED BY JAMES T. PARKER

Library of Congress catalog card number: 62-7512

The Macmillan Company, New York
Brett-Macmillan Ltd., Galt, Ontario

Printed in the United States of America

ACKNOWLEDGMENTS

Books

ARTHAUD

Permission for "Annapurna" from *Annapurna* by Maurice Herzog.

B. Arthaud, publishers, Paris. American edition published by E. P. Dutton; English edition published by Jonathan Cape.

PIERRE CAILLER

Permission for the picture "Ravaudeuse de filet" from *Bernard Buffet* by Pierre Bergé.

Pierre Cailler, publishers, Paris and Lausanne.

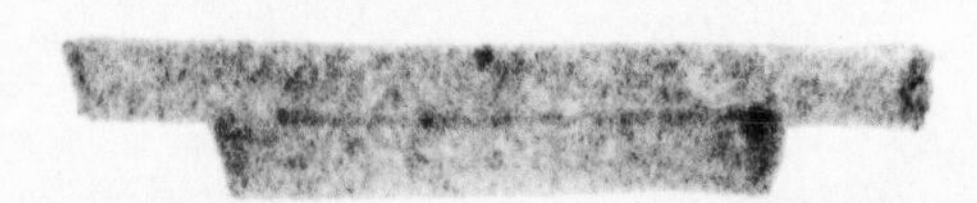

CALMANN-LÉVY

Permission for "Les Humanités" from *Le Livre de Mon Ami* by Anatole France.

Calmann-Lévy, publishers, Paris.

CONQUISTADOR

Permission for "Haute Couture" from *Je suis couturier* by Christian Dior.

Conquistador, publishers, Paris.

DESCLÉE DE BROUWER

Permission for "Prométhée" from *Babel* by Pierre Emmanuel.

Desclie de Brouwer, publishers, Paris.

EDITIONS ALBIN MICHEL

Permission for "Montigny-en-Fresnois" from *Claudine á l'Ecole* by Colette.

Permission for "Qu'est-ce qu'un bourgeois" from *L'étrange Défaite* by Marc Bloch.

Editions Albin Michel, publishers, Paris.

ÉDITIONS DE MINUIT

Permission for "La Patrie" by Jean Paulham from *La Patrie se Fait Tous les Jours* by Jean Paulhan and Dominique Aury.

Permissioin for "Lettre d'Adieu" by Jacques Decour from *La Patrie se Fait Tous les Jours* by Jean Paulhan and Dominique Aury.

Permission for "Seule Pensée" by Paul Eluard from *La Patrie se Fait Tous les Jours* by Jean Paulhan and Dominique Aury.

Permission for "Dans le Labyrinthe" from *Dans le Labyrinthe* by Alain Robbe-Grillet.

Editions de Minuit, publishers, Paris.

FERENCZI

Permission for "La Couseuse" from *La Maison de Claudine* by Colette.

Ferenczi, publisher, Paris.

FLAMMARION

Permission for "Le Théatre" from *Témoignage sur le Théâtre* by Louis Jouvet.

Permission for "Paris Mystique" from *Paris* by Louis Gillet.

Flammarion, publishers, Paris.

GALLIMARD

Permission for the following:

"La Peinture Moderne" from *Braque le Patron* by Jean Paulhan.

"Caligula" from *Caligula* by Albert Camus.

"Démocratie Internationale" from *Actuelles* by Albert Camus.

"Hommage à la Vie" from *Poèmes* by Jules Supervielle.

"Huguenots des Cévennes" from *Si le Grain ne Meurt* by André Gide.
"La Crise de l'Esprit" from *Variété III* by Paul Valéry.
"La Découverte du Radium" from *Madame Curie* by Eve Curie.
"La Destinée" from *Propos sur le Bonheur* by Alain.
"Thésée" from *Thésée* by André Gide.
"La Langue Française" from *Regards sur le Monde Actuel* by Paul Valéry.
"L'Art" from *Les Noyers de l'Altenburg* by André Malraux.
"Le Farouest" from *Loin de Rueil* by Raymond Queneau.
"Le Pont Mirabeau" from *Alcools* by Guillaume Apollinaire.
"L'Existentialisme" from "Défense de l'Existentialisme" in *Panorama de la Nouvelle Littérature Française* by Gaëtan Picon.
"Lignée Paysanne" from *Terre des Hommes* by Antoine de Saint Exupéry.
"L'Incroyant et les Chrétiens" from *Actuelles* by Albert Camus.
"Ma Conversion" from *Contacts et Circonstances* by Paul Claudel.
"Magnificat" from *Cinq Grandes Odes* by Paul Claudel.
"Mystique Républicaine" from *Notre Jeunesse* by Charles Péguy.
"Ouvrière d'Usine" from *La Condition Ouvrière* by Simone Weil.
"Père et Fils" from *Les Thibault* by Roger Martin du Gard.
"Promenade Nocturne à Bicyclette" from *Les Copains* by Jules Romains.
"Pour Faire le Portrait d'un Oiseau" from *Paroles* by Jacques Prévert.
"Psychologie du Cinéma" from *Psychologie du Cinéma* by André Malraux.
"Son de Cloche" from *Les Ardoises du Toit* by Pierre Reverdy.
"Une Réception Chez les Guermantes" from *A la Recherche du Temps Perdu* by Marcel Proust.
"Etudiante à Paris" from *Mémoires d'une jeune fille rangée* by Simone de Beauvoir.
"Après dîner chez les Smith" from *Théâtre* by Eugène Ionesco.
"Petits problèmes et travaux pratiques" from *Un mot pour un autre* by Jean Tardieu.
"Congé au vent" from *Seuls demeurent* by René Char.
"Mes Occupations" from *Mes Propriétés* by Henri Michaux.
"Le Vin perdu" from *Charmes* by Paul Valéry.
By permission of Gallimard, publishers, Paris.

GRASSET

Permission for "Discours aux Morts" from *La Guerre de Troie n'aura pas lieu* by Jean Giraudoux.
With the kind permission of Mr. Jean-Pierre Giraudoux.
Permission for "Qu'est-ce qu'un Bourgeois?" from *Tableau des Partis en France* by André Siegfried.
Permission for "Repas à la ferme" from *Regain* by Jean Giono.
Grasset, publishers, Paris.

HACHETTE

Permission for "Commençons par situer la France" from *L'Ame des Peuples* by André Siegfried.

With the kind permission of Mr. André Siegfried.
Librairie Hachette, publishers, Paris.

MERCURE DE FRANCE

Permission for "Bas-Languedoc" from *prétextes* by André Gide.
Permission for "Le Vieux Village" from *De l'Angélus de l'Aube à l'Angélus du Soir* by Francis Jammes.
Mercure de France, publishers, Paris.

PLON

Permission for "Ma Demeure" from *Mémoires de Guerre* by Charles de Gaulle.
Plon, publishers, Paris.

PRESSES UNIVERSITAIRES

Permission for L'Homme se Forme par la Peine" from *Propos sur l'Education* by Alain.
Presses Universitaires, publishers, Paris.

STOCK

Permission for "Pensées d'un Biologiste" from *Pensées d'un Biologiste* by Jean Rostand.
Stock, publishers, Paris.

TABLE RONDE

Permission for "Antigone et Créon" from *Antigone* by Jean Anouilh.
La Table Ronde, publishers, Paris.

VAUTRAIN

Permission for "Education Première" from *Réflexions sur le Théâtre* by Jean-Louis Barrault.
With the kind permission of Mr. Barrault.

Magazines

L'AGE NOUVEAU

Permission for "La Culture Scientifique" from "La Culture Scientifique Suffit-elle à Faire un Homme?" by Louis de Broglie. September-October issue of *L'Age Nouveau,* Paris.

CONFÉRENCIA

Permission for "Paname" by Francis Carco from *Conferencia,* May, 1933.
By permission of Mr. Carco.

OPÉRA

Permission for "La Chapelle de Vence" from "Matisse et la Chapelle de Vence" in *Opéra,* January, 1952.

Permission for "L'Inspiration Musicale" by Olivier Messiaen from *Opéra,* December 19, 1946.
With the kind permission of Mr. Messiaen.

PLAISIR DE FRANCE
Permission for "Matières du Bonheur" by Jean Giono from *Plaisir de France,* June, 1954.
With the kind permission of Mr. Jean Giono.

Newspapers

FIGARO
Permission for "L'Apéritif" by Léon-Paul Fargue, from "A la Terrasse," *Figaro,* August 8, 1939.

PREFACE

TO THE SECOND EDITION

When we first planned *France de nos Jours* a few years ago, we worked with the enthusiasm but also the misgivings which accompany a first venture. We are grateful to the many colleagues who received our book with generous praise and whose suggestions have helped us to revise the first edition. In some instances, changes in France itself made it imperative to modify certain chapters—for example, changes in education and in the economic and political life of France. New trends also developed in literature, the arts, and the theater. In other instances, we selected new texts in line with the observations made in classrooms, a few of the texts having proved more difficult or less stimulating than we had hoped. The very favorable reaction to the small selection of poems, to be used or left aside according to the teacher's inclination, encouraged us to include a few more of these, carefully chosen among the best. *France de nos Jours* has acquired a new look, but the aim of the book is still the same.

Many people helped us in the preparation of *France de nos Jours*. We wish to thank Professor Konrad Bieber, of Connecticut College; Professor Gérard Cleisz, of Sacramento State College; Professor Pierre Delattre, of the University of Colorado, and Mrs. Delattre; Professor Stephen Freeman, of Middlebury College; Professor Pierre Léon, of the University of Besançon, and Mrs. Léon; and Professor Elaine Marks of New York University. We are especially indebted to Mr. Edouard Morot-Sir, Director of the Cultural Services of the French Embassy; Professor Walter Meiden, of Ohio State University, who made so many valuable suggestions; and Mrs. Andrée Carlut, who helped at all stages of the preparation of this work. We are also grateful to Mrs. Carmeta Abbott and Mrs. Jane Lepkowski for their aid in preparing the manuscript, to the French Embassy Information and Press Division for their photographs, and to the authors and editors who have authorized the use of the passages employed in this text.

C. C.
G. B.

PREFACE
TO THE FIRST EDITION

This book is designed to meet what appears to be an increasing need in our foreign language classes in universities and colleges, whether they be reading or conversation courses, courses in civilization, or in intermediate language trades.

The teaching of foreign languages in all its stages is undergoing serious and constructive scrutiny the country over, and this promises what may well turn out to be significant developments. Americans are more and more aware of the fact that they must acquire greater proficiency in the use of foreign languages, which are invaluable both to the understanding of their own culture and as a means of communication with other peoples.

One of the problems confronting the teacher of modern languages is how to teach the undergraduate after he has left behind him the first rewarding and often exciting contacts with a foreign language. In spite of competent teachers, Intermediate French sometimes becomes a bore because the material studied does not seem to the student to be really worth serious consideration.

Some textbooks are now designed to give students, at an early stage in their training, information concerning the foreign nation whose language they are studying as well as a better knowledge of that language itself. A number of these textbooks are excellent. We have examined them with care and owe a great deal to them. After much thought and some experimentation with a radio program and classes at the Ohio State University, we have planned a book that is somewhat different from others. We wish it to serve various purposes, to be a flexible instrument in the hands of instructors who can use it to create a living interest in present-day France. Such an interest seems to us to be the best stimulus to a successful mastery of the French language.

The over-all pattern of the book is familiar. We wish to introduce contemporary France to our students: France, that geographic, political and economic entity; and also the forces at work in French civilization. The first section of the book, comprising six chapters, deals with the more material aspects of French life: its geography, the family, industry and commerce, and politics. The second section contains ten somewhat longer chapters dealing with the intellectual, artistic and spiritual life of France. Although the pattern is familiar, our method is in some ways new. We have selected a certain number of texts written in recent years by eminent Frenchmen and have tried to integrate them into a connected whole so that our book would have unity, continuity, and a certain basic spirit.

It seems to us pedagogically sound to give undergraduates French texts that are mature in style and thought and in which the language is the vehicle of valid and significant points of view. Our texts are chosen for their pertinence in the general context of the book, but also because they bring the student into contact with the French language as it is used today and in its best form. We have tried to give the texts chosen in full, as far as possible, counting on a careful selection and painstaking editing of notes and vocabulary to make them accessible to the student. We have studied each text thoroughly and have edited it only where there are difficulties in language and expression which seemed clearly beyond the student's grasp.

The passages chosen fulfill another purpose. All too often in textbooks a foreign country is presented to students as a sort of ideal, abstract entity that has little in common with the country they study in history courses or hear about in newspaper headlines. To avoid that danger we have grouped texts in which authors sometimes express differing or even contradictory points of view. They themselves pose some of the problems of France, or at least reveal something of its complexity. In this way, though we do not pretend to give a complete picture of France today, we do multiply the perspectives that eventually lead to a knowledge in depth rather than the somewhat misleading idealized, "complete" abstract too often given.

The topic of each chapter is introduced by a short factual essay in French which has a double aim: it gives the basic vocabulary pertaining to the topic and a few essential facts. These essays have an important linguistic function: they build up the vocabulary and serve as a background against which to evaluate the texts. They orient the student in regard to the texts, indicating and clarifying some of the problems raised. There are also brief introductions to authors and texts. These are given in English in order not to detract from the study of the texts themselves. In these introductions and brief notes, the authors have tried to avoid either eulogy or a patronizing moral tone distributing praise or blame. We think it is an error to try to "sell" France or French culture to our students. We are teaching them French and opening up for them new perspectives in keeping with the essential aims of an undergraduate program.

The exercises list questions for class discussion. Though based on the introduction or on a given text, these questions are not designed as tests which "echo" the text read. One of the limitations of such "mimicking" exercises is that they require no thought from the students and make use of only a limited number of expressions newly acquired. We hope our questions will oblige the student to draw from the full resources of the language which he accumulates progressively and which he should be encouraged continually to use. Many of the questions asked are designed to make the student use his French in relation to his own experience of life as an American. Questions on France, if he has never been to France are, at best, academic for him. Our essential aim is to make the use of French functional, part of the student's experience, and not an outer activity confined to a textbook.

CONTENTS

PROLOGUE 1

Commençons par situer la France André Siegfried 3

PREMIÈRE PARTIE: VIE ÉCONOMIQUE, SOCIALE ET POLITIQUE

1. ASPECTS GÉOGRAPHIQUES 9

Introduction 9
Montigny-en-Fresnois Colette 12
Bas-Languedoc André Gide 16
Poème: *Congé au vent* René Char 18

2. FAMILLE 20

Introduction 20
Père et Fils Roger Martin du Gard 22
La Couseuse Colette 26
Poème: *Le Vieux Village* Francis Jammes 30

3. TABLE 33

Introduction 33
Après dîner chez les Smith Eugène Ionesco 35
Chez Félix Blaise Cendrars 38
Mes Occupations Henri Michaux 43

4. SPORTS ET LOISIRS 45

Introduction 45

Promenade nocturne à bicyclette Jules Romains 48

Annapurna Maurice Herzog 51

5. INDUSTRIE 56

Introduction 56

Haute Couture Christian Dior 59

Ouvrière d'usine Simone Weil 64

6. CAMPAGNE ET AGRICULTURE 67

Introduction 67

Repas à la ferme Jean Giono 69

Lignée paysanne Antoine de Saint Exupéry 72

7. SOCIÉTÉ 75

Introduction 75

Qu'est-ce qu'un bourgeois? André Siegfried et Marc Bloch 78

Les matières du bonheur Jean Giono 81

Réception chez les Guermantes Marcel Proust 84

8. POLITIQUE 88

Introduction 88

Mystique républicaine Charles Péguy 92

Antigone et Créon Jean Anouilh 95

Démocratie internationale Albert Camus 99

Poème: *Seule Pensée* Paul Eluard 102

DEUXIÈME PARTIE: VIE INTELLECTUELLE, ARTISTIQUE ET SPIRITUELLE

9. PARIS 109

Introduction 109

Paris mystique Louis Gillet 111

Paname Francis Carco 115
L'Apéritif Léon-Paul Fargue 117
Poème: *Le Pont Mirabeau* Guillaume Apollinaire 120

10. ÉDUCATION 122
Introduction 122
L'Homme se forme par la peine Alain 126
Les Humanités Anatole France 129
Etudiante à Paris Simone de Beauvoir 132
Petits problèmes et travaux pratiques
Jean Tardieu 138

11. SCIENCE 141
Introduction 141
La Culture scientifique suffit-elle à faire un Homme?
Louis de Broglie 144
Le Radium Eve Curie 146
Pensées d'un Biologiste Jean Rostand 149
Poème: *Son de Cloche* Pierre Reverdy 153

12. PHILOSOPHIE 155
Introduction 155
La Destinée Alain 158
Caligula Albert Camus 161
Défense de l'Existentialisme Jean-Paul Sartre 165
Poème: *Prométhée* Pierre Emmanuel 169

13. RELIGION 172
Introduction 172
Ma Conversion Paul Claudel 175
Huguenots des Cévennes André Gide 177
L'Incroyant et les Chrétiens Albert Camus 180
Poème: *Magnificat* Paul Claudel 183

14. ARTS 185
Introduction 185
L'Art André Malraux 189

La Peinture moderne Jean Paulhan 192
La Chapelle du Rosaire, à Vence Henri Matisse et Lucien François 197
Poème: *Pour faire le Portrait d'un Oiseau* Jacques Prévert 200

15. MUSIQUE ET CINÉMA 203
Introduction 203
L'Inspiration musicale Olivier Messiaen 207
Psychologie du Cinéma André Malraux 209
Le Farouest Raymond Queneau 213

16. THÉÂTRE 218
Introduction 218
Qu'est-ce que le Théâtre? Louis Jouvet 222
Discours aux morts Jean Giraudoux 225
L'Acteur Jean-Louis Barrault 228

17. LITTÉRATURE 233
Introduction 233
La Langue française Paul Valéry 237
Thésée André Gide 240
Dans le Labyrinthe Alain Robbe-Grillet 243
Poème: *Le Vin perdu* Paul Valéry 247

18. CONCLUSION 248
Introduction 248
Lettre d'Adieu Jacques Decour 250
La Patrie Jean Paulhan 253
Ma Demeure Charles de Gaulle 256
Poème: *Hommage à la vie* Jules Superveille 259

ÉPILOGUE 261

La Crise de l'Esprit Paul Valéry 263

BIBLIOGRAPHY 266

VOCABULARY 273

Prologue

Commençons par situer la France

ANDRÉ SIEGFRIED *(1875–1960) specialized in "human geography." Some of his best studies of different countries and people concern England and the United States. Below he gives us an introduction to France considered as a geographic and ethnical whole.*

Commençons par situer la France, pour chercher dans sa position géographique telles circonstances[1] propres à expliquer le caractère français. La France a trois versants et, du fait[2] de cette triple orientation, elle est à la fois occidentale, continentale, méditerranéenne. Il en résulte un équilibre original et peut-être unique.

Par son front atlantique, elle regarde vers le dehors, avec une fenêtre ouverte sur le grand large:[3] elle subit de ce fait des attractions extra-continentales, la tentation des aventures lointaines. Cette France maritime, coloniale, expansionniste, appartient au groupe libéral des civilisations anglo-américaines et c'est sous cet aspect qu'elle apparaît authentiquement occidentale. Le vent d'Ouest persistant qui souffle sur ses rivages lui apporte bien autre chose[4] que la douceur humide et purifiante de l'océan. En revanche, en tant que continentale, elle tient à l'Europe par un lien de chair[5] impos-

[1] *pour chercher . . . telles circonstances:* the adjective "*tel*" is sometimes used as an equivalent to "those"; "so as to discover such facts as can most adequately explain."

[2] *du fait de:* because of; "fait" means "fact," and plays almost the same role as "cause" in "because," which means "by cause of." Cf. below: "*de ce fait*": because of this.

[3] *le large:* the open sea. Cf. "prendre le large": to put out to sea. *Le grand large:* the ocean.

[4] *bien autre chose:* an emphatic use of "bien"; "a great deal more than that."

[5] *un lien de chair:* (literally: a carnal link): organic bonds. M. Siegfried emphasizes here the vital unity of European economic and cultural life of which France is part; hence the image which the next sentences explain.

sible à rompre, bien différente en cela de l'insulaire Angleterre. Toute la bande orientale du pays, celle qui dans le partage de Charlemagne échut à Lothaire,[6] est déjà d'Europe centrale, par nombre de traits géographiques ou moraux, ne pouvant échapper à l'observateur. De ce point de vue nous ne sommes plus atlantiques mais continentaux, terriens,[7] essentiellement européens. Toute l'histoire, ancienne et récente, impose cette conclusion qu'il n'y a pas de France sans Europe, mais qu'il ne peut davantage y avoir d'Europe sans la France. C'est une pièce[8] indispensable de tout système continental.

Par son front méditerranéen enfin la France est en contact immédiat avec l'Afrique, l'Asie, l'Orient, l'Extrême-Orient, c'est-à-dire, dans l'espace, avec un monde exotique et prestigieux, et dans le temps avec le passé le plus illustre de l'humanité. On sait l'unité foncière de la Méditerranée; partout elle est la même, de Marseille à Beyrouth, de Smyrne à Barcelone. Nous nous apparentons ainsi à des sociétés qui ne nous sont plus contemporaines, à des formes de culture que l'Europe nordique estime lui être étrangères,[9] mais auxquelles une secrète sympathie nous relie. Alors que notre paysan est si loin de l'entrepreneur de culture mécanisé[10] du nouveau monde, on peut lui trouver quelque ressemblance avec le cultivateur chinois. Les «planches», les «restanques»[11] de notre Riviera reflètent le patient labeur de générations innombrables: ces terrasses arti-

[6] *Lothaire:* Lothair I, one of the three grandsons of Charlemagne, heir to the imperial throne, who, at the Treaty of Verdun (843), was forced by his two brothers to limit his domains to the central part of Charlemagne's empire.

[7] *terrien:* a landlubber who is ill at ease in a boat.

[8] *pièce:* a part of a whole, but a part which is complete in itself. Cf. "*des pièces détachées*": automobile parts which can be replaced separately.

[9] *estime lui être étrangères:* judges as alien to its own (culture).

[10] *entrepreneur . . . mécanisé:* mechanized agricultural contractor as opposed to the peasant; a man who cultivates the soil from the strictly businesslike point of view of output and profitable returns.

[11] *planche; restanque:* local terms designating narrow strips of land cultivated by hand. The Riviera is a mountainous region where every inch of soil is precious. The peasants build stone walls along the hillside which level and preserve the soil, thus creating the "terraces" which characterize the Mediterranean landscape.

ficielles évoquent une humanité éternelle, échappant aux révolutions du temps.

Le caractère unique de la psychologie française provient justement de cette diversité, que les siècles ont fini par fondre en une nouvelle unité. Il s'agit du reste d'un ensemble contradictoire,[12] orienté à la fois vers l'Orient et l'Occident, vers le passé et vers l'avenir, vers la tradition et vers le progrès. Pas de pays plus hardi dans ses conceptions, pas de pays plus routinier dans ses habitudes: avec la France, selon le point de vue, il y a toujours quelque chose à critiquer, mais aussi toujours quelque chose à admirer.

Il n'est pas plus simple de nous situer ethniquement. Il n'y a pas de race française, à tel point que[13] l'expression, quand on l'emploie, ne signifie rien. Il y a des Germains dans le Nord, des Celtes (ou si l'on veut des Alpins) dans le plateau central et dans l'Ouest, des Méditerranéens dans le Sud. Nous sommes une race de métis, mais on sait qu'une sélection trop stricte ne développe pas l'intelligence et que tous les mélanges ne donnent pas de mauvais résultats. Le peuple français paraît s'être plutôt enrichi de ces apports variés: nous devons aux Latins notre lucidité intellectuelle, notre don d'expression; aux Celtes notre esprit artistique, notre individualisme poussé à l'occasion jusqu'à l'anarchie; aux Germains ce que nous avons de génie organisateur et constructif. . . .

L'unité nationale à laquelle nous sommes parvenus n'est pas fondée sur la race. Les origines ethniques peuvent être distinctes, mais il n'est aucune des races qui ait dominé les autres: tous les Français, qu'ils se rattachent au tronc germain, alpin ou méditerranéen, se considèrent comme étant Français au même degré, sans aucune inégalité résultant du sang qui coule dans leurs veines. . . . L'unité nationale provient bien davantage de l'adaptation séculaire au sol, au climat, d'une tradition historique ayant suscité et consolidé soit un genre de vie, soit une culture. C'est social plus que

[12] *Il s'agit . . . contradictoire:* Finally all these influences have created an entity made up of contradictory factors.

[13] *à tel point que:* and this is so true that.

politique, la force de la nation n'étant pas dans l'Etat, mais la famille et surtout l'individu.

André Siegfried
L'Ame des Peuples
(Librairie Hachette, Editeur)

QUESTIONS SUR *Commençons par situer la France*

1. Qu'est-ce qui rend unique la position de la France? Peut-on appliquer le même adjectif à celle des Etats-Unis?
2. Quelles sont les aventures lointaines auxquelles fait allusion l'auteur?
3. Pourquoi la France est-elle une pièce indispensable de tout système continental?
4. Quelles sont les caractéristiques de la civilisation méditerranéenne?
5. Comment l'auteur explique-t-il les contradictions de la psychologie française?
6. Quels ont été les différents peuples qui ont formé la France? les Etats-Unis?
7. Dessinez une carte de l'Europe occidentale.

PREMIÈRE PARTIE

Vie Economique, Sociale et Politique

1

ASPECTS GÉOGRAPHIQUES

La France n'est pas un de ces continents «en forme de massue», comme les Etats-Unis ou l'URSS,[1] à qui l'avenir appartient peut-être. Ce n'est encore, si l'on considère une carte à grande échelle, rien d'autre «qu'un petit cap de l'Asie».[2] Mais la France est un pays bien situé, de plaines et de montagnes, avec une grande variété dans son unité, offrant beaucoup de contrastes mais peu de régions invivables. Elle présente au regard un ensemble harmonieux mais il a fallu la main de l'homme pour donner à la France sa personnalité géographique.

On la compare souvent à l'état du Texas, du moins pour ses dimensions; elle mesure à peu près 1000 kilomètres du nord au sud et 800 de l'est à l'ouest (soit 625 milles sur 500). Sa forme est celle d'un hexagone assez régulier; cinq côtés sont constitués par des frontières naturelles, la Mer du Nord et la Manche, l'Océan Atlantique, les Pyrénées, la Méditerranée et les Alpes; le sixième côté est une ligne conventionnelle qui lui sert de frontière au nord-est. Ce sont là presque les mêmes limites que celles de la Gaule.

[1] Union des Républiques Socialistes Soviétiques, ou Russie.
[2] Ces comparaisons sont des écrivains Paul Morand et Paul Valéry.

Il y a deux systèmes de montagnes, l'un très ancien que l'on retrouve dans les Vosges, les Ardennes, le Massif Central, l'autre plus récent constitué par le Jura, les Alpes et les Pyrénées. Les sommets des Alpes sont très élevés, comme le Mont Blanc, le plus haut d'Europe, qui a 4800 mètres (environ 16000 pieds). Les cols y sont cependant assez faciles à franchir. Les Pyrénées, au contraire, forment une vaste barrière entre la France et l'Espagne, sauf aux extrémités est et ouest. Ces montagnes sont la source d'au moins deux richesses: le tourisme, en hiver comme en été, et la houille noire et blanche, c'est-à-dire le charbon tiré des mines et l'énergie électrique venue des chutes d'eau. Elles renferment aussi divers autres minerais.

Les parties les plus riches du pays sont les plaines, souvent situées autour d'un fleuve et de ses affluents. Des deux côtés de la Seine s'étend le vaste Bassin Parisien; prolongé par la plaine du nord et, à l'est, par le Plateau Lorrain, il couvre de ses prairies et de ses champs de blé presque un quart de la France. La Seine, fleuve tranquille et très navigable, unit Paris, grand port dont les armes sont un navire, à Rouen et au Havre. Au centre, la Loire et au sud, la Garonne arrosent de grasses campagnes. A l'est, le Rhin donne l'unité à diverses régions prospères; le Rhône, également sorti des Alpes, rapide à Lyon, creuse vers le Midi une vallée fertile puis s'étale, près de Marseille, avec une nonchalance toute méridionale.

Le climat de la France est assez varié pour contribuer à la diversité des caractères, des moeurs, de l'habitat, mais il n'est jamais excessif, sauf dans la haute montagne. Les plaines, suivant leur situation, ont plus ou moins de soleil ou de pluie; mais les froids de la Bretagne, par exemple, sont adoucis par la proximité du Gulf Stream et les chaleurs sèches du Midi sont tempérées par l'air marin.

C'est dans ce cadre que se situent les provinces françaises. Elles n'ont plus d'importance politique depuis la Révolution de 1789, mais on en parle souvent en géographie, en histoire, en littérature. Certaines sont plus connues que d'autres. L'Ile-de-France est la région autour de Paris. La Normandie est une riche province de l'Ouest peuplée par une race aventurière d'hommes du Nord qui sont devenus de sages fermiers; les Normands ont la réputation d'être discuteurs, têtus, méfiants, rusés, très près de leurs sous et de leurs bouteilles de cidre. Leurs voisins les Bretons n'ont pas les pieds aussi fermement sur le sol; ce sont des marins, excellents pêcheurs, très religieux, et dans leur péninsule un peu isolée du reste de la France, ils gardent certaines de ces coutumes locales qui se perdent ailleurs. La Touraine, célèbre pour ses châteaux, longtemps le séjour des rois de France, l'est aussi pour sa beauté et la douceur de son climat. Au sud se trouvent la Gascogne, pays du fameux Cyrano de Bergerac, et à l'extrême sud-ouest, le Pays Basque; ses habitants agiles et sveltes, aiment les jeux, les courses de taureaux, la pelote,[3] la danse, le chant, et parlent une langue ancienne aux origines mystérieuses.

Le Languedoc et la Provence, aux nombreux souvenirs romains, forment le Midi méditerranéen, d'ailleurs assez différent à l'est et à l'ouest du Rhône. La vie y est relativement facile et les Méridionaux sont donc moins industrieux que leurs compatriotes du nord. Certaines régions de Provence sont arides mais la beauté du pays, la pureté de l'air et le soleil qui brille toute l'année donnent aux habitants de la verve et un certain optimisme. Une des parties les plus connues du Midi est la Côte d'azur, avec ses lavandes et ses mimosas, ses oliviers aux feuilles argentées vers le ciel et sombres vers la terre, ses eucalyptus et ses pins parfumés; quelques villages s'accrochent aux collines; sur la côte bien protégée caps et baies forment d'heureuses plages.

D'autres provinces souvent visitées sont la Savoie, région des Alpes; la Bourgogne, autrefois puissante, illustre aujourd'hui pour ses vins, comme sa voisine la Champagne; l'Alsace et la Lorraine, bien différentes l'une de l'autre mais dont l'histoire a associé les noms; enfin l'Auvergne montagneuse et rude. Ces provinces ont des centres importants tels que Marseille, Lyon, Bordeaux, Lille, Stras-

[3] Ce jeu ressemble à certains égards au «hand ball» américain, mais il se joue en plein air et avec des espèces de paniers au lieu de gants. On l'appelle aux Etats-Unis le «jai lai».

bourg où se manifeste assez intensivement leur vie propre, économique, sociale, intellectuelle; mais cette vie provinciale ne saurait se comparer à celle, unique, de Paris, la capitale.

QUESTIONS

1. Pourquoi la connaissance de la géographie est-elle une introduction utile à l'étude d'un pays?
2. Quels pays ont une frontière commune avec la France?
3. Comment vivent les habitants de la haute montagne en été? en hiver?
4. Parlez d'une province française, d'après vos souvenirs, vos lectures, vos recherches.
5. Quels types régionaux pouvez-vous décrire en France? aux Etats-Unis?
6. Parlez du climat de votre région. Quelle partie de la France peut en avoir un semblable?
7. Comment s'explique la variété de la France?
8. Dessinez une carte de France.

Montigny-en-Fresnois

COLETTE *(1873–1954), is the pen name of Sidonie Gabrielle. To date she is the most famous French woman writer of the twentieth century. The list of her books is a long one and many of her stories have been filmed.* Gigi *and* Le Blé en herbe (The ripening Seed) *are the best known of these. Colette's first heroine was Claudine, who appeared in a series of short novels which were best-sellers. But since they were signed not by Colette but by her husband Willy, Colette did not benefit from their success. Colette drew on the memories of her own childhood when she created Claudine. She was born in a little village in Burgundy, Saint-Sauveur-en-Puisaye, in no way different from Montigny, and she lived there happily, protected by the mother she was later to make famous under the name of Sido. All her life, Colette loved the country: the woods, fields and familiar animals they sheltered.*

Je m'appelle Claudine, j'habite Montigny; j'y suis née en 1884; probablement je n'y mourrai pas. Mon *Manuel de géographie départementale*[1] s'exprime ainsi: «Montigny-en-Fresnois, jolie petite ville de 1.950 habitants, construite en amphithéâtre sur la Thaize;[2] on y admire une tour sarrasine[3] bien conservée . . .» Moi, ça ne me dit rien[4] du tout, ces descriptions-là! D'abord, il n'y a pas de Thaize; je sais bien qu'elle est censée traverser des prés au-dessous du passage à niveau; mais en aucune saison vous n'y trouveriez de quoi laver les pattes d'un moineau. Montigny construit «en amphithéâtre»? Non, je ne le vois pas ainsi; à ma manière,[5] c'est des maisons qui dégringolent, depuis le haut de la colline jusqu'en bas de la vallée; ça s'étage en escalier au-dessous d'un gros château, rebâti sous Louis XV[6] et déjà plus délabré que la tour sarrasine, basse, toute gainée de lierre,[7] qui s'effrite par en haut un petit peu chaque jour. C'est un village, et pas une ville: les rues, grâce au ciel, ne sont pas pavées; les averses y roulent en petits torrents, secs au bout de deux heures; c'est un village, pas très joli même, et que pourtant j'adore.

Le charme, le délice de ce pays fait de collines et de vallées si étroites que quelques-unes sont des ravins, c'est les bois, les bois profonds et envahisseurs, qui moutonnent et ondulent[8] jusque là-bas, aussi loin qu'on peut voir . . . Des prés verts les trouent par places,[9]

[1] *Manuel . . . départementale:* school-book in which Claudine learns about the geography of the region. A department is an administrative unit in France.

[2] *Thaize:* name of a small rivulet.

[3] *sarrasine:* the *Sarrasins* are the Arabs who invaded France in the ninth century and left traces of their passage in certain localities.

[4] *ça ne me dit rien:* Those descriptions don't mean a thing to me; *ça:* ces descriptions-là.

[5] *à ma manière, c'est:* selon moi, Montigny c'est.

[6] *Louis XV:* King of France (born 1710; reigned 1715–74).

[7] *toute . . . lierre:* covered with ivy. *Gaine:* sheath.

[8] *moutonnent et ondulent:* sway and undulate. *Moutonner:* moving in waves, like the backs of a flock of sheep.

[9] *Des prés . . . places:* Green meadows open up holes in them here and there.

de petites cultures aussi, pas grand'chose, les bois superbes dévorant tout. De sorte que cette belle contrée est affreusement pauvre, avec ses quelques fermes disséminées, peu nombreuses, juste ce qu'il faut de toits rouges pour faire valoir[10] le vert velouté des bois.

Chers bois! Je les connais tous; je les ai battus[11] si souvent. Il y a les bois-taillis,[12] des arbustes qui vous agrippent méchamment la figure au passage, ceux-là sont pleins de soleil, de fraises, de muguet, et aussi de serpents . . . ce n'était pas dangereux, mais quelles terreurs! Tant pis, je finis toujours pas y retourner[13] seule ou avec des camarades; plutôt seule, parce que ces petites grandes filles m'agacent, ça[14] a peur de se déchirer aux ronces, ça a peur des petites bêtes, des chenilles velues et des araignées des bruyères, si jolies, rondes et roses comme des perles, ça crie, c'est fatigué, —insupportables enfin.

Et puis il y a mes préférés, les grands bois qui ont seize et vingt ans, ça me saigne le cœur d'en voir couper un; pas broussailleux, ceux-là, des arbres comme des colonnes, des sentiers étroits où il fait presque nuit à midi, où la voix et les pas sonnent d'une façon inquiétante. Dieu, que je les aime! Je m'y sens tellement seule, les yeux perdus loin entre les arbres, dans le jour vert et mystérieux, à la fois délicieusement tranquille et un peu anxieuse, à cause de la l'obscurité vague . . . Pas de petites bêtes, dans ces grands bois ni de hautes herbes, un sol battu, tour à tour sec, sonore, ou mou à cause des sources; des lapins à derrière blanc les traversent; des chevreuils peureux dont on ne fait que deviner le passage, tant ils courent vite; de grands faisans lourds, rouges, dorés, des sangliers (je n'en ai pas vu); des loups—j'en ai entendu un, au commencement de l'hiver . . .

Et les sapinières! Peu profondes, elles, et peu mystérieuses, je les aime pour leur odeur, pour les bruyères roses et violettes qui pous-

[10] *faire valoir:* to bring out.
[11] *je les ai battus:* I roamed through them.
[12] *bois-taillis:* thickets of small trees with underbrush (broussailles).
[13] *je finis . . . retourner:* I always end by going back there.
[14] *ça:* contemptuous for: elles.

French Embassy—Press and Information Division

COLETTE

Photograph by Brassai, Courtesy of Harper's Bazaar

Eugène Ionesco

sent dessous, et pour leur chant sous le vent. Avant d'y arriver, on traverse des futaies serrées,[15] et tout à coup, on a la surprise délicieuse de déboucher au bord d'un étang, un étang lisse et profond, enclos de tous côtés par les bois, si loin de toutes choses! Les sapins poussent dans une espèce d'île au milieu; il faut passer bravement à cheval sur un tronc déraciné qui rejoint les deux rives. Sous les sapins, on allume du feu, même en été, parce que c'est défendu; on y cuit n'importe quoi, une pomme, une poire, une pomme de terre volée dans un champ, du pain bis faute d'autre chose;[16] ça sent la fumée amère et la résine, c'est abominable, c'est exquis.

J'ai vécu dans ces bois dix années de vagabondages éperdus, de conquêtes et de découvertes; le jour où il me faudra les quitter j'aurai un gros chagrin.

COLETTE
Claudine à l'école
(Editions Albin Michel)

QUESTIONS SUR *Montigny-en-Fresnois*

1. Pourquoi la petite fille ne reconnaît-elle pas son village dans la description du manuel de géographie?
2. Qu'est-ce qu'indique la présence de cette tour sarrasine?
3. Quels plaisirs variés Claudine trouve-t-elle dans les bois-taillis? dans les grands bois? dans les sapinières?
4. Pourquoi le contact avec la nature est-il un élément important dans la formation d'une personne?
5. Pourquoi l'eau et le feu ont-ils tant d'attrait pour les enfants?
6. Colette est célèbre pour ses descriptions de bêtes. Parlez d'un animal que vous avez (ou que vous avez eu).

[15] *futaies serrées:* tall, close-growing trees.
[16] *du pain . . . chose:* brown bread, if nothing else offers. *Bis,* adj., is pronounced bi.

Bas-Languedoc

ANDRÉ GIDE *(1869–1951) is one of the most challenging French writers of the first half of the twentieth century. A Parisian by birth, he always felt in his own personality the conflicting appeal of lush Normandy, his mother's province, and his father's austere, sunlit Languedoc. When in Normandy he dreams of Languedoc, which he describes in this passage.*

Il est[1] d'autres terres plus belles et que je crois que j'eusse préférées.[2] Mais de celles-ci[3] je suis né. . . . Entre la Normandie et le Midi je ne voudrais ni ne pourrais choisir, et me sens d'autant plus Français que je ne suis pas d'un seul morceau de France, que je ne peux penser et sentir spécialement en Normand ou en Méridional, en catholique ou en protestant, mais en Français, et que, né à Paris, je comprends à la fois l'Oc et l'Oïl,[4] l'épais jargon normand, le parler chantant du midi, que je garde à la fois le goût du vin, le goût du cidre, l'amour des bois profonds, celui de la garrigue,[5] du pommier blanc et du blanc amandier. . . .

[1] *Il est:* il y a.

[2] *j'eusse préférées:* I should have preferred; *j'eusse,* imperfect subjunctive of avoir.

[3] *de celles-ci . . . :* inversion. I was born of these, i.e., Normandy and Languedoc.

[4] *l'Oc et l'Oïl:* the Romans established a thriving colony in southern France long before they invaded the north of France. In the south, Vulgar latin developed into the "langue d'oc," hence the name *Languedoc;* in the north, it developed into the "langue d'oïl." Both are so called from the manner in which "yes" was said.

[5] *garrigue:* a southern term used to designate low limestone hills covered with dwarf oaks, sweet smelling herbs and other such Mediterranean vegetation. The "garrigue" is here contrasted with the lush Norman woods as Norman cider and apple trees are contrasted with the wine and the almond trees of the Mediterranean Coast.

Du bord des[6] bois normands, j'évoque une roche brûlante–un air tout embaumé, tournoyant de soleil[7] et roulant à la fois confondus[8] les parfums des thyms, des lavandes et le chant strident des cigales. J'évoque à mes pieds, car la roche est abrupte, dans l'étroite vallée qui fuit, un moulin, des laveuses, une eau plus fraîche encore d'avoir été plus désirée. J'évoque un peu plus loin la roche de nouveau, mais moins abrupte, plus clémente, des enclos, des jardins, puis des toits, une petite ville riante: Uzès. C'est là qu'est né mon père et que je suis venu tout enfant.

On y venait de Nîmes en voiture; on traversait au pont Saint-Nicolas le Gardon.[9] Ses bords au mois de mai se couvrent d'asphodèles comme les bords de l'Anapo.[10] Là vivent des dieux de la Grèce. Le Pont du Gard[11] est tout auprès.

Plus tard je connus Arles, Avignon, Vaucluse. . . . Terre presque latine, de rire grave, de poésie lucide et de belle sévérité. Nulle mollesse ici. La ville naît du roc et garde ses tons chauds. Dans la dureté de ce roc l'âme antique reste fixée; inscrite dans la chair vive et dure de la race, elle fait la beauté des femmes, l'éclat de leur rire, la gravité de leur démarche, la sévérité de leurs yeux; elle fait la fierté des hommes, cette assurance un peu facile de ceux qui, s'étant déjà dits dans le passé,[12] n'ont plus qu'à se redire sans effort et ne trouvent plus rien de bien neuf à chercher; –j'entends cette âme encore dans le cri micacé[13] des cigales, je la respire avec les aromates, je la vois dans le feuillage aigu des chênes verts, dans les rameaux grêles des oliviers. . . .

[6] *Du bord de . . . :* from the edge of . . . or less literally: Here at the edge . . . I evoke. . . .

[7] *tournoyant de soleil:* there is such brilliant sunlight that, as in a Van Gogh painting, the air seems to be moving in eddies.

[8] *confondus:* applies to "les parfums" et "le chant," which are mingled.

[9] *le Gardon:* a small Languedoc river.

[10] *l'Anapo:* a river in Sicily that poets recall because of the asphodel.

[11] *Le Pont du Gard:* famous and beautiful aqueduct that spans the Gardon not far from Nîmes.

[12] *s'étant déjà dits:* having said what they had to say.

[13] *le cri micacé,* micacé, micacious: adjective formed from mica, a shining white crystallized silicate that separates into thin fragments. Gide uses the word to give a translation in visual terms of the light, strident whirr of the cicadas.

Disons encore: il y a des landes plus âpres que celles de Bretagne; des pacages plus verts que ceux de Normandie; des rocs plus chauds que ceux de la campagne d'Arles; des plages plus glauques que nos plages de la Manche, plus azurées que celles de notre Midi–mais la France a cela tout *à la fois*. Et le génie français[14] n'est, pour cela même, ni tout landes, ni tout cultures, ni tout forêts, ni tout ombre ni tout lumière–mais organisé et tient en harmonieux équilibre ces divers éléments proposés. C'est ce qui fait de la terre française la plus classique des terres; de même que les éléments si divers: ionien, dorien, béotien, attique, firent la classique terre grecque.

André Gide
Prétextes
(Mercure de France)

QUESTIONS SUR *Bas-Languedoc*

1. Quels contrastes l'auteur établit-il entre la Normandie et le Languedoc?
2. Comment l'auteur compose-t-il le paysage qu'il évoque?
3. Quelles fortes impressions a-t-il gardées du midi?
4. Quelles constructions romaines sont les mieux conservées et les plus connues au sud de la France?
5. Quelle critique adresse-t-il aux hommes de cette région?
6. Qu'est-ce qui caractérise le génie français, selon l'auteur?
7. Comment pourrait-on définir le génie de l'Amérique?

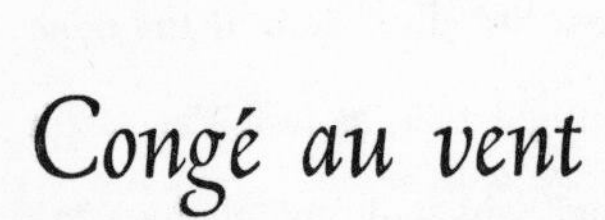

Congé au vent

RENÉ CHAR *(b. 1907) lives in Provence, not far from the Fontaine de Vaucluse where the Italian poet Petrarch wrote his sonnets to Laura, who lived close by. Char is a poet who, during the*

[14] *le génie français: génie* here means "spirit," in much the same way as we say: the "genius" of the seventeenth century.

occupation of France, was the leader of the clandestine forces in the province. In this prose-poem, having "dismissed the wind," i.e., having dismissed all agitation and movement, he evokes a typical provençal scene: the return of the mimosa[1] *picker at the end of the day. The girl passes at sundown, like some ancient divinity of the earth, in a halo of perfume.*

A flancs de coteau du village bivouaquent des champs fournis de mimosas. A l'époque de la cueillette, il arrive que, loin de leur endroit, on fasse la rencontre extrêmement odorante d'une fille dont les bras se sont occupés durant la journée aux fragiles branches. Pareille à une lampe dont l'auréole de clarté serait de parfum, elle s'en va, le dos tourné au soleil couchant.

Il serait sacrilège de lui adresser la parole.

L'espadrille foulant l'herbe,[2] cédez-lui le pas du chemin.[3] Peut-être aurez-vous la chance de distinguer sur ses lèvres la chimère de l'humidité de la Nuit?[4]

René Char
Seuls Demeurent
(Gallimard)

[1] *mimosa:* The mimosa is a shrub of the acacia family. It grows in warm regions. The little round yellow flowers are gay and warm in color and give out with a rich perfume. In the Mediterranean regions, the mimosa is picked at the end of winter.

[2] *L'espadrille . . . herbe:* Your sandal treading on the grass. *Espadrille:* a sandal with a canvas top and a cord sole much used in Mediterranean countries.

[3] *cédez-lui . . . chemin:* make way for her along the path.

[4] *la chimère . . . Nuit:* the chimera, i.e., the illusion of Night's humidity. A chimera is an imaginary, fantastic being. In this poem the word seems to suggest an extraordinary presence.

2

FAMILLE

Peut-être plus encore que dans les pays anglo-saxons, la famille est en France la base de la société, quoique la crise sociale amenée par deux guerres l'ait un peu ébranlée. Cette notion de famille est large; «la famille» comprend souvent tous ceux qui portent le même nom, exception faite évidemment des noms les plus courants. Elle inclut tous les parents et tous les alliés, réunis surtout aux fêtes familiales, présidées par les aïeux; tout le monde y assiste et l'on y vient quelquefois de très loin. De telles cérémonies se perdent d'ailleurs, mais plus à Paris qu'en province où les liens de famille sont encore très forts. En général aussi les maisons sont moins ouvertes aux étrangers que dans d'autres pays et quand on est l'ami de quelqu'un on l'est presque certainement de sa famille.

La loi soutient cette cellule sociale. C'est ainsi qu'elle accorde des bénéfices financiers aux chefs de famille, sous forme de primes diverses, d'allocations, d'exemptions d'impôts, et c'est là une des raisons pour lesquelles la France est aujourd'hui un pays à forte natalité. Elle reconnaît un droit à l'héritage qui fait qu'un père ne peut pas complètement disposer de sa fortune, dont une partie doit revenir à ses enfants. Elle rend difficile le divorce que la religion catholique, dominante en France, réprouve de son côté: l'important est d'assurer un foyer aux enfants. La loi donne au père une grande autorité et filles et garçons sont assez sévèrement tenus jusqu'à leur majorité. Cependant la législation des dernières années, sous l'influence de changements économiques et sociaux, assure de plus en plus de droits et de libertés aux femmes et aux enfants. Celles-là travaillent hors de la maison beaucoup plus souvent qu'autrefois, ceux-ci ne comptent plus guère sur l'aide financière de leurs parents; les uns et les autres se trouvent ainsi plus indépendants.

Mais la famille reste essentielle à la vie française. On peut toujours dire que c'est presque une religion, avec ses dogmes inscrits dans la loi; son prêtre, le père, aidé par la mère; ses fêtes à Noël, au Nouvel An, à Pâques, aux anniversaires, aux baptêmes, aux premières communions; ses rites dont le principal, trois fois par jour, est le repas dont on dit, à juste titre, que c'est une cérémonie. Autour de la table en effet, les enfants prennent conscience du cercle de famille et s'éduquent entre eux sous l'influence de leurs parents. Ils apprennent très tôt les bonnes manières et le contrôle de soi-même. Leur éducation vient plus des leçons et de l'exemple de leurs parents que de leurs propres expériences. Ils sont en général couvés par la mère; quant au père, il leur sert plutôt de guide que de camarade.

La plus grande partie des familles vit dans des appartements, souvent très modernes, dans la ville même. Cela a ses avantages puisqu'elles sont au centre des activités. Mais c'est le rêve de beaucoup d'entre elles de s'installer dans la banlieue, dans une jolie maison confortable qui leur appartienne de la cave au grenier, qui jouisse au moins d'un petit jardin et qu'elles garderont très longtemps.

QUESTIONS

1. La famille est-elle nécessairement la base de la société?
2. L'autorité dans la famille peut-elle être partagée entre le père et la mère?
3. Est-il bon de laisser une grande liberté aux enfants?
4. Comment se passe une cérémonie de mariage aux Etats-Unis?
5. Quel est le sens de l'institution de la dot?
6. Quels sont les arguments pour et contre le divorce?
7. Les enfants ont-ils un droit à la fortune de leurs parents?
8. Comparez la force des liens familiaux et leur évolution en France et aux Etats-Unis.

9. Quels sont les avantages et les inconvénients d'habiter dans la ville même?

10. Décrivez votre maison—votre chambre.

Père et Fils

THIS INCIDENT *takes place in the first part of a long novel in eight parts,* Les Thibault. *Jacques Thibault, a boy of about fourteen, has run away because of an incident which had occurred in the very strict catholic school which he is attending. One of his masters had found and confiscated the gray notebook which Jacques kept hidden in his desk and through which he had confided his thoughts to his protestant friend Daniel. Determined not to accept this humiliation, Jacques had run away from home. His brother Antoine has just brought him back. His mother is dead and his father, Oscar Thibault, is an austere Catholic who treats Jacques as if he were a criminal.*

Roger Martin du Gard (1881–1958) is a good novelist in the realist tradition.

Jacques sortit[1] le premier. Antoine, en payant, ne quittait pas son frère de l'oeil, craignant qu'il ne prît[2] sa course dans la nuit, au hasard. Mais l'enfant semblait abattu; sa figure de gamin des rues,[3] balafrée par le voyage et fripée par le chagrin, était sèche, ses yeux baissés.

—«Sonne, veux-tu?» dit Antoine.

Jacques ne répondit pas, ne bougea pas. Antoine le fit entrer. Il obéissait docilement. Il ne pensa même pas à la curiosité de la mère

[1] *sortit:* Jacques gets out of a cab.
[2] *prît:* imperfect subjunctive after *craindre:* afraid that he might run away.
[3] *sa figure . . . rues:* literally: his street urchin's face. Translate: He looked like a street urchin, his face marked by his journey.

Fruhling,[4] la concierge. Il était écrasé par l'évidence de son impuissance. L'ascenseur l'enleva, comme un fétu, pour le jeter sous la férule paternelle: de toutes parts, sans résistance possible, il était prisonnier des mécanismes de la famille, de la société.

Pourtant, lorsqu'il retrouva son palier, lorsqu'il reconnut le lustre allumé dans le vestibule comme les soirs où son père donnait ses dîners d'hommes, il éprouva une douceur, malgré tout, à sentir autour de lui l'enveloppement de ces habitudes anciennes.[5]

Mais la porte du cabinet s'ouvre[6] à deux battants, et le père surgit dans l'embrasure.

Du premier coup d'oeil il aperçoit Jacques et ne peut se défendre d'être ému. Il s'arrête cependant et referme les paupières; il semble attendre que le fils coupable se précipite à ses genoux, comme dans le Greuze,[7] dont la gravure est au salon.

Le fils n'ose pas. Car le bureau, lui aussi, est éclairé comme pour une fête, et les deux bonnes viennent d'apparaître à la porte de l'office, et puis M. Thibault est en redingote, bien que ce soit l'heure de la vareuse du soir: tant de choses insolites paralysent l'enfant. . . . Il a reculé et reste debout, baissant la tête, attendant il ne sait quoi, ayant envie, tant il y a de tendresse accumulée dans son coeur, de pleurer, et aussi d'éclater de rire!

Mais le premier mot de M. Thibault semble l'exclure de la famille. L'attitude de Jacques, en présence de témoins, a fait s'évanouir[8] en un instant toute velléité d'indulgence; et pour mater l'insubordonné, il affecte un complet détachement:

[4] *la mère Fruhling:* vernacular use of "mère" to designate an old woman. Cf. *père: Le père Goriot,* Old Goriot.

[5] *il éprouva . . . anciennes:* he found it comforting, after all, to feel his old habits enveloping him again.

[6] *s'ouvre:* Note the change of tense. Martin du Gard uses the present for dramatic effect.

[7] *le Greuze:* a painting by Greuze. French painter of the eighteenth century who liked to paint family scenes. The Greuze in the Thibault drawing room might well be a reproduction of "The Wicked Son Punished" or "The Father's Curse."

[8] *a fait s'évanouir:* sentence structure: a fait . . . toute velléité . . . s'évanouir: instantly dissipated any trace of indulgence M. Thibault might have felt.

—«Ah, te voilà», dit-il, s'adressant à Antoine seul. «Je commençais à m'étonner. . . . Je te remercie, mon cher,[9] de m'avoir épargné une semblable démarche . . . Une démarche aussi pénible!»

Il hésite quelques secondes, il espère encore un élan[10] du coupable; il décoche un coup d'oeil vers les bonnes, puis vers l'enfant, qui fixe le tapis avec une physionomie sournoise. Alors, décidément fâché, il déclare:

—«Nous aviserons dès demain aux dispositions à prendre pour que de pareils scandales ne se renouvellent jamais.»

Et quand Mademoiselle[11] fait un pas vers Jacques pour le pousser dans les bras de son père—mouvement que Jacques a deviné, sans lever la tête, et qu'il attend comme sa dernière chance de salut, —M. Thibault, tendant le bras, arrête Mademoiselle avec autorité.

—«Laissez-le! Laissez-le! C'est un vaurien, un coeur de pierre! Est-ce qu'il est digne des inquiétudes que nous avons traversées à cause de lui?» Et, s'adressant de nouveau à Antoine, qui cherche l'instant d'intervenir: «Antoine, mon cher, rends-nous le service de t'occuper, pour cette nuit encore, de ce garnement. Demain, je te promets, nous t'en délivrerons.»

Il y a un flottement: Antoine s'est approché de son père; Jacques, timidement, a relevé le front. Mais M. Thibault reprend sur un ton sans réplique:

—«Allons, tu m'entends, Antoine? Emmène-le dans sa chambre. Ce scandale n'a que trop duré.»

Puis dès qu'Antoine, menant Jacques devant lui, a disparu dans le couloir . . . M. Thibault, les yeux toujours clos, rentre dans son cabinet et referme la porte derrière lui.

Il ne fait que traverser la pièce pour entrer dans celle où il couche. C'est la chambre de ses parents . . . telle qu'il l'a héritée, . . . la

[9] *mon cher:* my dear boy. Cf. *ma chère,* my dear girl or my dear friend (feminine).

[10] *il espère . . . un élan:* "He still hopes that Jacques will have a spontaneous movement of affection." The French expression is very elliptic: *Il espère que Jacques aura un élan.*

[11] *Mademoiselle:* the governess who brought up the motherless Thibault boys.

commode d'acajou, les fauteuils Voltaire,[12] le lit où, l'un après l'autre, son père, puis sa mère sont morts; et suspendu devant le prie-dieu dont Mme Thibault a brodé la tapisserie, le christ qu'il a lui-même, à quelques mois de distance, placé entre leurs mains jointes.

Là, seul, redevenu lui,[13] le gros homme arrondit les épaules; un masque de fatigue paraît glisser de son visage, et ses traits prennent une expression simple, qui le fait ressembler à ses portraits d'enfant. Il s'approche du prie-dieu et s'agenouille avec abandon. Ses mains bouffies se croisent d'une façon rapide, coutumière: tous ses gestes ont ici quelque chose d'aisé, de secret, de solitaire. Il lève sa face inerte; son regard, filtrant sous les cils, s'en va droit vers le crucifix. Il offre à Dieu sa déception, cette épreuve nouvelle; et, du fond de son coeur délesté de tout ressentiment, il prie, comme un père, pour le petit égaré.[14] Sous l'accotoir, parmi les livres pieux, il prend son chapelet, celui de sa première communion, dont les grains après quarante années de polissage, coulent d'eux-mêmes entre ses doigts. Il a refermé les yeux, mais il garde le front tendu vers le Christ. Personne jamais ne lui a vu, dans la vie, ce sourire intérieur,[15] ce visage dépouillé, heureux. Le balbutiement de ses lèvres fait un peu trembler ses bajoues, et les coups de tête qu'il donne à intervalles réguliers pour dégager son cou hors du col, semblent balancer l'encensoir au pied du trône céleste.

Roger Martin du Gard
Les Thibault
(Gallimard)

[12] *fauteuils Voltaire:* high-backed eighteenth-century type of armchair named after Voltaire, the most prolific writer of the eighteenth century, who was often portrayed sitting in an armchair of this type.

[13] *redevenu lui:* having become himself again. M. Thibault forces himself to play the role of the austere father and judge.

[14] *le petit égaré: égaré* is here used as a noun: the little lost one, i.e., the lost sheep.

[15] *Personne . . . intérieur:* No one ever saw in his everyday life this inner smile.

QUESTIONS SUR *Père et Fils*

1. Quelles impressions éprouve l'enfant une fois dans l'ascenseur?
2. Pourquoi ressent-il une certaine douceur à retrouver sa maison?
3. Quels sentiments lui donnent envie de rire et de pleurer?
4. Qu'est-ce qui retient le père et le fils l'un devant l'autre?
5. A quelle classe sociale croyez-vous qu'appartienne M. Thibault?
6. Comment s'explique la sévérité de son attitude?
7. Sa religion vous semble-t-elle sincère?
8. Quel a été un des drames de la vie des Thibault?
9. Pourquoi les enfants se sauvent-ils de chez eux?

La Couseuse

COLETTE *(see page 12 for biographical sketch). Colette's daughter, Bel-Gazou, was born in 1913. The passage below reveals something of Colette's subtle and yet earthy sense of reality and her genuine understanding of human beings, untouched by any false sentimentality.*

—Votre fille a neuf ans, m'a dit une amie, et elle ne sait pas coudre? Il faut qu'elle apprenne à coudre. Et par mauvais temps il vaut mieux, pour une enfant de cet âge, un ouvrage de couture qu'un livre romanesque.»

—Neuf ans? et elle ne coud pas? m'a dit une autre amie. A huit ans ma fille me brodait ce napperon, tenez . . . Oh! ce n'est pas du travail fin, mais c'est gentil tout de même. Maintenant, ma fille se taille elle-même ses combinaisons . . . Ah! c'est que je n'aime pas, chez moi, qu'on raccommode les trous avec des épingles!

J'ai déversé docilement toute cette sagesse domestique sur Bel-Gazou:[1]

[1] *Bel-Gazou:* pet name given by Colette to her daughter. *Gazou* suggests both *gazouiller,* to warble, and gazelle.

—Tu as neuf ans, et tu ne sais pas coudre? Il faut apprendre à coudre, etc.

J'ai même ajouté, au mépris de la vérité:[2]

—A huit ans, je me souviens que j'ai brodé un napperon . . . Oh! ce n'était pas du travail fin, évidemment . . . Et puis, par le mauvais temps. . . .

Elle a donc appris à coudre. Et bien qu'elle ressemble davantage —une jambe nue et tannée pliée sous elle, le torse à l'aise dans son maillot de bain—à un mousse ravaudant un filet[3] qu'à une petite fille appliquée, elle n'y met pas de répugnance garçonnière. . . .

Elle coud, et me fait gentiment compagnie, si la pluie hache[4] l'horizon marin. Elle coud aussi à l'heure torride où les fusains tassent sous eux une boule ronde d'ombre.[5] Il arrive aussi qu'un quart d'heure avant le dîner, noire dans sa robe blanche—«Bel-Gazou! tes mains et ta robe sont propres, ne l'oublie pas!»—elle s'asseye, cérémonieuse, un carré d'étoffe aux doigts . . . Alors mes amies l'applaudissent:

—Regarde-la! Est-elle sage![6] A la bonne heure! Ta maman doit être contente!

Sa maman ne dit rien—il faut maîtriser les grandes joies. Mais faut-il les simuler? J'écrirai la vérité: je n'aime pas beaucoup que ma fille couse.

Quand elle lit, elle revient, tout égarée et le feu aux joues, de l'île au coffre plein de pierreries, du noir château où l'on opprime un enfant blond et orphelin.[7] Elle s'imprègne d'un poison éprouvé, traditionnel, dont les effets sont dès longtemps connus. Si elle dessine

[2] *au mépris de la vérité:* with no regard for truth.

[3] *un mousse ravaudant un filet:* a ship-boy mending a net. Bel-Gazou is at the seaside.

[4] *si la pluie hache: hacher:* to streak.

[5] *où les fusains . . . boule ronde d'ombre:* the "fusain" or spindle tree is a shrub which is trimmed so that when the sun is high the branches cast a round shadow beneath them.

[6] *Est-elle sage!:* an exclamation: "Isn't she good!"

[7] *Quand elle lit . . . blond et orphelin:* an amusing summary of the romantic stories Bel-Gazou reads and of their effect on her; *le feu aux joues:* her cheeks flushed.

ou colorie des images, une chanson à demi-parlée sort d'elle, ininterrompue comme la voix d'abeilles qu'exhale le troène.[8] Bourdonnement de mouche au travail, valse lente du peintre en bâtiments, refrain de la fileuse au rouet . . . Mais Bel-Gazou est muette quand elle coud. Muette longuement, et la bouche fermée, cachant—lames à petites dents de scie logées au coeur humide d'un fruit[9]—les incisives larges, toutes neuves. Elle se tait, elle . . . Ecrivons donc le mot qui me fait peur: elle pense.

Mal nouveau? Fléau que je n'avais point prévu? Assise dans une combe d'herbe,[10] ou à demi-enterrée dans le sable chaud et le regard perdu sur la mer, je sais bien qu'elle pense. Elle pense «à gros bouillons»[11] lorsqu'elle écoute, avec une fausse discrétion bien apprise, des répliques, jetées imprudemment en pont[12] par-dessus sa tête. . . .

—A quoi penses-tu, Bel-Gazou?

—A rien, maman. Je compte mes points.

Silence. L'aiguille pique. Un gros point de chaînette[13] se traîne à sa suite, tout de travers. Silence.

—Maman?

—Chérie?

—Il n'y a que quand on est marié qu'un homme peut tenir son bras autour d'une dame?

—Oui . . . Non . . . Ça dépend. S'ils sont très camarades, s'ils se connaissent beaucoup, tu comprends . . . Je te le répète: Ça dépend. Pourquoi me demandes-tu cela?

—Pour rien, maman.

[8] *une chanson . . . le troène:* when Bel-Gazou draws, she hums; Colette compares the sound to the hum of bees coming from the privet shrubs.

[9] *lames . . . d'un fruit:* Colette compares Bel-Gazou's mouth to a fruit and her teeth to little saws hidden inside the fruit. She reminds us that Bel-Gazou is not all innocence and that there is in her a well-armed, alert, little animal.

[10] *une combe d'herbe:* a grassy hollow.

[11] *«à gros bouillons»:* The expression describes a vigorously boiling liquid. "She is thinking in great turmoils when. . . ."

[12] *jetées . . . en pont:* remarks thrown like bridges over Bel-Gazou's head. A description of adult conversation as it goes back and forth, supposedly "over the head" of children.

[13] *point de chaînette:* chain stitch, used in embroidery.

Deux points, dix points de chaînette, difformes.

—Maman? Mme.[14] X, elle est mariée?

—Elle l'a été. Elle est divorcée.

—Ah! oui . . . Et M.[15] F, il est marié?

—Oui, voyons, tu le sais bien.

—Ah! oui . . . Et ça suffit, qu'un sur deux soit marié?

—Pour quoi faire?

—Pour dépendre.

—On ne dit pas «pour dépendre».

—Mais tu viens de le dire, que ça dépendait?

—Qu'est-ce que ça peut bien te faire? Ça t'intéresse?

—Non, maman.

—Mais tu avais bien une idée, en me posant une question pareille?

—Non, maman.

Je n'insiste pas. Je me sens pauvre, empruntée,[16] mécontente de moi. Il fallait répondre autrement: je n'ai rien trouvé.

Bel-Gazou n'insiste pas non plus, elle coud. Elle coud et superpose, à son oeuvre qu'elle néglige, des images, des associations de noms et de personnes, tous les résultats d'une patiente observation. Un peu plus tard viendront d'autres curiosités, d'autres questions, mais surtout d'autres silences. Plût à Dieu[17] que Bel-Gazou fût l'enfant éblouie et candide, qui interroge crûment, les yeux grands ouverts! . . . Mais elle est trop près de la vérité, et trop naturelle pour ne pas connaître, de naissance, que toute la nature hésite devant l'instinct le plus majestueux et le plus troublé, et qu'il convient de trembler, de se taire et de mentir lorsqu'on approche de lui.

COLETTE
La Maison de Claudine
(Ferenczi)

[14] *Mme:* i.e., Madame.

[15] *M.:* i.e., Monsieur.

[16] *empruntée:* embarrassed.

[17] *Plût à Dieu que:* Would to heaven Bel-Gazou were (subj. of *plaire*). Colette wishes her daughter could remain as she is, and continue to question openly.

QUESTIONS SUR *La Couseuse*

1. Comment vous représentez-vous la jeune Bel-Gazou?
2. Pourquoi une fillette doit-elle apprendre à coudre?
3. Quelles sont les occupations de Bel-Gazou quand elle ne coud pas?
4. Quel est le poison éprouvé dont il s'agit ici?
5. Quelles sont les préoccupations de Bel-Gazou quand elle coud?
6. Qu'est-ce que Colette pressent dans les questions de sa fille?
7. Comment aurait-elle pu y répondre?
8. Ce silence grandissant entre la mère et la fille est-il naturel?

Le Vieux Village

FRANCIS JAMMES *(1868–1938), the poet of village life in the Basque country, imagines a whole family that might have lived in the large abandoned house and park which he explores during one of his walks. The Jammes family had settled in Guadeloupe where the poet had many relatives, hence the theme of the uncle returning from exotic lands.*

Le vieux village était rempli de roses
Et je marchais dans la grande chaleur
et puis ensuite dans la grande froideur[1]
de vieux chemins où les feuilles s'endorment.

Puis je longeai un mur long et usé;
c'était un parc où étaient de grands arbres,
et je sentis une odeur du passé,
dans les grands arbres et dans les roses blanches.

Personne ne devait l'habiter plus . . .
Dans ce grand parc, sans doute, on avait lu . . .

[1] *froideur:* poetic use: le froid.

Et maintenant, comme s'il avait plu,
les ébéniers luisaient au soleil cru.[2]

Ah! des enfants des autrefois,[3] sans doute,
s'amusèrent dans ce parc si ombreux...
On avait fait venir des plantes rouges
des pays loin, aux fruits très dangereux.

Et les parents, en leur montrant les plantes,
leur expliquaient: celle-ci n'est pas bonne...
C'est du poison... elle arrive de l'Inde...
et celle-là est de la belladone.

Et ils disaient encore: cet arbre-ci
vient du Japon où fut votre vieil oncle...
Il l'apporta tout petit, tout petit,
avec des feuilles grandes comme l'ongle.

Ils disaient encore: nous nous souvenons
du jour où l'oncle revint d'un voyage aux Indes;
il arriva à cheval, par le fond
du village, avec un manteau et des armes...

C'était un soir d'été. Des jeunes filles
couraient au parc où étaient de grands arbres,
des noyers noirs avec des roses blanches,
et des rires sous les noires charmilles.[4]

Et les enfants couraient, criant: c'est l'oncle!
Lui, descendait avec son grand chapeau,
du grand cheval, avec son grand manteau...
Sa mère pleurait: ô mon fils... Dieu est bon...

[2] *au soleil cru:* in the harsh sun.
[3] *des enfants des autrefois:* children from bygone days. "Autrefois" is used here as a noun.
[4] *les noires charmilles:* the arbors are dark because of the shade cast by the trees.

Lui, répondait: nous avons eu tempête . . .
L'eau douce a bien failli manquer à bord.
Et la vieille mère le baisait sur la tête
en lui disant: mon fils tu n'es pas mort . . .

Mais à présent où est cette famille?
A-t-elle existé? A-t-elle existé?
Il n'y a plus que des feuilles qui luisent,
aux arbres drôles, comme empoisonnés . . .

Et tout s'endort dans la grande chaleur . . .
Les noyers noirs pleins de grande froideur . . .
Personne là n'habite plus . . .
Les ébéniers luisent au soleil cru.

FRANCIS JAMMES
De l'Angélus de l'Aube
à l'Angélus du Soir
(Mercure de France)

3

TABLE

Les plaisirs de la table en France sont justement réputés. Presque partout le touriste, le voyageur trouvent à bien manger; cela peut être dans un grand restaurant aux menus à la carte ou dans un «bistro», c'est-à-dire un petit café avec son prix fixe, dans lequel le patron et sa femme font presque tout eux-mêmes et où les Français aiment bien aller manger leur bifteck aux pommes. Mais c'est dans les familles que l'on a cette excellente cuisine dite bourgeoise qui est l'honneur de la maîtresse de maison.

C'est aussi sa servitude—malgré l'aide des appareils ménagers—parce que c'est trois repas que la femme qui ne travaille pas hors de chez elle prépare pour sa famille. Il lui faut aller au marché ou chez divers marchands: boulangers, pâtissiers, bouchers, charcutiers, épiciers, laitiers, etc. L'opération est cependant facilitée par des épiceries libre-service, à l'américaine, quelques supermarchés et par l'emploi croissant de réfrigérateurs. Puis la ménagère rentre chez elle préparer son repas car les boîtes de conserve et les aliments congelés sont assez chers et peu appréciés. Ensuite, elle fait sa cuisine, faisant bouillir, griller, frire et rôtir, assaisonnant avec générosité, surveillant la cuisson, laissant mijoter, goûtant ses plats, sans trop se soucier du propre nombre de vitamines et de calories.

Le petit déjeuner est léger. Pour le déjeuner cependant la plupart des gens, en province, rentrent chez eux, toutes affaires cessantes. Quant au dîner, qui se prend autour de sept heures et demie, il est moins le commencement que le point culminant de la soirée. Il faut de plus un casse-croûte à l'ouvrier—du pain avec du fromage ou du saucisson—et un goûter de tartines ou de pain et de chocolat à l'enfant. La cuisine de tous les jours est assez simple; les repas, accompagnés de vin ordinaire, consistent en une entrée ou un potage, une viande et des légumes, une salade, un fromage parmi les nombreuses sortes que l'on fabrique en France, les préférés étant ceux «du pays», et un dessert, généralement des fruits crus.

Pour les grandes occasions, on a de la grande cuisine. La variété des produits favorise cet art qui se pratique au beurre dans le nord, à l'huile dans le Midi et qui donne une quantité de bons plats régionaux comme le canard à l'orange en Normandie, la bouillabaisse, soupe de poissons au safran, à Marseille, les escargots en Bourgogne, la poularde demi-deuil, c'est-à-dire farcie de truffes à Lyon, etc. Ces dîners sont alors arrosés de ces vins fameux qui expriment aussi la diversité des terroirs de France, rouges de Bourgogne ou de Bordeaux, blancs d'Anjou ou de Moselle, rosés de Provence; ils se marient bien avec la nourriture et ils excitent l'esprit et l'amitié. Après le repas, on prend une tasse de bon café noir suivie, si l'on a des amis ou si c'est jour de fête, d'une liqueur ou d'un cognac. Pour bien boire celui-ci, dit-on, on le chauffe dans un verre dans le creux de la main, on le hume, on le goûte et puis on en parle. Mais c'est une plaisanterie que ce dicton: «Au travail on fait ce qu'on peut, à table on se force»! Ces repas sont avant tout de bonnes réunions de la famille.

QUESTIONS

1. En quoi consistent les principaux repas de la journée en France? aux Etats-Unis?

2. Que savez-vous des coutumes culinaires de différents pays et, en particulier, des Etats-Unis?

3. Quel régime faut-il suivre pour bien se porter?

4. Quels sont les mérites relatifs du lait, du vin et du café comme boissons avec le repas?

5. Pourquoi les Français passent-ils plus de temps à table que d'autres peuples?

6. Comment la cuisine française réflète-t-elle la variété des ressources du pays?

Après dîner chez les Smith

EUGÈNE IONESCO *(b. 1912), was born in Roumania but studied in France, where he settled in 1938. On its opening night, his first play* La Cantatrice chauve (The Bald Soprano, *1950), caused a minor scandal in the small avant-garde theater where it was produced. Since then, Ionesco has become one of the leading dramatists of his time, receiving world-wide attention. Ionesco has explained how he came to write* La Cantatrice chauve. *"Nine or ten years ago, in order to learn English conversation, I bought a French-English primer. . . . From the third lesson on, two characters were presented, Mr. and Mrs. Smith, an English couple. To my great astonishment, Mrs. Smith informed her husband that they had several children, . . . that their name was Smith, that their home was a palace for 'the home of an Englishman is his palace.'"*[1] *This is how his absurd and amusing "anti-play," as Ionesco called it, was born. In this scene, Ionesco is laughing at the inanity of our conversations on food.*

(Intérieur bourgeois anglais, avec des fauteuils anglais. Soirée anglaise. M. Smith, Anglais, dans son fauteuil et ses pantoufles anglais, fume sa pipe anglaise et lit un journal anglais. Il a des lunettes anglaises, une petite moustache grise, anglaise. A côté de lui, dans un autre fauteuil anglais, Mme Smith, Anglaise, raccomode des chaussettes anglaises. Un long moment de silence anglais. La pendule anglaise frappe dix-sept coups anglais.)[2]

[1] *The Tulane Drama Review*, Spring 1960, p. 10.

[2] The seventeen strokes announce the absurd and comic world in which the conversation on everyday events becomes more and more absurd.

MME SMITH.—Tiens, il est neuf heures. Nous avons mangé de la soupe, du poisson, des pommes de terre au lard, de la salade anglaise. Les enfants ont bu de l'eau anglaise. Nous avons bien mangé, ce soir. C'est parce que nous habitons dans les environs de Londres et que notre nom est Smith.

M. SMITH, *continuant sa lecture, fait claquer sa langue.*[3]

MME SMITH.—Les pommes de terre sont très bonnes avec le lard, l'huile de la salade n'était pas rance. L'huile de l'épicier du coin est de bien meilleure qualité que l'huile de l'épicier d'en face, elle est même meilleure que l'huile de l'épicier du bas de la côte. Mais je ne veux pas dire que leur huile à eux soit mauvaise.

M. SMITH, *continuant sa lecture, fait claquer sa langue.*

MME SMITH.—Pourtant, c'est toujours l'huile de l'épicier du coin qui est la meilleure . . .

M. SMITH, *continuant sa lecture, fait claquer sa langue.*

MME SMITH.—Mary a bien cuit les pommes de terre, cette fois-ci. La dernière fois elle ne les avait pas bien fait cuire. Je ne les aime que lorsqu'elles sont bien cuites.

M. SMITH, *continuant sa lecture, fait claquer sa langue.*

MME SMITH.—Le poisson était frais. Je m'en suis léché les babines.[4]

J'en ai pris deux fois. Non, trois fois. . . . Toi aussi tu en as pris trois fois. Cependant la troisième fois, tu en as pris moins que les deux premières fois, tandis que moi j'en ai pris beaucoup plus. J'ai mieux mangé que toi, ce soir. Comment ça se fait? D'habitude, c'est toi qui mange le plus. Ce n'est pas l'appétit qui te manque.[5]

M. SMITH, *continuant sa lecture, fait claquer sa langue.*

MME SMITH.—Cependant, la soupe était peut-être un peu trop salée. Elle avait plus de sel que toi. Ah, ah, ah. Elle avait aussi trop de poireaux et pas assez d'oignons. Je regrette de ne pas avoir

[3] *fait claquer sa langue: clucks* (clicks his tongue).
[4] *Je . . . babines:* It made my mouth water (literally: It made me lick my chops).
[5] *qui te manque:* (which) you lack.

conseillé à Mary d'y ajouter un peu d'anis étoilé.[6] La prochaine fois, je saurai m'y prendre.[7]

M. SMITH, *continuant sa lecture, fait claquer sa langue.*

MME SMITH.—Notre petit garçon aurait bien voulu boire de la bière, il aimera s'en mettre plein la lampe,[8] il te ressemble. Tu as vu à table, comme il visait la bouteille?[9] Mais moi, j'ai versé dans son verre de l'eau de la carafe. Il avait soif et il l'a bue. Hélène me ressemble: elle est bonne ménagère, économe, joue du piano. Elle ne demande jamais à boire de la bière anglaise. C'est comme notre petite fille qui ne boit que du lait et ne mange que de la bouillie. Ça se voit qu'elle n'a que deux ans. Elle s'appelle Peggy.

La tarte aux coings et aux haricots a été formidable. On aurait bien fait peut-être de prendre, au dessert, un petit verre de vin de Bourgogne australien mais je n'ai pas apporté le vin à table afin de ne pas donner aux enfants une mauvaise preuve de gourmandise. Il faut leur apprendre à être sobre et mesuré dans la vie.

M. SMITH, *continuant sa lecture, fait claquer sa langue.*

MME SMITH.—Mrs. Parker connaît un épicier roumain, nommé Popesco Rosenfeld, qui vient d'arriver de Constantinople. C'est un grand spécialiste en yaourt. Il est diplômé de l'école des fabricants de yaourt d'Andrinople. J'irai demain lui acheter une grande marmite de yaourt roumain folklorique. On n'a pas souvent des choses pareilles ici, dans les environs de Londres.

M. SMITH, *continuant sa lecture, fait claquer sa langue.*

MME SMITH.—Le yaourt est excellent pour l'estomac, les reins, l'appendicite et l'apothéose. C'est ce que m'a dit le docteur Mackenzie-King qui soigne les enfants de nos voisins, les Johns. C'est un bon médecin. On peut avoir confiance en lui. Il ne recommande jamais d'autres médicaments que ceux dont il a fait l'expérience sur

[6] *anis étoilé:* star-shaped aniseed (licorice). The seeds of the anise herb are aromatic and used in cooking for their flavor, though in cakes and not in soups.

[7] *je saurai m'y prendre:* I'll know what to do.

[8] *s'en mettre plein la lampe:* to guzzle it down. He is going to love getting plastered.

[9] *comme . . . bouteille:* how he ogled the bottle.

lui-même. Avant de faire opérer Parker, c'est lui d'abord qui s'est fait opérer du foie, sans être aucunement malade.

M. SMITH.—Mais alors comment se fait-il que le docteur s'en soit tiré[10] et que Parker en soit mort?

MME SMITH.—Parce que l'opération a réussi chez le docteur et n'a pas réussi chez Parker.

M. SMITH.—Alors Mackenzie n'est pas un bon docteur. L'opération aurait dû réussir chez tous les deux ou alors tous les deux auraient dû succomber.

MME SMITH.—Pourquoi?

M. SMITH.—Un médecin consciencieux doit mourir avec le malade s'ils ne peuvent pas guérir ensemble. Le commandant d'un bateau périt avec le bateau, dans les vagues. Il ne lui survit pas.

EUGÈNE IONESCO
La Cantatrice chauve
(Gallimard)

QUESTIONS SUR *Après dîner chez les Smith*

1. Qu'est-ce que l'auteur satirise en nous faisant entendre le monologue intérieur de Madame Smith?
2. Quelles observations morales mêle-t-elle à ses réflexions?
3. Quelles incongruités relevez-vous dans son discours?
4. Pourquoi M. Smith intervient-il soudain dans la conversation?
5. Qu'est-ce qui rend cette scène à la fois ordinaire et insolite?

Chez Félix

BLAISE CENDRARS *(1887–1961) is the pseudonym of Frédéric Sausser, a Swiss who spent most of his life traveling, leading the life of a vagabond, exploring strange "milieux" in which outcasts and adventurers live on the fringes of society. His poems, novels*

[10] *s'en soit tiré:* pulled through (subjunctive of *se tirer de:* to pull through).

and essays are all, in essence, memoirs in which Cendrars notes with all the vigor of his untrammeled sensuality and outspokenness episodes of his life. L'Homme foudroyé (The man struck by lightning) *(an allusion to a comrade-in-arms who was wiped out by a shell at his side) contains a set of sketches set in "le vieux port," the old port of Marseilles, the pre-World War II port, of which whole sections were blown up during the last war. Among these is the description of a "caboulot," a small restaurant, for the working class, located on the docks of the port and run by Félix and his wife, la Tite. Cendrars, just back from a trip to Africa where, with Jicky, his cameraman, he had been shooting a film, plans to take Diane, a young lady, to this restaurant.*

Chez Félix était un tout petit caboulot avec une magnifique terrasse sur le port. A l'intérieur, il y avait tout juste[1] quatre petites tables carrées, seize chaises de paille, un lustre modern-style et un immense fourneau tout encombré de pots et de marmites de terre où mijotaient sur un feu doux et dans une bonne odeur d'huile, d'ail, d'oignon, de laurier et de thym quantités de petits plats et des sauces tomates ou safranées qui vous faisaient monter l'eau à la bouche.[2] Ce n'était pas Félix qui faisait la cuisine, mais la patronne, la Tite,[3] une belle femme plantureuse et rieuse. . . . Avec Félix, on buvait le pastisse,[4] . . . puis deux, puis trois, et je me mis à bavarder.

J'arrivais d'Egypte et du Haut-Soudan. J'avais tourné un film sur les éléphants avec Jicky, mon photographe, un as, le meilleur des opérateurs. On en avait tué le moins possible[5] car nous ne tournions pas un film de chasse mais un documentaire sur la vie des éléphants. . . .

Mais le menu?

[1] *il y avait tout juste:* there were only just.
[2] *qui . . . bouche:* which made your mouth water.
[3] *la Tite:* Among the working-class, women are often called by their first name preceded by an article. Here "Tite" may have been "Petite" originally.
[4] *le pastisse:* a favorite alcoholic drink in all Mediterranean countries, flavored with aniseed.
[5] *On . . . possible:* We had killed as few of them (elephants) as possible.

—Le menu? Ah, diantre,[6] je l'avais oublié. Vous savez, moi, je licherais[7] tous les petits plats de la Tite, tellement ils sentent bon. Mais vous avez raison, il faut songer au menu. Ce soir, vous nous ferez un bon gueuleton à la marseillaise,[8] avec une bouillabaisse,[9] et tout, et tout.[10] Je suis votre homme. Mais à déjeuner, diable, c'est beaucoup plus compliqué car j'ai une invitée et c'est un déjeuner d'adieu . . . C'est une jeune fille du monde[11] que j'ai dépannée en Afrique et que je renvoie à sa mère. . . . Je voudrais lui offrir un petit repas fin[12] dont elle se souviendra. Voyons, qu'est-ce que vous avez? Y a-t-il moyen d'avoir[13] une belle poularde avec des champignons à la crème? Oui? alors c'est parfait car, vous savez, nous l'avons plutôt sauté,[14] en Afrique, de la barbaque de chameau, de la carne de singe et des conserves japonaises, on en a marre, Jicky et moi.[15] Alors, nous disons, une poularde à la crème avec des champignons. Bien. Et comme poisson? Vous avez bien des loups? Faites-nous griller trois beaux loups. On leur passe des branches de fenouil dans les ouïes[16] et on les fait flamber dans de la vieille chartreuse[17] au moment de servir. Comme hors d'oeuvres, un bel étalage de coquillages,[18] mais pas d'huîtres ni de moules. Du jambon de Parme, du fromage de tête[19] et, si vous en avez, de ces petites saucisses corses, des rouges, qui sont puissantes. Avec ça, de ce petit vin de chez

[6] *diantre:* What the devil!

[7] *je licherais:* I would eat up (vernacular).

[8] *un bon . . . marseillaise:* a bang-up marseillaise feed.

[9] *bouillabaisse:* a special provençal dish, which is made with some 20 different kinds of fishes cooked in water and white wine and flavored with garlic, saffron, etc.

[10] *et tout et tout:* etc etc.

[11] *une . . . monde:* a society gal.

[12] *un . . . fin:* a real gourmet's meal.

[13] *Y a-t-il . . . avoir:* Could you possibly make us.

[14] *nous . . . sauté:* we really skipped it (vernacular).

[15] *de la barbaque . . . aussi:* Sentence structure: on en a marre . . . de la barbaque . . . ; we're sick of it, Jicky and I (vernacular).

[16] *On . . . ouïes:* You thread a sprig of fennel through their gills.

[17] *on . . . chartreuse:* you singe it in the flame of blazing chartreuse (a liquor).

[18] *un . . . coquillages:* a fine assortment of shell-fish.

[19] *fromage de tête:* pork product made from pig's head.

vous,[20] qui, paraît-il, se laisse boire,[21] hein? Il paraît qu'il est fameux et se boit frais, le traître![22] Et beaucoup de champagne, du brut.[23] Les vins bouchés,[24] vous servirez ce que vous voudrez, moi, je n'en bois jamais. Voyons, où en sommes-nous de ce menu? Du potage? non, pas de potage. Mais une motte de beurre![25] N'oubliez pas une belle motte de beurre . . . Mais vous pourriez nous faire une bonne omelette bien baveuse,[26] sans herbettes, sans lard, sans rien du tout, mais accompagnée d'une belle salade, bien pommée[27] et bien blanche, et vous servirez en même temps un bon morceau de gruyère, à part, dans une assiette. Je crois que c'est tout. Mais l'omelette, ça c'est une trouvaille. Faites une omelette de douze oeufs, avec un soupçon de ciboulette. Non, pas de ciboulette, des oeufs, rien que des oeufs, pour nous c'est un rêve! et je vois d'ici la tête de Jicky, il va délirer de joie. Diable,[28] j'oubliais le dessert. Qu'est-ce qu'elle va pouvoir nous faire comme entremets ou comme plat doux, la Tite, une crème au chocolat, une crème renversée, un flan ou une tarte aux prunes? Mais allons voir ce qu'elle fabrique, la Tite, allons voir ce qu'elle pense de mon menu . . .

La Tite était affairée autour de son fourneau. Félix était descendu à la cave.[29] Par la porte du fond laissée ouverte et qui donnait sur une courette vitrée j'apercevais[30] une vieille femme éplucher des légumes, deux filles, une brune et une blonde, assortir les fruits dans les compotiers et préparer les couverts, un garçon revêtir sa blouse blanche, se donner un coup de brosse dans les cheveux en aspirant profondément les dernières bouffées d'une cigarette. C'était une

[20] *avec ça . . . vous:* with it give us your good local wine.
[21] *qui se laisse boire:* which goes down easily.
[22] *le traître:* the wine is "traitor" because it is more intoxicating than it seems to be.
[23] *du brut:* extra dry champagne.
[24] *Les vins bouchés:* As for sparkling wines.
[25] *une motte de beurre:* a dish of butter.
[26] *bien baveuse:* nice and runny.
[27] *bien pommée:* which has risen nicely.
[28] *Diable:* What the devil! (cf. *Diantre*).
[29] *la cave:* the cellar (to get the wine).
[30] *j'apercevais:* Sentence structure; j'apercevais une vieille femme qui épluchait . . . deux filles qui assortissaient . . . un garçon qui revêtait . . .

bonne boîte.[31] Cela sentait le linge frais et l'aïoli.[32] Et je fus pris d'une fringale subite.[33] Je me mis à tourner autour de la Tite et à soulever le couvercle des marmites et des pots.

—Qu'est-ce qui mijote là-dedans, Tite? Ça sent rudement bon . . . on dirait . . . mais c'est du *calamaio!*[34] Ah, j'adore ça. Il y a vingt-cinq ans que je n'en ai pas mangé. Donnez-m'en tout de suite une portion, Tite . . .

J'avais attrapé une louche et fouillant au fond du pot bouillant j'avais sorti d'une épaisse sauce brune très parfumée des petits morceaux d'une espèce de caoutchouc ratatiné sur lesquels se dessinaient des petites ventouses bleuâtres,[35] morceaux qui étaient des bras sectionnés de poulpe.

La Tite me tendait une assiette. Je la remplis jusqu'au bord, trempant la louche jusqu'au fond du pot pour attraper les meilleurs morceaux de seiche, et des gros oignons fondus, et des piments doux, et une feuille de laurier, et des noirs grains de poivre qui flottaient dans la lourde sauce en ébullition. Et, armé d'un quignon de pain,[36] comme un pauvre je me mis à avaler ça à la première table venue. Dieu, que c'était bon!

BLAISE CENDRARS
L'Homme foudroyé
(Editions Denoël)

QUESTIONS SUR *Chez Félix*

1. Quel agrément particulier offre un petit caboulot?
2. Pourquoi le champagne a-t-il une réputation mondiale?
3. Pourquoi l'auteur se réjouit-il tellement à l'idée d'une simple omelette?

[31] *une bonne boîte:* a good joint (vernacular).
[32] *l'aïoli:* a Provençal mayonnaise flavored with garlic.
[33] *je fus . . . subite:* I was carried suddenly by hunger.
[34] *calamaio:* Neapolitan word for cuttlefish which, on the Mediterranean coast, is served fried or cooked in a sauce and flavored with onion, often simply on a chunk of bread.
[35] *des . . . bleuâtres:* little bluish suckers.
[36] *un quignon de pain:* a chunk of bread (the crusty end of the loaf).

4. Qu'est-ce qui donne l'impression que ce petit restaurant est «une bonne boîte»?
5. Quel plaisir l'auteur trouve-t-il à soulever le couvercle des marmites?
6. Quels petits plats bien préparés aimez-vous le mieux?
7. Décrivez un bon petit restaurant où vous aimez aller manger.

Mes occupations

HENRI MICHAUX *(b. 1899) was born in Belgium where he spent a bored and lonely childhood until, in 1920, he left as sailor on a five-mast schooner. Since then he has spent most of his life traveling: South America; eastern and southern Europe; Africa; India, Indonesia, China; North America. Between his voyages he lived in Paris and was naturalized French in 1955. He began to write in 1922 and, three years later, in 1925, he discovered painting with the surrealists Klee, Ernst, and Chirico, who fascinated him. He is known both as a poet and, since 1937, the date of the first exhibition of his work, as a painter. Since 1923 Michaux has published about forty small plaquettes or larger volumes of poetry. One of the functions of poetry, according to Michaux, is to "explore" the inner realm of feeling and to "exorcise" the hidden fears or other monsters one encounters there. This he does usually with a fierce humor, making poems out of the revolt which is his protection against an often brutal world.* "Mes occupations" *is an early poem where Michaux transforms his inner hostility toward the man sharing his table at the restaurant into an imaginary assault on the objectionable individual. Michaux uses free verse, very close to prose, and the most current idiomatic language. He relies for his effects on repetition, onomatopoeia, and rhythms which accelerate and slow down according to the violence of the emotion.*

Je peux rarement voir quelqu'un sans le battre.
D'autres préfèrent le monologue intérieur. Moi, non. J'aime mieux battre.

Il y a des gens qui s'asseoient en face de moi au restaurant, et
ne disent rien, ils restent un certain temps, car ils ont décidé
de manger.
En voici un.
Je te l'agrippe, toc.[1]
Je te le ragrippe,[2] toc.
Je le pends au porte-manteau.
Je le décroche.
Je le repends.
Je le redécroche.[3]
Je le mets sur la table, je le tasse[4] et
l'étouffe.
Je le salis, je l'inonde.
Il revit.

Je le rince, je l'étire[5] (je commence à m'énerver, il faut en finir),[6]
je le masse, je le serre, je le résume[7] et l'introduis dans mon verre,
et jette ostensiblement le contenu par terre,
et dis au garçon: "Mettez-moi donc un verre plus propre".
Mais je me sens mal, je règle promptement l'addition et je m'en vais.

HENRI MICHAUX
Mes propriétés
(Gallimard)

[1] *Je te l'agrippe, toc:* vernacular: I get hold of him, bang. "Te" adds to the immediacy of the action.
[2] *ragrippe:* invented verb: re-agripper.
[3] *redécroche:* décroche encore une fois.
[4] *je le tasse:* I flatten him out.
[5] *je l'étire:* I stretch him out.
[6] *il faut en finir:* I must get it over with.
[7] *je le résume:* I reduce him.

4

SPORTS ET LOISIRS

Les sports sont pratiqués de plus en plus par les Français. Il est certain que la majorité des «sportifs», là comme ailleurs, se contente d'assister aux courses et aux matches; ils encouragent du moins les participants de leur présence et de leurs exhortations. Mais l'attrait des jeux, que ce soit vanité, intérêt ou plaisir, reste très puissant.

Les montagnes et les mers sont naturellement des invitations au sport et il faut rarement plus de deux ou trois heures d'automobile ou de train pour y arriver. En été, les alpinistes partent avant l'aube, marchent dans l'air stimulant jusqu'au pied des rochers; puis ils commencent leur escalade pour atteindre leur but, ce pic qui les regarde de là-haut et qui semble reculer au fur et à mesure qu'ils approchent de lui. En hiver la grimpée se fait sur des remonte-pentes ou des téléphériques et les skieurs peuvent redescendre à des vitesses vertigineuses. Quant à la mer, ce sont les touristes fortunés qui vont y passer l'hiver, dans le Midi surtout, mais dès les beaux jours les côtes sont envahies par les fervents du camping et de la natation. Les plages de la Méditerranée sont très populaires parce qu'il y fait toujours beau et les vagues, plus rares que dans l'océan, n'empêchent pas de nager dans l'eau profonde et bleue.

Il y a d'autres sports, comme la bicyclette que tout Français emploie pour son plaisir ou pour aller à son travail. C'est sans doute un meilleur exercice du dimanche que de rester à jouer aux cartes au café ou de se promener en auto sur des routes encombrées. La bicyclette, encore appelée vélo ou bécane, est à l'honneur pendant le célèbre Tour de France qui mène les coureurs de Paris à Paris dans un cycle complet. Le tennis s'est beaucoup répandu ces dernières années, sport qui demande souplesse, agilité, sang-froid, coup d'oeil et endurance. Il y a aussi l'escrime, fleuret, épée ou sabre, que l'on a comparée respectivement à une conversation, une dispute, une querelle.[1] D'autres sports où les Français se distinguent souvent dans les rencontres internationales sont la boxe, l'aviron, l'équitation, l'automobile. En général, les sports individuels sont préférés aux sports d'équipe. Il n'est cependant guère de lycéens qui n'aient passé leurs jeudis après-midi de congé à faire du football (soccer) ou du rugby avec leurs camarades; mais le football, qui est organisé en France par les villes, ne soulève pas un enthousiasme aussi vif qu'aux Etats-Unis.

Des sports plus ou moins nouveaux trouvent des fervents aujourd'hui. C'est ainsi que l'on peut voir, sur les plages du Midi, des gens équipés de grosses lunettes, de nageoires et de harpons, qui se livrent à la pêche sous-marine. D'autres prennent plaisir à explorer les grottes pour la plus grande gloire de la spéléologie. La «petite reine» elle-même, comme on appelle encore la bicyclette, est en train d'être détrônée par le «scooter» et la petite voiture. Les canoës et les bateaux à moteur sont de plus en plus nombreux, sur les rivières et sur les lacs, au grand ennui des pêcheurs.

A propos de sport, il faut parler de la marche. Les promenades à pied en famille en sont la forme élémentaire, en voie de disparition, la chasse en est l'aspect le plus sportif. Les «boy-scouts» ou éclaireurs sortent presque chaque dimanche pour de longues excursions; des groupes de jeunes gens partent pour le week-end, le sac au dos, profitant d'un réseau serré de routes, grandes voies nationales ou calmes chemins de province; ils font du camping ou s'arrêtent aux auberges de la jeunesse, faisant à l'occasion de l'auto-stop.

Si le sport est une des meilleures façons de trouver le vrai repos, il y a d'autres manières d'occuper ses loisirs. L'une d'elle est de

[1] Jean Prévost, auteur d'un livre sur le *Plaisir des Sports*. D'autres écrivains, Jean Giraudoux, Henry de Montherlant, Paul Morand, Joseph Peyré, ont consacré des oeuvres à ce sujet.

French Embassy—Press and Information Division

Barrage de la Girotte

French Cultural Services

JEAN GIONO

French Cultural Services

Antoine de Saint Exupéry

French Embassy—Press and Information Division

PAUL ELUARD

voyager et les Français sortent beaucoup de chez eux. Mais ils ont d'autres distractions. Comme en Amérique, pays de l'affairement où presque tout le monde a un passe-temps, ils ont la lecture des meilleurs livres ou des derniers romans policiers, celle d'innombrables revues et magazines, les visites aux amis, les danses, le cinéma, le théâtre, les conférences, les concerts et les jeux de toutes sortes, qu'il s'agisse de jeux de cartes ou de parties de boules.[2] Beaucoup de gens aiment à faire de la musique chez eux; la plupart ont appris à jouer de quelque instrument, bon gré mal gré, et les plus doués se livrent entre eux aux plaisirs de la musique de chambre. Les autres peuvent écouter leurs microsillons sur leurs électrophones. Il y a aussi la radio; les programmes des différentes chaînes contrôlées par l'Etat offrent assez de variété et il est facile d'entendre des postes des pays étrangers voisins. Quant à la télévision, elle est en pleine expansion, devenue presque partout un luxe indispensable. Là encore, "Eurovision" apporte les meilleurs programmes d'Europe.

Il y a enfin les collections de toutes sortes, la photographie, les échecs, le travail sur bois. Certains de ces passe-temps mêlent les gens à la société mais beaucoup d'autres leur permettent, au contraire, de se délasser et de donner libre cours, chezeux, à leur curiosité ou à leurs talents.

QUESTIONS

1. Quel est votre sport favori et pourquoi?
2. Quels sports sont les plus pratiqués aux Etats-Unis?
3. Faites une rapide histoire des sports.
4. Les sports tiennent-ils en général une trop grande place à l'Université, en Amérique?
5. Les Jeux Olympiques favorisent-ils de bonnes relations internationales?
6. Quels sont les agréments du camping?

[2] Les Français jouent moins aux quilles (bowling) qu'aux boules (bowling "on the green"). Il faut rouler ou lancer des boules le plus près possible du but, une petite boule appelée le cochonnet. Les Méridionaux ont un jeu similaire qu'ils nomment la pétanque.

7. Quel est un de vos passe-temps préféré et quel plaisir y trouvez-vous?
8. Pourquoi dit-on que les voyages forment la jeunesse?
9. Connaissez-vous de bons jeux de société?
10. Quels sont les avantages et les inconvénients de la télévision?

Promenade Nocturne à Bicyclette

JULES ROMAINS *(b. 1885) is a well-known French novelist who, about 1910, launched a literary movement known as "unanimism." The two pals Bénin and Broudier create a small "unanime," in other words, their individual personalities are extended in the more powerful "collective" personality they create together as they roll along on their bicycles.* Les Copains (The Pals) *is a very amusing short story about the collective escapades of a group of students to which Bénin and Broudier belong.*

Le soir de ce même jour, à neuf heures, deux bicyclettes sortaient de Nevers.[1] Bénin et Broudier roulaient coude à coude. Comme il y avait clair de lune, deux ombres très longues, très minces, précédaient les machines, telles que les deux oreilles du même âne.

—Sens-tu cette petite brise? disait[2] Bénin.

—Si je la sens![3] répondait Broudier. Ça[4] me traverse les cheveux, tout doucement, comme un peigne aux dents espacées.

—Tu as quitté[5] ta casquette?

—Oui. On[6] est mieux.

[1] *Nevers:* small town in the center of France.
[2] *disait:* the imperfect tense is sometimes used in the place of the perfect tense to give the impression that the action is taking place as we read.
[3] *Si je la sens:* emphatic exclamation, the equivalent of "And how!"
[4] *Ça:* vernacular for: elle (la brise).
[5] *quitté:* vernacular: enlevé.
[6] *On est mieux:* It's more comfortable. Note the use of *On* that makes the statement more general than "je suis mieux."

—C'est vrai. Il semble qu'on ait la tête[7] sous un robinet d'air. . . .

—Mon vieux,[8] je suis heureux! Tout est admirable! Et nous glissons à travers tout sur de souples et silencieuses machines. Je les aime, ces machines. Elles ne nous portent pas bêtement. Elles ne font que[9] prolonger nos membres et qu'épanouir notre force. Le silence de leur marche! Ce silence fidèle! Ce silence qui respecte toute chose.

—Moi aussi je suis heureux. Je nous trouve puissants. Où sont nos limites? On ne sait pas. Mais elles sont certainement très loin. Je n'ai peur d'aucun instant futur. Le pire événement, je passerais dessus, comme sur ce caillou. Mon pneu le boirait[10] . . . à peine une petite secousse . . . Je n'ai jamais conçu, comme ce soir, la rotondité de la terre. Me comprends-tu? La terre toute ronde, toute fraîche, et nous deux qui tournons autour par une route unie[11] entre des arbres . . . Toute la terre comme un jardin la nuit où deux sages se promènent. Les autres choses finissent quelque part; il le faut bien. Mais un globe n'a pas de fin. L'horizon devant toi est inépuisable. Sens-tu la rotondité de la terre? . . .

Mais le mouvement cessa de leur être insensible. Ils durent peser sur les pédales. Une montée toute droite faisait une lueur entre des arbres noirs.

Les feuilles remuaient; mais les copains ne brisaient plus un souffle d'air. Le vent marchait avec eux dans le même sens, du même pas, prêt à les pousser doucement s'ils eussent ralenti.[12]

La côte était ardue. Chaque pédale, tour à tour, semblait aussi résistante qu'une marche d'escalier. Elle cédait pourtant, et les roues avançaient par saccades. La machine faisait front d'un côté puis de l'autre, comme une chèvre qui lutte contre un chien. . . .

[7] *il semble . . . tête:* It's as if one's head were under . . . *ait:* subjunctive after *il semble que.*

[8] *Mon vieux:* familiar: informal term of affection between friends.

[9] *Elles ne font que . . . et que:* They merely . . . and; *ne . . . que:* only

[10] *Mon pneu le boirait:* my tire would drink it up.

[11] *et nous deux . . . route unie:* and the two of us rolling around it along a smooth road.

[12] *s'ils eussent ralenti:* subjunctive: if they should slow down.

—Quand j'étais gosse, dit Bénin, le soir avant de m'endormir, je me voyais traversant une forêt à cheval, mon meilleur ami à côté de moi.

La côte était gravie. Cent mètres de plaine, puis les machines partirent toutes seules.

Une descente, pareille à une fumée, se recourbait jusqu'au fond d'un val.

Les deux bicyclettes allaient d'une vitesse toujours accrue. Les deux roues d'avant sautaient ensemble.

Bénin et Broudier s'en félicitent. Parfois l'un d'eux donne un léger coup de frein pour ne pas dépasser l'autre.

Dans la nuit molle ils entrent une joie à double soc.[13] Alors ils savent ce qu'est le monde pour deux hommes en mouvement.

Bénin roule à gauche, Broudier à droite. Voilà qu'il n'y a plus ni droite ni gauche. Il y a le côté Bénin et le côté Broudier.

Le monde se divise en deux parts: celle qui est au delà de Bénin et dont il est responsable; celle qui est au delà de[14] Broudier et qui dépend naturellement de lui.

Mais de Bénin à Broudier[15] un espace se réserve, hors du monde. . . . Bénin et Broudier en mouvement limitent et possèdent un espace incontesté. Et ils peuvent, quand il leur plaît, considérer le monde comme une douteuse banlieue.

JULES ROMAINS
Les Copains
(Gallimard)

QUESTIONS SUR *Promenade Nocturne à Bicyclette*

1. Quelles qualités les deux amis attribuent-ils à la bicyclette?
2. Quelles sensations éprouvent-ils grâce à leurs machines?

[13] *dans la nuit . . . à double soc:* the double blade of their joy plows into the soft night.
[14] *au delà de:* on the other side (the outer).
[15] *de Bénin à Broudier:* from Bénin to Broudier: between the two pals.

3. En quoi le fait que c'est la nuit ajoute-t-il à leur plaisir?
4. Pourquoi la bicyclette est-elle comparée à une chèvre?
5. Comment l'amitié des deux cyclistes se trouve-t-elle resserrée par cette expérience?

Annapurna[1]

MAURICE HERZOG *(b. 1919) an engineer, became famous when, in 1950, he reached the summit of Annapurna, one of the highest peaks of the Himalayas. Alpinism for men like Herzog is less a sport than an adventure that calls upon all the resources of modern man: scientific knowledge, careful organization, teamwork, physical and moral stamina.* Annapurna *is the account, by Maurice Herzog, of the joys and hardships encountered by the expedition. Both the book and the film had considerable success in the United States.*

L'arrivée au sommet (3 juin 1950)

La marche est épuisante. Chaque pas est une victoire de la volonté. Le soleil nous rattrape. Pour saluer son arrivée, nous faisons un arrêt, parmi tant d'autres. Lachenal[2] se plaint de plus en plus de ses pieds.

«Je ne sens plus rien . . . , gémit-il, ça commence à geler.»

Il défait à nouveau sa chaussure.

Je finis par être inquiet: je me rends très bien compte du danger que nous courons et je sais par expérience combien le gel arrive

[1] *Annapurna:* The name of one of the highest peaks in the Himalayas, the top of which was reached for the first time in 1950, by a French expedition, led by Maurice Herzog.

[2] *Lachenal:* one of Herzog's team of climbers, who later died in another expedition.

sournoisement et vite si on ne se surveille de très près.[3] Mon camarade ne s'y trompe pas non plus:[4]

«On risque de se geler les pieds! . . . Crois-tu que cela vaille la peine?»[5]

Je suis anxieux. Responsable, je dois penser et prévoir pour les autres. Sans doute le danger est réel. L'Annapurna justifie-t-elle de tels risques? Telle est la question que je me pose et qui me trouble. . . .

La traversée est encore bien longue . . . et cette falaise . . . trouverons-nous une brèche? . . .

Lachenal m'apparaît comme un fantôme, il vit pour lui seul. Moi, pour moi. Les efforts—effets bizarres—nous coûtent moins qu'en bas. Est-ce l'espoir qui nous donne des ailes? Même à travers les lunettes la neige est aveuglante, le soleil tape directement sur la glace. Nous dominons des arêtes vertigineuses qui filent vers l'abîme.

En bas, tout là-bas, les glaciers sont minuscules. Les sommets qui nous étaient familiers jaillissent, hauts dans le ciel, comme des flèches.

Brusquement Lachenal me saisit:

«Si je retourne, qu'est-ce que tu fais?»

En un éclair, un monde d'images défile dans ma tête: les journées de marche sous la chaleur torride, les rudes escalades, . . . l'héroïsme quotidien de mes camarades pour installer, aménager les camps . . . A présent, nous touchons au but! Et il faudrait renoncer?

C'est impossible.

Mon être tout entier refuse. Je suis décidé, absolument décidé! Aujourd'hui nous consacrons un idéal. Rien n'est assez grand.

La voix sonne clair:

«Je continuerai seul.»

[3] *si on ne . . . près:* unless one keeps a very careful check.

[4] *Mon camarade ne s'y trompe pas:* My pal has no illusions either on this point; *se tromper:* to make a mistake; *s'y tromper:* se tromper à cela; *cela* refers to the dangers of frostbite.

[5] *vaille:* present subjunctive of *valoir,* here used after an interrogative form, conveying a feeling of doubt; *valoir la peine:* to be worth while.

J'irai seul.

S'il veut redescendre, je ne peux pas le retenir. Il doit choisir en pleine liberté.

Mon camarade avait besoin que cette volonté s'affirmât. Il n'est pas le moins du monde découragé; la prudence seule, la présence du risque lui ont dicté ces paroles. Sans hésiter, il choisit:

«Alors je te suis!»

Les dés sont jetés.[6]

L'angoisse est dissipée. Mes responsabilités sont prises. Rien ne nous empêchera plus d'aller jusqu'en haut.

Ces quelques mots échangés avec Lachenal modifient la situation psychologique. Nous sommes frères.

Je me sens précipité dans quelque chose de neuf, d'insolite. . . .

Avec la neige qui brille au soleil et saupoudre le moindre rocher, le décor est d'une radieuse beauté qui me touche infiniment. La transparence absolue est inhabituelle. Je suis dans un univers de cristal. Les sons s'entendent mal. L'atmosphère est ouatée.

Une joie m'étreint; je ne peux la définir. Tout ceci est tellement nouveau et tellement extraordinaire!

Une coupure immense me sépare du monde. J'évolue dans un domaine différent: désertique, sans vie, désséché. Un domaine fantastique où la présence de l'homme n'est pas prévue, ni peut-être souhaitée. Nous bravons un interdit,[7] nous passons outre à un refus, et pourtant c'est sans aucune crainte que nous nous élevons. . . .

Le ciel est toujours d'un bleu de saphir. A grand-peine, nous tirons vers la droite et évitons les rochers, préférant, à cause de nos crampons, utiliser les parties neigeuses. Nous ne tardons pas à prendre pied dans le couloir terminal. Il est très incliné . . . nous marquons un temps d'hésitation.

Nous restera-t-il assez de force pour surmonter ce dernier obstacle?

[6] *Les dés sont jetés:* The die is cast, i.e., the decision is made.
[7] *Nous bravons un interdit:* We dare to break through an interdict (a sacred prohibition).

Heureusement la neige est dure. En frappant avec les pieds et grâce aux crampons, nous nous maintenons suffisamment. Un faux mouvement serait fatal. . . .

En relevant le nez de temps à autre, nous voyons le couloir qui débouche sur nous ne savons trop quoi, une arête probablement.

Mais où est le sommet? A gauche ou à droite?

Nous allons l'un derrière l'autre, nous arrêtant à chaque pas. Couchés sur nos piolets, nous essayons de rétablir notre respiration et de calmer les coups de notre coeur qui bat à tout rompre.[8]

Maintenant, nous sentons que nous y sommes. Nulle difficulté ne peut nous arrêter. Inutile de[9] nous consulter du regard: chacun ne lirait dans les yeux de l'autre qu'une[10] ferme détermination. Un petit détour sur la gauche, encore quelques pas . . . L'arête sommitale se rapproche insensiblement. Quelques blocs rocheux à éviter.[11] Nous nous hissons comme nous pouvons.[12] Est-ce possible?

Mais oui! Un vent brutal nous gifle.

Nous sommes sur l'Annapurna.

8075 mètres.[13]

Notre coeur déborde d'une joie immense. . . .

Epilogue

. . . Bercé dans ma civière,[14] je pense à cette aventure qui se termine, à cette victoire inespérée. On parle toujours de l'idéal comme d'un but vers lequel on tend sans jamais l'atteindre.

[8] *à tout rompre:* to the bursting point.

[9] *Inutile de: il est inutile de.* Herzog's style is elliptic and this characteristic gives more rapidity and dramatic force to the description.

[10] *ne lirait . . . que:* would read . . . only. The conditional is here used to convey the full meaning of the thought which is not expressed. There is no point in exchanging glances for *if the two men looked at each other* all they would read. . . .

[11] *à éviter:* to be by-passed.

[12] *comme nous pouvons:* as best we can.

[13] *8075 mètres:* about 26,500 feet.

[14] *Bercé . . . civière:* When Maurice Herzog reached the top of Annapurna, he was badly frostbitten. This passage comes at the end of the book; as he is carried down on a stretcher he meditates upon the meaning of the expedition.

L'Annapurna, pour chacun de nous, est un idéal accompli: dans notre jeunesse, nous n'étions pas égarés dans des récits imaginaires ou dans les sanglants combats que les guerres modernes offrent en pâture à[15] l'imagination des enfants. La montagne a été pour nous une arène[16] naturelle, où, jouant aux frontières de la vie et de la mort, nous avons trouvé notre liberté qu'obscurément nous recherchions et dont nous avions besoin comme de pain.

La montagne nous a dispensé ses beautés que nous admirons comme des enfants naïfs et que nous respectons comme un moine l'idée divine.[17]

L'Annapurna, vers laquelle nous serions tous allés sans un sou vaillant,[18] est un trésor sur lequel nous vivrons. Avec cette réalisation c'est une page qui tourne . . . C'est une nouvelle vie qui commence.

Il y a d'autres Annapurna dans la vie des hommes . . .

MAURICE HERZOG
Annapurna
(Arthaud)

QUESTIONS SUR *Annapurna*

1. Quelles sortes de dangers courent les deux alpinistes?
2. Le désir d'arriver au sommet d'une montagne vous semble-t-il justifier de graves risques?
3. Pourquoi le chef de l'expédition décide-t-il de continuer?
4. Qu'est-ce qui rend cette grimpée extraordinaire pour lui?
5. L'alpinisme est-il très pratiqué aux Etats-Unis?
6. Quelles qualités ce sport exige-t-il?
7. Qu'est-ce que Maurice Herzog a trouvé dans sa victoire sur la montagne?
8. Quels sont «d'autres Annapurna» dont il parle dans sa conclusion?

[15] *offrent en pâture à:* give as fodder to.
[16] *arène:* arena. Allusion to the Roman arena where, in the contests, the opponents often fought until one of the two died.
[17] *comme un moine l'idée divine:* i.e. comme un moine respecte l'idée divine.
[18] *sans un sou vaillant:* idiomatic expression: without so much as a dime in our pockets.

5

INDUSTRIE

La révolution de l'industrie au XIXième siècle s'est faite dans une France dont la tradition dans ce domaine remontait déjà loin. Elle s'est heurtée à une certaine résistance mais elle a trouvé aussi beaucoup d'enthousiastes qui ont voulu mettre la technique au service de l'homme et dont les initiatives ont donné à la France sa place dans le monde actuel. Cela explique que l'on trouve, à côté d'un grand nombre de petites entreprises de caractère familial et artisanal, de puissantes compagnies égales aux plus modernes des Etats-Unis.

La France possède une bonne partie des ressources nécessaires à sa prospérité. Certaines sont d'ailleurs de découverte toute récente. Elle a le charbon et le fer et peut ainsi fabriquer l'acier. Ses mines de charbon sont surtout au nord et au nord-est, faisant partie de l'énorme gisement qui va d'Angleterre au bassin allemand de la Ruhr. Son fer, de bonne qualité, se trouve au nord-est, en Lorraine. C'est donc là, au nord et surtout au nord-est, que sont situés les centres d'industrie lourde du pays. Le nord-est est également un centre de l'industrie textile; celle-ci est prospère encore en Normandie, dans la région de Rouen, où le climat favorise le travail des étoffes, notamment de la laine, comme dans l'Angleterre voisine.

Un troisième centre important par sa situation et son marché est la région parisienne. L'industrie mécanique ceinture en partie la capitale. Dans certains quartiers de la ville même se trouvent des industries électriques, chimiques, plastiques et surtout ces activités de nature essentiellement urbaines et qui touchent souvent à l'art: les belles étoffes et la mode, la chaussure, le livre, la reliure, la tapisserie, la porcelaine, la verrerie, la bijouterie, le cuir, le mobilier, le parfum, etc. Les matériaux peuvent venir des provinces, mais ils sont retravaillés et présentés dans la capitale et sont connus partout sous le nom d'«articles de Paris» indispensables au décor et au luxe de la vie.

Certaines industries sont, cependant, très actives dans d'autres parties de la France; ce sont, par exemple, l'industrie lourde et le caoutchouc dans l'est du Massif Central, la soie et l'automobile à Lyon, les constructions aéronautiques dans le sud-ouest et navales dans l'estuaire de la Loire, les matières grasses à Marseille, la potasse en Alsace, l'aluminum en Provence, autour du curieux village des Baux. Il y a aussi les industries de la pêche, l'exploitation des forêts et les cultures dites industrielles comme la betterave à sucre, le lin et le chanvre dans le nord, les fleurs au sud-est.

Pour remédier à l'insuffisance de ses ressources en charbon, la France a beaucoup développé sa production de houille blanche; une grande partie de l'énergie électrique vient de barrages imposants dans les Pyrénées et les Alpes. Les grands barrages sur le Rhône rappellent des réalisations comme celles de la TVA aux Etats-Unis. Ils servent non seulement à la production de l'énergie qui a permis, par exemple, d'électrifier la majorité des lignes de chemin de fer, mais aussi à l'irrigation, et à la navigation.

Des explorations récentes ont mené à la découverte d'un très riche gisement de gaz naturel et d'un peu de pétrole au sud-ouest du pays. C'est surtout dans l'extrême-sud de l'Algérie que la prospection a été couronnée de succès; tandis que la France devait importer presque tout son pétrole qu'elle raffinait en essence et en huile, elle devrait pouvoir satisfaire bientôt à une grande partie de sa consommation. Mais ce pétrole est loin et son exploitation est liée à de sèrieux problèmes politiques. D'autres explorations, dans la métropole, ont fait découvrir le précieux uranium et en 1960 la France est entrée dans le «club atomique», en dehors duquel il n'y a pas de grande puissance. Mais la promesse de l'énergie atomique s'étend aussi à des fins pacifiques auxquelles la France travaille, surtout dans la production de l'électricité. Les centres les plus importants sont à Marcoule dans le Languedoc, et près de Paris.

De nombreuses entreprises d'utilité publique ou d'intérêt national sont gérées ou contrôlées par l'Etat pour des raisons fiscales ou politiques; c'était déjà le cas notamment pour la poste, le télégraphe, le téléphone, le gaz et l'électricité, les chemins de fer et Air France. Après la guerre, le gouvernement a voulu contrôler les entreprises qu'il avait seul les moyens de financer pour reconstruire les régions dévastées, rétablir les transports, renouveler l'équipement industriel. Il voulait veiller aussi à ce que la richesse en train de se refaire fût à peu près équitablement distribuée. Cela explique de nombreuses nationalisations, mines de charbon, compagnies d'assurances, banques, compagnies de transport; mais avec le retour à des conditions normales, auquel a puissamment contribué le Plan Marshall, ces entreprises se sont trouvées soumises à la concurrence du secteur privé, avec d'heureux résultats pour l'économie du pays.

La France fait beaucoup de commerce avec les pays de la Communauté, c'est-à-dire l'association libre de ses anciens territoires d'outre-mer. Elle leur envoie des produits fabriqués contre l'huile, le café, le sucre, la viande, les phosphates, le nickel, le caoutchouc, le bois, mais ce commerce dépend de facteurs économiques et politiques très variables. Aussi la France a-t-elle des rapports commerciaux de plus en plus étroits avec l'Europe depuis 1951, l'année où son ministre des Affaires Etrangères proposa le Plan Schuman, une mise en commun du fer et du charbon entre la France, l'Allemagne, l'Italie et le Bénélux, c'est-à-dire la Belgique, les Pays-Bas et le Luxembourg. De la même idée est sorti le «Marché commun européen» presque aussi vaste et riche que le marché américain et que vont joindre plusieurs autres pays. Une telle initiative s'est imposée malgré de grands obstacle parce qu'elle est indispensable à la prospérité et à la stabilité de l'Europe comme de la France qui y voit de plus le germe d'une entente politique.

La France a enfin des moyens de transport très développés, que ce soit par la route, le rail ou l'eau. Elle simplifie rapidement et américanise son organisation commerciale, pour le bénéfice de tous. La publicité y joue un rôle considérable et les administrateurs prennent une importance toute nouvelle. Les problèmes sont encore nombreux, mais ce pays qui était dévasté en partie, ruiné, pillé en 1945, est aujourd'hui plus prospère qu'il ne l'était même avant la guerre, grâce à ses richesses naturelles aussi bien qu'à ses ressources humaines.

QUESTIONS

1. Un pays peut-il être puissant sans matières premières?
2. Quelles sont les sources d'énergie autres que le charbon?
3. Qu'est-ce que l'acier et quels sont ses usages?
4. Quelles sont les qualités des articles de Paris?
5. Quel est le but des nationalisations?
6. Que pensez-vous des syndicats ouvriers?
7. Quelles sont les principales ressources industrielles des Etats-Unis?
8. Un pays doit-il protéger ses industries contre celles de l'étranger avec des droits de douane?
9. Quels sont les avantages et les inconvénients de la vente à crédit?

Haute Couture

CHRISTIAN DIOR *(1905–59) started his career as a political science major; he gave it up to run a picture gallery in Paris. It was not until 1930 that he became interested in dress designing. In 1947, immediately after World War II, he opened his own workshop in Paris. His success as a creator of exclusive fashions was world-wide and he soon had branches in New York and Caracas. In* Je suis couturier (I am a dress designer) *he describes the complex problems of the luxury industry and trade of "la haute couture."*

C'est du choix des tissus qu'il faut parler d'abord. Ce choix, en effet, précède d'environ deux mois la mise en oeuvre[1] de la collection. Il doit se faire avant même qu'on ait commencé à penser à cette nouvelle collection.

Il y a déjà un an que, dans d'obscurs ateliers à Lyon, dans le Nord, en Suisse, à Milan, au fond de l'Ecosse, les fabricants se sont mis à l'oeuvre, cherchant, composant, préparant les échantillons qu'ils viennent alors nous présenter. . . .

Le tissu est le seul véhicule de nos rêves, il est aussi un promoteur d'idées. Il peut être le point de départ de nos inspirations. Bien des robes ne naissent que de lui.

C'est donc en Mai et en Novembre que s'entassent, dans les studios, les piles de valises, d'où les placiers en tissu[2] font surgir les mille et une merveilles, grâce auxquelles s'exprimera la mode prochaine. Les placiers sont d'extraordinaires prestidigitateurs qui présentent un numéro bien au point.[3] Ils vous éblouissent en un instant, déployant devant vous, d'un seul coup, ce qu'ils appellent «l'éventail». C'est un véritable feu d'artifice de coloris, étudié pour que chaque ton fasse briller davantage son voisin tout en brillant lui-même.

Inconsciemment, dans ce feu d'artifice on se met à isoler certaines teintes. C'est seulement quand le choix est terminé qu'on s'aperçoit qu'il y a des couleurs dominantes. Ce seront les couleurs «à la mode».

Ainsi commence à se créer l'atmosphère de la collection. Insensiblement, l'élimination se fait, le choix se fixe et pensant aux tissus, on se met à songer aux robes. . . .

Une collection doit être faite avec un nombre assez restreint d'idées! Une dizaine tout au plus. Il faut savoir les varier, les creuser, les affirmer, les imposer. Sur ces dix idées, se construit toute la collection.

[1] *la mise en oeuvre:* the realization.

[2] *les placiers en tissu:* salesmen who present the materials.

[3] *un numéro bien au point:* a carefully prepared act (circus or show-business vocabulary; *faire son numéro:* to perform one's act).

C'est alors,[4] en trois ou quatre jours au plus, que j'exécute mes dessins. Le tissu y est prévu et tous les genres y sont représentés, du tailleur à la robe du soir.

Il reste maintenant à faire la collection. Et c'est le tour des ateliers. . . .

C'est ce que l'on sent le mieux qu'on exécute le mieux. Chaque atelier correspond à la personnalité d'un véritable artiste, grâce auquel je pourrai arriver à exécuter le programme que je me suis donné. Et quel programme!

Cent soixante-quinze robes à monter, plus les manteaux ou les vestes qui les accompagnent. C'est donc 220 modèles environ qu'il faut créer. Et presque autant de chapeaux, sans parler des gants, des souliers, des bijoux et des sacs qui sont conçus spécialement.

Il faudra songer à une coiffure nouvelle, car la coiffure sert de soutien au chapeau, ou, modestement s'enfouit sous la calotte.[5] Elle change le volume de la tête, la forme du visage. Comme elle modifie les proportions, elle doit se conformer à la silhouette que l'on veut obtenir.

Il n'y a plus une minute à perdre. Les croquis sont donc remis à ceux qui vont leur donner réalité et vie. . . .

Nous voici arrivés au stade de l'exécution. Et c'est avec elle, ses surprises, ses déceptions que commencent les drames. Que d'avatars, que d'épreuves[6] avant d'obtenir satisfaction!

La première[7] coupe sa toile, l'essaie sur un mannequin de bois, la bâtit, prépare la maquette de la robe à venir. Elle a bien travaillé, fait de son mieux. Elle vient la présenter au studio.

Enthousiasme ou déception. . . .

Reste une troisième catégorie, celle du modèle qui renferme des possibilités. On le regarde longuement, on l'examine sur toutes les coutures, on cherche. . . . Soudain, on déchire, on retourne, on drape dans tous les sens. Une jupe devient manche; un corsage se noue,

[4] *C'est alors . . . que:* It is then . . . that.
[5] *s'enfouit . . . calotte:* gets buried under the crown.
[6] *que d'épreuves:* so many catastrophes, so many trials.
[7] *La première:* The chief worker in a workshop, a supervisor.

forme une écharpe. Celui-là est un long manteau,[8] on le raccourcit, de manteau, il devient jaquette.[9] Comme toute chose métamorphosée, il reste, un instant, hésitant dans la vie. Mais aussitôt adopté, il prend sa nouvelle place dans la collection.

Dans le studio, le mannequin marche, se pavane, se déhanche, animant de son mieux l'objet nouveau-né. . .

Tous les mannequins prennent une part intense à la présentation, oubliant la fatigue accumulée des jours précédents. Ce sont elles qui font vivre les robes et contribuent à la gloire de la maison. . . .D'elles aussi, il faut avoir su tirer le meilleur. Leurs rivalités, leurs humeurs, leur gentillesse, leurs préférences, il faut tenir compte de tout cela, amadouer l'une, rabrouer l'autre. Elles sont insupportables et charmantes. C'est pour cela qu'on les aime. Que serait ce métier, fait de vie et de mouvement, s'il fallait figer tout cela sur des mannequins de bois! Je n'ose y songer.

Pour moi, le jour de la première présentation, la cabine est l'image de l'enfer, alors que pour le public elle doit être un bouquet. . . .

Ce sont des scènes indescriptibles qui ressemblent à un numéro des Marx Brothers. Le moment le plus affolant est celui des robes du soir. Ces robes descendent du plafond où elles sont accrochées, pendant que les mannequins, étouffées sous leur crinoline, n'arrivent plus à en sortir. Encore la sonnette! Vite, vite. Le brouhaha est à son comble.[10] On jongle avec les colliers, Guillaume joue du peigne,[11] je pousse Anna[12] qui sort de ce tumulte indifférente et sereine, et qui, tête haute, regard fixe, fait son numéro devant le public qui ne se doute de rien. . . .

Comme toutes les époques, la nôtre cherche son visage. Le miroir qui la lui montrera ne peut être que celui de la vérité. En étant naturel et sincère, on fait les révolutions sans les avoir cherchées.

[8] *Celui-là . . . manteau:* Here is a long coat.
[9] *de manteau . . . jaquette:* from coat, it turns into a jacket.
[10] *Le brouhaha . . . comble:* The din has reached its highest pitch.
[11] *Guillaume . . . peigne:* Guillaume (a hairdresser) is wielding the comb.
[12] *Anna:* a model.

La femme de 1925, coiffée d'un chapeau enfoncé jusqu'aux yeux, s'apparentait à la silhouette des machines qui étaient alors les idoles régnant aussi bien sur la musique que l'ameublement. La femme robot, aujourd'hui, nous fait peur. . . .

Notre luxe doit être défendu pied à pied. Je ne me dissimule pas qu'il va contre le mouvement apparent du monde. Mais je crois qu'il y a là quelque chose d'essentiel. Tout est luxe qui dépasse le simple fait de se couvrir, de se nourrir ou de se loger. Notre civilisation est un luxe, c'est elle que nous défendons. . . .

J'ai considéré l'exercice de mon métier comme une sorte de lutte contre ce que notre temps peut avoir de médiocre et de démoralisant.

Tout a toujours tendance à s'effondrer. Notre simple devoir est de ne pas céder, de donner l'exemple, de *créer* malgré tout.

CHRISTIAN DIOR
Je suis couturier
(Editions du Conquistador)

QUESTIONS SUR *Haute Couture*

1. Quelle est l'importance des dessinateurs de tissus?
2. Comment naissent les couleurs à la mode?
3. Qu'est-ce que le couturier doit encore concevoir pour aller avec ses robes?
4. En quoi l'exécution est-elle une oeuvre presque collective?
5. Quel est le rôle important des mannequins?
6. Comment la mode renvoie-t-elle son visage à l'époque où elle naît?
7. Quelle est la valeur du vrai luxe comme celui de la mode?
8. Quels plaisirs et quelles leçons le grand couturier trouve-t-il dans son métier?

Ouvrière d' Usine

SIMONE WEIL *(1909–43) was a brilliant young professor of philosophy who decided that she would live for a time as a factory worker. In the thirties she took a job in the Renault automobile factory in Paris. She described her experience there in a diary which was not published until after her death.*

Imagine devant moi un grand four,[1] qui crache au dehors des flammes et des souffles embrasés[2] que je reçois en plein visage.[3] Le feu sort de cinq ou six trous qui sont dans le bas du four. Je me mets en plein[3] devant pour enfourner une trentaine de grosses bobines de cuivre[4] qu'une ouvrière italienne, au visage courageux et ouvert, fabrique à côté de moi; c'est pour les trams et les métros, ces bobines. Je dois faire bien[5] attention qu'aucune de ces bobines ne tombe dans un de ces trous, car elle y fondrait; et pour ça il faut que[6] je me mette en plein[3] en face du four et que jamais la douleur des souffles enflammés sur mon visage et du feu sur mes bras (j'en porte[7] encore la marque) ne me fasse faire un faux mouvement. Je baisse le tablier du four; j'attends quelques minutes; je relève le tablier et avec un crochet je relève les bobines passées au

[1] *un grand four:* a large furnace or kiln. Cf. below: *enfourner:* to put into the furnace.

[2] *des souffles embrasés:* burning gusts of smoke. Cf. below: *des souffles enflammés.*

[3] *en plein visage:* full in the face. Cf. below: je me mets *en plein* devant: I stand right in front of it. Cf. below: il faut que je me mette *en plein* en face: I must stand directly facing the furnace.

[4] *une trentaine . . . cuivre:* about thirty large copper spools.

[5] *bien:* très.

[6] *il faut que:* sentence structure: il faut que je me mette . . . et (il faut) que jamais la douleur . . . ne me fasse = I must stand . . . and the pain . . . must never.

[7] *j'en porte:* en: la marque des souffles et du feu.

rouge,[8] en les attirant à moi très vite (sans quoi[9] les dernières retirées commenceraient à fondre), et en faisant bien attention encore qu'à aucun moment un faux mouvement n'en envoie une dans un des trous.

En face de moi, un soudeur, assis,[10] avec des lunettes bleues et un visage grave, travaille minutieusement; chaque fois que la douleur me contracte le visage, il m'envoie un sourire triste, plein de sympathie fraternelle, qui me fait un bien indicible.[11] De l'autre côté, une équipe de chaudronniers[12] travaille autour de grandes tables; travail accompli en équipe, fraternellement, avec soin et sans hâte; travail très qualifié, où il faut savoir[13] calculer, lire des dessins très compliqués, appliquer des notions de géométrie descriptive. Plus loin, un gars costaud[14] frappe avec une masse sur des barres de fer en faisant un bruit à fendre le crâne.[15] Tout ça dans un coin, tout au bout de l'atelier, où on se sent chez soi,[16] où le chef d'équipe et le chef d'atelier ne viennent pour ainsi dire jamais.[17]

J'ai passé là deux ou trois heures, à quatre reprises.[18] . . . La première fois, au bout d'une heure et demie, la chaleur, la douleur, la fatigue m'ont fait perdre le contrôle de mes mouvements; je ne pouvais descendre le tablier du four. Voyant ça, tout de suite, un des chaudronniers (tous de chics types)[19] s'est précipité pour le faire à ma place. J'y[20] retournerais tout de suite, dans ce petit coin d'atelier, si je pouvais (ou du moins dès que j'aurais retrouvé des

[8] *passées au rouge:* that have become red-hot.

[9] *sans quoi:* otherwise.

[10] *un soudeur, assis:* a welder, seated.

[11] *qui me fait . . . indicible:* that does me more good than I can say.

[12] *une équipe de chaudronniers:* a team of braziers.

[13] *travail très qualifié où il faut savoir . . .* descriptive: highly skilled work for which one must know how to count . . . how to read . . . how to apply . . .

[14] *un gars costaud:* a husky guy.

[15] *un bruit à fendre le crâne:* idiomatic: an ear-splitting noise: literally, a noise loud enough to split open one's cranium.

[16] *on se sent chez soi:* one feels at home.

[17] *ne viennent pour ainsi dire jamais:* almost never come; *pour ainsi dire:* so to speak.

[18] *à quatre reprises:* four different times.

[19] *de chics types:* slang: great guys.

[20] *J'y:* y: dans ce petit coin d'atelier.

forces). Ces soirs-là, je sentais la joie de manger un pain qu'on a gagné.

SIMONE WEIL
La Condition Ouvrière
(Gallimard)

QUESTIONS SUR *Ouvrière d'Usine*

1. Quelles qualités demande le travail relativement simple de l'ouvrière?
2. Par quelle sorte d'hommes est-elle entourée et quels sont ses sentiments vis-à-vis d'eux?
3. Quel rôle les femmes ont-elles joué pendant la guerre dans les usines américaines? Quelle est leur place aujourd'hui?
4. Malgré sa fatigue, pourquoi Simone Weil voulait-elle retourner dans cet atelier quand elle n'y était pas obligée?
5. La conclusion semble impliquer qu'un travailleur intellectuel ne gagne pas son pain de façon aussi méritoire que l'ouvrier. Qu'en pensez-vous?

6

CAMPAGNE ET AGRICULTURE

Ce qui frappe le voyageur en France est d'abord le grand nombre de villages. Les paysans y habitent plutôt que dans des fermes isolées, car ils y trouvent diverses ressources et distractions; les notables y résident, le maire, le curé, l'instituteur, les cafetiers et, dans les plus gros bourgs, l'hôtelier, le notaire et le docteur. C'est aussi un souvenir du temps où les campagnes n'étaient pas sûres et où le village, avec son château fort sur une hauteur, servait de refuge en cas de danger.

Un autre trait caractéristique est le découpage de la terre en petites propriétés. Les raisons en sont multiples; l'une d'elles est le vieux système de culture existant avant la révolution de 1789 qui divisait le territoire en zones; une autre est la révolution même qui vendit aux paysans les grandes propriétés de la noblesse et du clergé et décréta le partage égal des terres entre les héritiers au lieu de les donner toutes à l'aîné; les enfants étant souvent nombreux dans les familles de paysans, ils ont vu leur part devenir bientôt si petites qu'ils ont préféré la vendre et aller chercher fortune à la ville. Une troisième raison est que les fermiers, qui sont en majorité propriétaires de leurs champs, aiment cultiver une variété de produits au lieu d'un seul. Il y a bien des régions où domine une certaine culture, betteraves à sucre dans le nord, céréales dans le Bassin Parisien, vignobles dans le midi; mais, ailleurs, il y a cette diversité caractéristique de la campagne française. C'est ainsi que les paysans aiment avoir dans leurs champs, avec quelques bêtes, du blé, de la vigne, des légumes qui leur assurent, avec le nécessaire pour vivre, une indépendance souvent aléatoire mais à laquelle ils tiennent beaucoup. Ils sont aussi très attachés à leur terre qu'ils remuent, modifient, façonnent depuis des siècles. Un historien écrit à ce sujet: «Une erreur trop commune voudrait nous laisser croire que la civilisation est seulement ce que l'on apprend dans les livres, ce que l'on voit dans les musées et ce que l'on entend dans les salons ou les académies. La civilisation est, aussi bien et plus encore, le résultat, dessiné sur les coteaux, des immémoriales amours du paysan et de la terre.»[1]

L'agriculture, qui occupe environ un Français sur quatre, pourrait suffire dans l'ensemble aux besoins du pays puisque, presque partout, le sol est riche et le climat favorable. Les principaux produits de la culture et de l'élevage sont: les céréales, dont le blé est le plus important puisqu'il donne la farine et le bon pain croustillant; les produits laitiers; la volaille et la viande que les Français consomment de plus en plus: boeuf, porc et mouton; les fruits et les légumes; le sucre; la vigne, pour le vin.

Si l'agriculture nourrit son homme, elle ne l'enrichit guère en temps normal. Le revenu des paysans, comparé au revenu national, est inférieur à ce qu'il devrait être. Cela tient surtout à certaines formes de culture traditionnelle dans quelques régions où les cultivateurs sont réfractaires à des changements souvent difficiles. Cependant il y a des progrès, dûs à l'initiative des fermiers eux-mêmes groupés dans des coopératives de plus en plus nombreuses et propriétaires de machines modernes qui facilitent le travail et compensent le manque de main d'oeuvre agricole.

Ces progrès viennent aussi de l'aide du gouvernement. Il a établi un programme de remembrement qui a pour but de regrouper les petites propriétés morcelées de sorte que la grande ferme tendra

[1] Lucien Romier, dans *Plaisir de France* (Hachette, éditeur).

à dominer. Il a aussi fait des travaux d'irrigation et d'assainissement qui permettent de cultiver le riz, par exemple, dans le delta du Rhône, autrefois inutilisable à cause du sel. Il multiplie les agences qui conseillent les paysans sur la qualité du sol, les nouvelles espèces à cultiver. Il développe les facilités d'échange pour éviter les abus des intermédiaires, il facilite le crédit et il favorise l'exportation. Il amène l'eau et l'électricité dans les campagnes qui sont ainsi de moins en moins isolées et se modernisent vite. Tout cela implique un contrôle des prix, une intervention du gouvernement dans les affaires des paysans qui ne les enchante pas toujours tous. Mais ce problème n'est pas unique à la France qui est plus favorisée que bien d'autres pays quant à son agriculture.

QUESTIONS

1. Pourquoi y a-t-il un si grand nombre de villages en France?
2. A quoi tient l'aspect morcelé du paysage français?
3. Pourquoi beaucoup de jeunes gens quittent-ils la terre pour aller à la ville?
4. Quels sont les avantages de la vie du paysan?
5. Quels sont les principaux produits agricoles de la France? des Etats-Unis?
6. Le gouvernement doit-il subventionner les fermiers?
7. Comment l'agriculture peut-elle se moderniser?
8. Que pensez-vous de la remarque de Lucien Romier sur le rôle du paysan dans la civilisation?

Repas à la ferme

JEAN GIONO *(b. 1895), the son of a shoemaker, has spent most of his life in Manosque, the village of southern France where he was born. A novelist and essayist, he has always spoken of the virtues of simple living in direct contact with the rhythms and forces of nature. Modern man, he feels, can achieve happiness only if he abandons the complexities and artificiality of life in the city, its mechanical aspects and intricate organization. For Giono happiness can be found only within the limits of a small, independent rural community of artisans and peasants. In his novel* Regain (Harvest), *Giono describes the life of Panturle and his wife Arsule who live on a farm in an abandoned village in the foothills of the Alps of south-eastern France. Here they are visited by a couple who think of joining them in the village which is starting to live again.*

Panturle lui[1] a dit:

—Tu vas venir manger un morceau mais laisse-moi encore faire trois raies.[2] Et l'homme a marché à côté de la charrue pendant que Panturle finissait. A tout moment il se baissait sur la terre, il en prenait des poignées et en tâtait la graisse.[3]

En entrant à la maison, l'homme a eu un regard heureux pour chaque chose. Il y avait un beau jour gris, doux comme un pelage de chat. Il coulait par la fenêtre et par la porte et il baignait tout dans sa douceur. Le feu dans l'âtre soufflait et usait ses griffes rouges contre le chaudron de la soupe, et la soupe mitonnait en gémissant, et c'était une épaisse odeur de poireaux, de carottes et de pommes de terre bouillies qui emplissait la cuisine. On mangeait déjà les légumes dans cet air-là. Il y avait, sur la table de la cuisine, trois beaux oignons tout pelés qui luisaient, violets et blancs, dans une assiette. Il y avait un pot à eau, un pot d'eau claire et le blond soleil tout pâle qui y jouait. Les dalles étaient propres et lavées et, près de l'évier, dans une grosse raie[4] qui avait fendu les pierres et d'où on avait jour[5] sur la terre noire, une herbe verdette avait monté qui portait sa grosse tête de graine[6] (Arsule la laisse là pour le plaisir. Elle l'appelle Catherine et elle lui parle en lavant les assiettes).

[1] *lui:* the visitor.
[2] *raies:* furrows (raie: streak or stripe). Panturle is ploughing.
[3] *la graisse:* the richness. A peasant term.
[4] *raie:* crack.
[5] *d'où on avait jour:* through which one could see.
[6] *qui portait . . . graine:* and now carried its heavy cluster of seed.

L'homme a tout regardé en prenant son temps, un temps pour chaque chose, tout posé. Il se fait une idée.[7] Et, quand il se l'est faite, il dit:

—Vous êtes bien, là.

Et, cette idée, si des fois[8] elle n'avait pas été bien finie, elle s'est finie avec la bonne soupe d'Arsule, une pleine écuellée que les bords en étaient baveux,[9] puis encore une, avec tous les légumes entiers, avec les poireaux blancs comme des poissons et des pommes de terre fondantes, et les carottes et tout le goût que ça laisse dans la bouche. Il y a eu une grande taillade de jambon maigre avec un liseré de gras[10] qui miroite comme de la glace de fontaine. Puis il y a eu le fromage jauni entre les feuilles de noyer et parfumé aux petites herbes,[11] et l'homme a mâché plus lentement alors, d'abord parce qu'il commençait à avoir le ventre plein et puis parce qu'avec sa bouchée il lui semblait qu'il pétrissait de la langue un morceau de la colline même[12] avec toutes ses fleurs. Alors la pensée a été finie en plein[13] et il a encore dit:

—Vous êtes bien ici, vous êtes bien!

Puis:

—Ça, c'est la vie!

Puis:

—Quelle bonne ménagère!

Puis:

—On sera voisins, de bons voisins, des choses comme il n'y a plus qu'ici . . . Je te prêterai mon mulet; j'ai un semoir américain. Et puis, tu verras . . . tu verras, va . . .

JEAN GIONO
Regain
(Grasset)

[7] *Il se fait une idée:* He is formulating an opinion.
[8] *si des fois:* if by chance (vernacular).
[9] *une pleine . . . baveux:* a bowl so full that its edges dripped.
[10] *Il y a eu . . . gras:* Then there was a large slice of lean ham with a strip of fat.
[11] *aux petites herbes:* with aromatic herbs (cf. «l'omelette aux fines herbes»).
[12] *il . . . même:* he felt as if he were kneading with his tongue a piece of the hill-side itself.
[13] *finie en plein:* quite complete.

QUESTIONS SUR *Repas à la ferme*

1. Pourquoi l'homme prend-il à tout moment des poignées de terre?
2. Quels sont les différents éléments qui créent l'atmosphère de la maison ce jour-là?
3. De quoi se compose le repas ordinaire du paysan?
4. Qu'est-ce qui montre l'attachement de ces fermiers à leur terre?
5. Comment se développe leur amitié?

Lignée Paysanne[1]

SAINT EXUPÉRY *(1900–44) belonged to the old French aristocracy and always held to the rituals and traditions that are fast disappearing in our modern world. A pilot, at a time when aviation was still something of an adventure, he was one of the first aviators to fly over the Andes by night. After further adventures which he describes in his book* Wind, Sand and Stars, *from which the extract below is taken, he was shot down in 1944. In his books* Southern Mail, Night Flight, Wind, Sand and Stars, Flight to Arras, Citadel *and the well-known* Little Prince, *he often meditates at length on our human society.*

As he recalls the death-bed scene which he once witnessed in a French village, Saint Exupéry develops an idea which was dear to him. A civilization is made up of transmitted values which maintain an ordered human world where each individual has his place and each important human event—birth, marriage, death—its significance. These values are best maintained, according to him, among the peasant families far from modern city living.

Quand nous prendrons conscience de notre rôle, même le plus effacé, alors seulement nous serons heureux. Alors seulement nous

[1] *Lignée paysanne:* Peasant lineage. The peasant family Saint Exupéry describes has a sense of unbroken continuity. The heritage is transmitted from generation to generation in direct line.

pourrons vivre en paix et mourir en paix, car ce qui donne un sens à la vie donne un sens à la mort.

Elle est si douce quand elle est dans l'ordre des choses, quand le vieux paysan de Provence,[2] au terme de son règne,[3] remet en dépôt à ses fils son lot de chèvres et d'oliviers,[4] afin qu'ils le transmettent, à leur tour, aux fils de leurs fils. On ne meurt qu'à demi dans une lignée paysanne. Chaque existence craque à son tour comme une cosse et livre ses graines.

J'ai coudoyé, une fois, trois paysans, face au lit de mort de leur mère. Et certes, c'était douloureux. Pour la seconde fois, était tranché le cordon ombilical.[5] Pour la seconde fois, un noeud se défaisait: celui qui lie une génération à l'autre. Ces trois fils se découvraient seuls,[6] ayant tout à apprendre, privés d'une table familiale où se réunir aux jours de fêtes, privés du pôle en qui ils se retrouvaient tous. Mais je découvrais aussi, dans cette rupture, que la vie peut être donnée pour la seconde fois. Ces fils, eux aussi, à leur tour, se feraient têtes de file,[7] points de rassemblement et patriarches, jusqu'à l'heure où ils passeraient, à leur tour, le commandement à cette portée de petits[8] qui jouaient dans la cour.

Je regardais la mère, cette vielle paysanne au visage paisible et dur, aux lèvres serrées, ce visage changé en masque de pierre. Et j'y reconnaissais le visage des fils. Ce masque avait servi à imprimer le leur.[9] Ce corps avait servi à imprimer ces corps, ces beaux exemplaires d'hommes. Et maintenant, elle reposait brisée, mais

[2] *Provence:* Mediterranean province in the southeast of France, part of the old Roman "provincia," hence its name.

[3] *au terme de son règne:* at the end of his reign. Saint Exupéry compares the peasant to a king because he is master on his own land.

[4] *remet en dépôt . . . oliviers:* passes on his share of goats and olive trees to his sons as a deposit in trust.

[5] *ombilical:* inversion: le cordon ombilical était tranché.

[6] *se découvraient seuls:* discovered that they were alone.

[7] *se feraient têtes de file:* would become heads of a family, literally, the first in a line.

[8] *cette portée de petits:* the litter of children; *portée* is generally applied only to animals. Saint Exupéry obviously wants to accentuate the strong ties of peasant life with the natural processes of birth and death.

[9] *Ce masque . . . le leur:* their faces were cast in the same mold.

comme une gangue dont on a retiré le fruit.[10] A leur tour, fils et filles, de leur chair, imprimeraient des petits d'hommes. On ne mourait pas dans la ferme. La mère est morte, vive la mère!

Douloureuse, oui, mais tellement simple cette image de la lignée, abandonnant une à une, sur son chemin, ses belles dépouilles à cheveux blancs, marchant vers je ne sais quelle vérité, à travers ses métamorphoses.

C'est pourquoi, ce même soir, la cloche des morts[11] du petit village de campagne me parut chargée, non de désespoir, mais d'une allégresse discrète et tendre. Elle[12] qui célébrait de la même voix les enterrements et les baptêmes, annonçait une fois encore le passage d'une génération à l'autre. Et l'on n'éprouvait qu'une grande paix à entendre chanter ces fiançailles d'une pauvre vieille et de la terre.

ANTOINE DE SAINT EXUPÉRY
Terre des Hommes
(Gallimard)

QUESTIONS SUR *Lignée Paysanne*

1. Comment l'homme peut-il trouver son bonheur, selon Saint Exupéry?
2. Qu'est-ce que la mort de la paysanne révèle à l'auteur?
3. Pourquoi la signification de la mort est-elle plus évidente chez des paysans qu'ailleurs?
4. De quelles images et comparaisons Saint Exupéry se sert-il pour exprimer son idée?

[10] *comme . . . . fruit: gangue* is not used in its usual sense: the worthless part of a mineral. Saint Exupéry is obviously thinking of a "shell": a "shell" from which the fruit has been extracted.
[11] *la cloche des morts:* the death knell.
[12] *Elle:* la cloche.

7

SOCIÉTÉ

La société française d'aujourd'hui hésite entre des formules sociales héritées du passé et des formes nouvelles que deux guerres mondiales ont amenées. On peut distinguer en France deux classes essentielles, la bourgeoisie et le peuple. L'ancienne noblesse ne joue plus de rôle important, bien que les titres de noblesse aient encore une certaine valeur dans les milieux mondains; c'est d'elle aussi que viennent beaucoup de membres distingués des carrières diplomatique et militaire.

La bourgeoisie française est le principal groupe qui détient pouvoirs et privilèges. Mais la variété des conditions y est grande. La haute bourgeoisie est fortement organisée autour des «grandes familles», fournit à la France ses banquiers, ses industriels, ses chefs d'entreprises, ses hauts fonctionnaires et les membres les plus brillants des professions libérales. Elle constitue un groupe assez fermé, habitué à exercer une influence déterminante sur les affaires de la nation, qui tient à ses traditions et à ses privilèges et confond parfois ses intérêts avec le bien du pays. La bourgeoisie moyenne donne à la France ses cadres, administrateurs ou techniciens; c'est à elle qu'appartiennent aussi docteurs, avocats, professeurs, écrivains, artistes. Elle se défend bien.

Quant à la petite bourgeoisie, elle comprend les petits commerçants, les petits rentiers ou pensionnés, les employés de toutes sortes, les artisans et un nombre de plus en plus grand d'ouvriers qualifiés, tout un groupe de gens qui vivent d'assez peu mais se trouvent en général à l'abri du besoin.

Le bourgeois a été continuellement en butte aux attaques lancées par les journalistes, les caricaturistes, les économistes, les écrivains qui ont souvent proclamé sa mort prochaine. Ce qu'on lui reproche surtout, c'est son traditionalisme, l'étroitesse de son horizon mental, sa résistance au changement, son égoïsme. Il y a une part de vérité dans ces accusations. Héritier d'une culture que, dans les lycées et chez lui, il a appris à vénérer, le bourgeois tend à être conservateur. D'autre part, il a fourni depuis longtemps à la France ses éléments les plus solides et les plus brillants dans tous les domaines. Il a d'ailleurs beaucoup souffert de la crise déclenchée par les deux guerres mondiales et il a été très touché par les dévaluations du franc et l'inflation. Les exigences d'une économie modernisée ont rendu la vie difficile pour les petits commerçants, et cela explique, dans une certaine mesure, le succès de certains partis extrémistes de droite et de gauche. Mais, de plus en plus, les jeunes bourgeois désirent échapper aux défauts de leur milieu et il y a aujourd'hui un rajeunissement de la bourgeoisie.

La petite bourgeoisie est souvent assimilée au peuple. Mais ce qu'on entend par «le peuple» proprement dit comprend deux groupes fort différents et dont les intérêts s'opposent souvent: les ouvriers et les paysans. Ils fournissent au pays les éléments qui, passant par les écoles, renouvellent les cadres de la bourgeoisie moyenne. En effet, il y a un mouvement d'ascension constante qui entraîne les enfants du peuple vers les professions libérales.

Les fermiers sont respectés dans un pays où presque chacun a des origines paysannes. Ce sont des travailleurs qui aiment leur beau métier, qui sont très individualistes et qui se sont organisés en une force politique puissante. Les progrès dans leur méthodes d'exploitation leur permet de faire mieux plus de travail mais ils y ont perdu de leur liberté et la mécanisation ne leur paraît pas toujours un bienfait sans mélange.

Parmi les ouvriers français, il y a d'un côté les travailleurs des petits ateliers, d'un autre, les ouvriers des grandes usines. Le nombre de ces derniers augmente avec le développement de l'industrie mais il faut distinguer entre ceux qui sont des ouvriers spécialisés, sorte de classe à part liée à l'évolution économique et assez satisfaite de son sort, et les autres qui forment un prolétariat conscient et organisé. Beaucoup d'ouvriers des grandes usines sont d'origine étrangère, comme aux Etats-Unis. Ils ont d'ailleurs tous des assurances sociales diverses, reçoivent des allocations pour leurs enfants, ont des congés payés, sont défendus par leurs syndicats. Le peuple ouvrier est loin d'être homogène, comme l'est le paysannat ou, à un degré moindre, la bourgeoisie. Mais il semble que la France ait commencé la tâche d'intégrer les couches diverses de sa population, de rompre le cadre trop étroit des cloisons sociales.

Deux traits nouveaux sont à remarquer dans la société de ces dernières années; le premier est la place grandissante de la femme, autrefois confinée à sa maison; environ un tiers des gens qui ont un travail sont aujourd'hui des femmes, aussi bien dans les usines, les bureaux que dans les professions libérales. Le second est le grand nombre d'enfants et le rôle toujours plus important que jouent les jeunes dans tous les domaines.

Le mot «société», d'autre part, évoque toute une vie en commun. Cette vie est très active en France quoiqu'elle prenne rarement la forme de «cercles» ou de groupes organisés. C'est que la France, comme on l'a dit, est un pays divisé en quarante-six millions d'individus. Les Français aiment à se retrouver pour échanger leurs idées chez eux, dans les salons de la bourgeoisie, à la table de l'instituteur, dans les cafés. Le champ est alors grand ouvert aux discussions, qu'il s'agisse de l'école, du métier, de la religion, de la littérature, du sport ou de la politique. Plus calme en province, la vie sociale atteint son maximum d'intensité à Paris.

Malgé les difficultés de toutes sortes et malgré les guerres, il existe en France un «art de vivre», hérité peut-être d'une ancienne époque, qui n'a pas été perdu complètement aujourd'hui et auquel la plupart des Français restent très attachés.

QUESTIONS

1. Dans quelle mesure nos façons de penser et d'agir sont-elles déterminées par les conventions sociales?
2. Quelles sont les classes sociales aux Etats-Unis?
3. Les professions libérales sont-elles accessibles à tous en France? aux Etats-Unis?
4. Quels sont les facteurs les plus importants pour la réussite sociale?
5. L'homme est-il naturellement bon et a-t-il été corrompu par la société?
6. Comment la société doit-elle punir ceux qui contreviennent à ses lois?
7. Avez-vous fait le choix d'une carrière ou hésitez-vous entre plusieurs? Donnez vos raisons.
8. Quels sont les caractéristiques de la vie sociale américaine?
9. Pourquoi beaucoup d'étrangers recherchent-ils la vie sociale que l'on mène en France?
10. Quelle est la place de la femme dans la société américaine?

Qu'est-ce qu'un Bourgeois?

1. ANDRÉ SIEGFRIED. *For biographical sketch, see page 3.*

Qu'est-ce qu'un bourgeois? Je proposerai cette définition: c'est quelqu'un qui a des réserves. Type social complexe, où la méfiance et l'esprit de mesure se combinent avec l'ambition, où l'égoïsme de classe coexiste avec le dévouement à la classe, où le matérialisme côtoie la culture désintéressée, le bourgeois,[1] tout au fond, cherche dans la propriété l'indépendance, l'indépendance qui lui garantit le niveau de vie par où l'on se distingue socialement et que l'on

[1] *Type social . . . le bourgeois: le bourgeois* is the subject of the sentence.

French Embassy—Press and Information Division

LES ILES DE PARIS

French Embassy—Press and Information Division

MONTMARTRE

French Embassy—Press and Information Division

FRANCIS CARCO

French Embassy—Press and Information Division

JEAN ROSTAND

transmet ensuite aux héritiers du nom.[2] En ce sens, comme on l'a très justement écrit, «la bourgeoisie est essentiellement un effort, elle débute à la première contrainte sur soi.»[3] Cet effort pour gravir un échelon social, sagement mesuré, où l'on consolidera ses enfants, nulle part il n'est plus commun qu'en France,[4] où la majorité des gens, y compris sans doute plus d'un communiste,[5] ont l'esprit bourgeois: cela se voit aux[6] maisons bien tenues,[7] où le linge, même rapiécé, est entretenu en bon état; . . . cela se voit également aux budgets privés qui sont généralement en équilibre, même quand le budget de l'Etat est en déficit (dans les sociétés anglo-saxonnes, c'est souvent le contraire); cela se voit enfin à la persistance vraiment étonnante de l'épargne, instinct profond de tous les Français. . . . Quel contraste, interdisant toute comparaison, avec la structure sociale américaine où neuf fois sur dix, les résultats du succès demeurent viagers[8] et intransmissibles.

André Siegfried
Tableau des Partis en France
(Grasset)

2. MARC BLOCH *(1906–44), a historian and economist, was professor at the University of Strasbourg, then at the University of Paris. He was a distinguished scholar in the field of medieval history. During World War II, he joined the underground and was arrested and shot on June 16, 1944, shortly before the liberation. His posthumous book* L'étrange défaite *is one of the most lucid analyses of the defeat of 1940.*

[2] *Type social complexe:* starts a long description placed in apposition to the word "bourgeois"; *où*—in whom; Sentence structure: le bourgeois . . . cherche l'indépendance . . . qui lui garantit . . . par où l'on se distingue . . . et que l'on transmet . . .

[3] *elle débute . . . soi:* it starts with first effort one makes to discipline oneself.

[4] *Cet effort . . . France:* Cet effort pour gravir un échelon . . . où l'on consolidera ses enfants, n'est nulle part plus commun qu'en France . . .

[5] *y compris . . . communiste:* doubtless including more than one communist.

[6] *cela se voit aux:* this can be seen in.

[7] *maisons bien tenues:* the well-kept houses.

[8] *demeurent viagers:* last for a lifetime.

Il est bon, il est sain que, dans un pays libre, les philosophies sociales contraires se combattent librement. Il est, dans l'état présent de nos sociétés, inévitable que les diverses classes aient des intérêts opposés et prennent conscience de leurs antagonismes. Le malheur de la patrie commence quand la légitimité de ces heurts n'est pas comprise.

Il m'est arrivé, çà et là, de prononcer le nom de bourgeoisie. Non sans scrupules. Ces mots enferment, dans des contours trop flous, des réalités trop complexes. . . . J'appelle bourgeois de chez nous un Français qui ne doit pas ses ressources au travail de ses mains; dont les revenus, quelle qu'en soit l'origine,[9] comme la très variable ampleur, lui permettent une aisance de moyens et lui procurent une sécurité, dans ce niveau, très supérieure aux hasardeuses possibilités du salaire ouvrier; dont l'instruction, tantôt reçue dès l'enfance, si la famille est d'établissement ancien, tantôt acquise au cours d'une ascension sociale exceptionnelle, dépasse par sa richesse, sa tonalité ou ses prétentions, la norme de culture tout à fait commune; qui enfin se sent ou se croit appartenir à une classe vouée à tenir dans la nation un rôle directeur et par mille détails, du costume, de la langue, de la bienséance, marque, plus ou moins instinctivement, son attachement à cette originalité du groupe et à ce prestige collectif.

MARC BLOCH
L'étrange défaite
(Editions Albin Michel)

QUESTIONS SUR *Qu'est-ce qu'un bourgeois?*

1. Pourquoi est-il difficile de définir le bourgeois?
2. Quelles définitions en donnent André Siegfried? Marc Bloch?
3. Ces caractéristiques peuvent-elles s'appliquer à une grande partie de la société américaine?
4. Les remarques du premier auteur sur la structure sociale américaine vous semblent-elles toujours justes?
5. L'existence de diverses classes sociales est-elle une chose inévitable et est-elle bonne?

[9] *quelle qu'en soit l'origine:* of whatever origin.

Les Matières du Bonheur

JEAN GIONO *(see page 69 for biographical sketch).*

Les raisons du bonheur sont la plupart du temps fort simples. Il y a les passions mais il y a la découverte du monde. Cette curiosité peut se contenter sur place.[1] La matière que l'homme manipule dans son travail est un élément important de son bonheur. La sensualité s'y satisfait.

Du temps de ma jeunesse, il y avait dans nos régions des marchés de soie. On étendait des draps blancs sur le champ de foire et l'on entassait les cocons sur ces draps. Alors que[2] les grands débats paysans d'achats et de ventes se font d'ordinaire dans un assez grand brouhaha, celui-ci[3] était silencieux. A côté de chaque tas de cocons se tenait debout une femme noire.[4] On me dira que cette paysanne qui était allée cueillir la feuille de mûrier,[5] qui avait nettoyé sa magnanerie,[6] surveillé la montée des chenilles[7] et fait un métier malodorant ne pouvait pas porter des robes de soie. J'ajoute qu'elle ne l'imaginait guère[8] et qu'elle se plaçait tout naturellement elle-même «au-dessus» de celles qui en portaient. Le plaisir de se vêtir de soie était dépassé; elle le laissait aux autres. Le silence du champ de foire marquait d'ailleurs qu'on était en train de se livrer à un

[1] *sur place:* on the spot.
[2] *Alors que:* whereas.
[3] *celui-ci:* ce débat-ci: this particular exchange.
[4] *se tenait . . . noire:* inversion of the subject: une femme noire (a woman in black) se tenait debout.
[5] *la feuille de mûrier:* the leaf of the mulberry tree. Silkworms feed on those leaves.
[6] *magnanerie:* the silkworm shed. In the southern French dialect a silkworm is called a "magnan." Cf. laiterie, charcuterie, boulangerie, etc.
[7] *la montée des chenilles:* the silkworm climbs up branches when it is time for it to spin its cocoon.
[8] *ne . . . guère:* hardly, i.e., I must add that she would hardly have imagined such a thing.

commerce agréable. C'était au plein du[9] beau temps; le soleil se promenait dans de l'or.[10] Les courtiers allaient de marchande en marchande, examinant soigneusement les cocons qui étaient semblables à de petits objets d'art chinois.

A peu près à la même époque je voyais mon père travailler le cuir. La mode, pour les femmes, était aux bottines de chevreau glacé.[11] Si l'on ne tient pas compte de la sensualité,[12] mon père était évidemment dans une condition sociale dite précaire. Je ne l'ai cependant jamais vu autrement qu'heureux. Pour travailler ses semelles,[13] il enveloppait le cuir délicat de la tige[14] dans du coton. Une fois la bottine finie,[15] le premier plaisir était pour lui. Ce premier plaisir, tout de contemplation de son ouvrage, tout de caresse pour ce qu'il avait fait, exigeait évidemment la perfection. Ce plaisir commandait son effort et ses soins, appelait jusqu'au bout de ses doigts son habileté la plus intelligente. Quand il commença à vieillir, il se rapprocha encore plus de la matière qu'il travaillait. La confection d'un simple soulier de fatigue[16] devenait un problème exquis à résoudre.[17] Je sais que je parle de choses très humbles, mais ne sommes-nous pas désespérés de chercher[18] en vain le bonheur avec des moyens orgueilleux? Il fit avec passion des souliers pour les pieds bots,[19] les estropiés. Il y mettait un temps infini, sans aucun rapport avec le prix qu'il faisait payer. Ceci est dit pour que M.

[9] *au plein du:* a peasant expression that Giono likes to use: en plein beau temps, i.e., in the very heart of the fine weather.

[10] *de l'or:* the silkworm cocoons are golden in color.

[11] *chevreau glacé:* glazed kid boots.

[12] *sensualité:* if the pleasures of the senses are not taken into account. . . . The joys that the shoemaker knew came to him through his unusual capacity for enjoyment through his senses: the feel of the leather, for example, gave him great pleasure.

[13] *Pour travailler ses semelles:* to work on the soles of the shoes he was making.

[14] *la tige:* the leg (of a boot.)

[15] *Une fois . . . finie:* When the boot was finished.

[16] *soulier de fatigue:* a work shoe.

[17] *à résoudre:* to be solved.

[18] *de chercher:* because we seek.

[19] *les pieds bots:* club feet.

Bata[20] puisse rire un bon coup.[21] Il cherchait des procédés pour rendre le cuir aussi souple que de la laine sans lui rien enlever de sa résistance. Il y perdait, diront les esprits prévenus,[22] son temps et son argent. Il y consacrait en effet du temps et de l'argent comme d'autres consacrent ce temps et cet argent à un voyage sur la Côte d'Azur ou à un match de football. Qui prétendra qu'il avait moins d'esprit?

Je ne connais personne, même parmi les esprits les plus modernes, qui soit insensible à la sensualité de la laine. Le mot même est toute douceur (encore plus le mot anglais). Je me souviens d'avoir vu il y a 2 ans. . . . des étoffes de laine. . . . Nous sommes restés, ma fille et moi, en contemplation devant la vitrine. Nous ne pensions ni à des jupes ni à des vestes. C'était un plaisir de sensualité pure. Nous avions envie de toucher cette laine, de nous en caresser le visage, de nous en envelopper. Nous n'avons rien pu acheter. Mais je ne le regrette pas: j'en ai gardé le désir.

Dans certains meubles parfaits, on voit comment l'essentiel du bois concourt à la perfection de l'ensemble. L'amour de l'artisan pour sa matière est visible. La coloration de la fibre, le dessin de ses veines et de ses artères, sa souplesse ou sa rigidité ont commandé les formes. L'artisan n'a pas imposé un plan préconçu. Il a aimé avec bonheur, il a compris autant qu'il a voulu se faire comprendre.

JEAN GIONO
Les Matières du Bonheur
(*Plaisir de France,* juin 1954)

QUESTIONS SUR *Les Matières du Bonheur*

1. Qu'est-ce qui caractérisait ces marchés de soie dont parle Jean Giono et pourquoi étaient-ils différents des autres?

2. Pourquoi la femme qui a travaillé la soie n'est-elle pas jalouse de celles qui la portent?

[20] *M. Bata:* the owner of a very large chain store of cheap shoes.
[21] *rire un bon coup:* laugh heartily.
[22] *les esprits prévenus:* prejudiced minds.

3. Quels plaisirs le père de l'auteur trouvait-il dans son travail de cordonnier?
4. Quelles qualités sont celles d'un bon artisan?
5. Quels sont d'autres métiers d'artisan?
6. Quelle est votre conception du bonheur?

Une Réception chez les Guermantes

MARCEL PROUST *(1871–1922) is no doubt the greatest French writer of the first half of the twentieth century. Proust's novel* A la Recherche du Temps Perdu (In Search of Time Lost, *rather inaccurately translated as* Remembrance of Things Past) *describes, among many other experiences, the narrator's discovery of the aristocratic world of the Guermantes. In the passage below, the narrator is introduced at last into the society of the Guermantes. Up to that time they had seemed to him to be human beings of a superior species, because of his childhood memories of their historic castle near Combray where he spent his summers. He now begins to see them as quite ordinary human beings.*

La duchesse[1] ne m'ayant pas parlé de son mari,[2] à la soirée de sa tante, je me demandais si, avec les bruits de divorce qui couraient, il assisterait au dîner. Mais je fus bien vite fixé[3] car parmi les valets de pied qui se tenaient debout dans l'antichambre, je vis se glisser M. de Guermantes qui guettait mon arrivée pour me recevoir sur le seuil et m'ôter lui-même mon pardessus.

«Mme de Guermantes va être tout ce qu'il y a de plus heureuse,[4] me dit-il d'un ton habilement persuasif. Permettez-moi de vous

[1] *La duchesse:* La duchesse de Guermantes, one of the main characters in Proust's novel. The duchess belongs to the highest ranks of the aristocracy.
[2] *son mari:* le duc de Guermantes. The duke has a strong sense of aristocratic hierarchy.
[3] *je . . . fixé:* the point was quickly settled.
[4] *tout . . . heureuse:* more than delighted.

débarrasser de vos frusques[5] (il trouvait à la fois bon enfant et comique de parler la langue du peuple).[6] Ma femme craignait un peu une défection de votre part, bien que vous eussiez donné votre jour.[7] Vous n'êtes pas un homme commode à avoir et j'étais persuadé que vous nous feriez faux bond.»[8] Et le duc était si mauvais mari, si brutal même, disait-on, qu'on lui savait gré, comme on sait gré de leur douceur aux méchants, de ces mots[9] «Mme de Guermantes» avec lesquels il avait l'air d'étendre sur la duchesse une aile protectrice[10] pour qu'elle ne fasse qu'un avec lui. Cependant, me saisissant familièrement par la main, il se mit en devoir[11] de me guider et de m'introduire dans les salons. . . .

En quittant le vestibule, j'avais dit à M. de Guermantes que j'avais un grand désir de voir ses Elstir.[12] «Je suis à vos ordres, M. Elstir est-il donc de vos amis? Je suis fort marri car je le connais un peu, c'est un homme aimable, ce que nos pères appelaient l'honnête homme, j'aurais pu lui demander de me faire la grâce de venir, et le prier à dîner.[13] Il aurait certainement été très flatté de passer la soirée en votre compagnie.» Fort peu ancien régime quand il s'effor-

[5] *frusques:* colloquial: "duds" or "togs."

[6] *il trouvait . . . peuple:* he thought it both cordial and comical to speak the language of the lower classes.

[7] *bien que vous eussiez donné . . . jour:* pluperfect subjunctive: even though you named your day.

[8] *faire faux bond:* idiomatic: to miss an appointment; i.e., that you were going to let us down.

[9] *qu'on lui savait . . . de ces mots:* that one felt grateful to him, as one feels grateful for any gentleness from individuals who are unkind, for the words.

[10] *il avait . . . protectrice:* he seemed to be spreading over the duchess a protecting wing.

[11] *il se mit en devoir:* he made it his duty.

[12] *ses Elstir:* paintings by Elstir, a character in the novel who is a famous painter.

[13] *Je suis fort marri . . . dîner:* sentence structure: *Je suis fort marri (parce que) j'aurais pu lui demander . . . le prier. Je suis fort marri:* I'm sorry indeed . . . a somewhat obsolete term such as the aristocracy, according to Proust, and the peasantry still like to use; *l'honnête homme:* a seventeenth century term designating a social ideal, equivalent to the English "gentleman": urbane, polished, cultivated and modest. Proust is interested in patterns of speech and reproduces them with great care. He reproduces here the duke's overly gracious studied affability.

çait ainsi de l'être, le duc le redevenait ensuite sans le vouloir.[14] M'ayant demandé si je désirais qu'il me montrât ces tableaux, il me conduisit, s'effaçant gracieusement devant chaque porte, s'excusant quand, pour me montrer le chemin, il était obligé de passer devant, petite scène qui[15] avait dû, avant de glisser jusqu'à nous, être jouée par bien d'autres Guermantes pour bien d'autres visiteurs. Et comme j'avais dit au duc que je serais bien aise d'être seul un moment devant les tableaux, il s'était retiré discrètement en me disant que je n'aurais qu'à venir le retrouver[16] au salon. . . .

Pendant que je regardais les peintures d'Elstir, les coups de sonnette des invités qui arrivaient, avaient tinté, ininterrompus, et m'avaient bercé doucement. Mais le silence qui leur succéda et qui durait déjà depuis très longtemps finit—moins rapidement il est vrai—par m'éveiller de ma rêverie. J'eus peur qu'on m'eût oublié, qu'on fût à table[17] et j'allai rapidement vers le salon. A la porte du cabinet des Elstir[18] je trouvai un domestique qui attendait, vieux ou poudré, je ne sais, l'air d'un ministre espagnol, mais me témoignant du même respect[19] qu'il eût mis au pied d'un roi. Je sentis à son air qu'il m'eût attendu[20] une heure encore, et je pensai avec effroi au retard que j'avais apporté au dîner.

Le ministre espagnol me conduisit au salon où je craignais de trouver[21] Monsieur de Guermantes de mauvaise humeur. Il m'accueillit au contraire avec une joie évidemment en partie factice et

[14] *Fort peu . . . sans le vouloir:* sentence structure: le duc qui était fort peu ancien régime quand il s'efforçait . . . redevenait ancien régime . . . sans le vouloir.

[15] *petite scène qui:* apposition: a little scene which . . . before coming down to us . . . must have been enacted by.

[16] *je n'aurais qu'à venir le retrouver:* that I could join him later in the salon; literally: that I needed only join him.

[17] *J'eus peur . . . table:* I was afraid I had been forgotten, that dinner had started.

[18] *A la porte . . . Elstir:* At the door of the small room which contained Elstir's paintings.

[19] *un domestique . . . respect: un vieux domestique . . . qui avait l'air . . . mais qui me témoignait le même respect.*

[20] *qu'il m'eût attendu:* that he would have waited for me.

[21] *je craignais de trouver:* I was afraid I would find.

dictée par la politesse, mais par ailleurs sincère, inspirée[22] et par son estomac qu'un tel retard avait affamé, et par la conscience d'une impatience pareille chez tous ses invités lesquels remplissaient complètement le salon. Je sus, en effet, plus tard, qu'on m'avait attendu plus de trois quarts d'heure. Le duc de Guermantes pensa sans doute que prolonger le supplice général de deux minutes ne l'aggraverait pas, et que la politesse l'ayant poussé à reculer si longtemps le moment de se mettre à table, cette politesse serait plus complète si, en ne faisant pas servir immédiatement, il réussissait à me persuader que je n'étais pas en retard et qu'on n'avait pas attendu pour moi.[23] Aussi me demanda-t-il, comme si nous avions une heure avant le dîner et si certains invités n'étaient pas encore là, comment je trouvais[24] les Elstir. Mais en même temps, et sans laisser apercevoir ses tiraillements d'estomac,[25] pour ne pas perdre une seconde de plus, de concert avec la duchesse il procédait aux présentations.

MARCEL PROUST
A la Recherche du Temps Perdu
(Gallimard)

QUESTIONS SUR *Une Réception chez les Guermantes*

1. Pourquoi Monsieur de Guermantes vient-il lui-même ôter le pardessus de son hôte?
2. Que signifie l'expression «ancien régime» appliquée au duc?
3. Pourquoi est-il d'abord si familier et loquace avec le visiteur?
4. Qu'est-ce que ce texte nous apprend sur la qualité et les nuances de la politesse dans ce milieu aristocratique?
5. Quelle est la nature de la politesse américaine?
6. Comment s'exprime l'ironie de l'écrivain?

[22] *inspirée: une joie inspirée et par . . . et par . . . :* by both his stomach and the consciousness that . . .

[23] *Le duc de Guermantes . . . pour moi:* The duke no doubt thought that to keep all his guests on the rack for two more minutes wouldn't make things much worse, and that, since his sense of courtesy had made him so long delay giving the signal for dinner, the courtesy would be all the greater if he succeeded in persuading me that I was not late and that he had not been waiting for me to appear.

[24] *je trouvais:* I liked.

[25] *sans laisser apercevoir . . . estomac: sans laisser ses invités apercevoir que son estomac tiraillait:* without showing in the least that his stomach was twitching.

8

POLITIQUE

La France vit sous le régime de la Cinquième République, établie en 1958. De graves problèmes s'étaient posés après la guerre, que la Constitution de 1946 avec son Assemblée Nationale toute-puissante, n'avait pas pu résoudre. Le Général de Gaulle, rappelé au pouvoir, fit alors adopter une constitution fort différente de la précédente et semblable, à quelques égards, à celle des Etats-Unis.

Le Président de la République, élu pour sept ans par un collège électoral, est maintenant le véritable chef de l'Etat. Il nomme le Premier Ministre et préside le Conseil des Ministres. Il promulgue les lois et peut demander au Parlement un second examen de celles qu'il désapprouve. Il lui est possible, dans certaines conditions, de prononcer la dissolution de l'Assemblée. Le Président peut soumettre au referendum certains projets de loi importants. En cas de péril national, enfin, il dispose de pouvoirs exceptionnels pour assurer le salut du pays.

Le Premier Ministre seconde le Président dans la conduite de la politique française. Il choisit les ministres qui ne peuvent pas cumuler cette fonction avec celle de parlementaire. Le gouvernement, c'est-à-dire le Premier Ministre et son conseil, est responsable devant l'Assemblée Nationale. Il peut être renversé si une motion de censure signée par un dixième au moins des membres de l'Assemblée est votée à la majorité absolue des députés. Plusieurs innovations de la Constitution de 1958 ont d'ailleurs pour but d'éviter les changements constants de ministères pour lesquels les régimes qui l'avaient précédée étaient tristement célèbres.

Le pouvoir législatif appartient au Parlement: Assemblée Nationale et Sénat. L'Assemblée Nationale seule est élue au suffrage universel direct, pour cinq ans. Le Parlement a—comme le Premier Ministre—l'initiative des lois mais son pouvoir législatif est strictement délimité.

Le régime de 1958 établit un Conseil Constitutionnel qui veille au respect de la Constitution. Il est composé de neuf membres titulaires.

Il y a d'autres organismes spécialisés. Mentionnons seulement la Haute Cour de Justice qui juge le Président de la République et les Ministres quand ils sont accusés de crimes ou de délits dans l'exercice de leurs fonctions.

Dans ce régime de 1958 l'exécutif semble dominer le pouvoir législatif. Cela renverse une tendance traditionnelle des Français qui craignaient que trop d'autorité, surtout exercée par un militaire, devienne une menace pour la démocratie. Dans un état moderne, une concentration du pouvoir entre les mains de quelques-uns, aidés par un grand nombre de fonctionnaires mais toujours contrôlés par les représentants du peuple, a été jugée nécessaire à la marche efficace de l'Etat.

Le système électoral qui favorisait la multiplication des partis a été changé en 1958. Mais ces partis restent relativement nombreux, basés sur l'individualisme et la tradition, les intérêts et les idéologies. On peut cependant distinguer quelques tendances essentielles.

Les partis «de droite» comprennent quelques extrémistes de caractère fasciste et des conservateurs intransigeants. Au centre droit sont les partis aux noms divers, le plus nombreux étant l'UNR (Union pour la Nouvelle République), qui sont en faveur de l'autorité mais dans un cadre démocratique. Ils sont le principal soutien du régime qui s'est établi en 1958. Les partis «de gauche» les plus importants sont les radicaux et les socialistes. Les radicaux ont longtemps représenté la masse du peuple, partagé entre ses intérêts et son idéal. Ils protégeaient les «petits» contre les «gros» de tous ordres; mais ils se sont montrés plus soucieux de contrôler le gouvernement que de l'organiser et ils ont perdu beaucoup de leur influence, malgré des tentatives de modernisation.

Il y a deux tendances dans le socialisme: d'une part, le MRP (Mouvement Républicain Populaire), né après la dernière guerre, composé surtout de catholiques à tendances libérales, qui a souffert d'une poussée récente d'anticléricalisme et d'une division à propos des affaires d'Algérie; d'autre part, l'ancien parti socialiste, qui milite pour l'étatisation mais reste anticlérical comme à ses origines en 1905. A l'extrême-gauche se trouve le parti communiste, sorti en 1920 du parti socialiste; il représente les mécontents de principe, des fermiers, certains intellectuels et surtout les ouvriers des grandes usines, «dévoyés par l'erreur car soulevés par l'injustice», selon le Président de Gaulle. Le nombre de ses membres actifs et de ses députés est restreint.

Sur le plan de la politique mondiale, la France, responsable de vastes territoires, en Afrique particulièrement, a vu la situation se compliquer par les revendications nationalistes et par l'influence du communisme. Lors du référendum pour ou contre la Constitution, en 1958, elle a offert la liberté aux peuples sous sa dépendance. Sauf un petit territoire africain, la Guinée, ils ont tous affirmé leur attachement à la métropole et ont été groupés par la Constitution dans une Communauté à la tête de laquelle se trouve le Président de la République. Ils ont chacun un exécutif et un législatif propres et s'administrent eux-mêmes. Ils peuvent d'ailleurs demander à se retirer de cette association et devenir indépendants. Beaucoup l'ont fait mais gardent avec la France de fortes attaches économiques et culturelles.

Quant à l'Algérie, c'est un cas particulier. La France y est installée en effet depuis 1830 et plus d'un million de Français et d'Européens y vivent. C'est une question très complexe où se heurtent des intérêts légitimes et des passions violentes. Le gouvernement, pressé par la droite comme par la gauche, semble avoir trouvé une solution équitable dans le sens indiqué par le référendum de 1961 qui sanctionne le principe de l'autodétermination.

La politique étrangère de la France repose sur l'alliance avec les Etats-Unis et la Grande-Bretagne, sur la communauté européenne, sur la participation aux grandes organisations internationales et sur sa propre puissance militaire appuyée par le développement de sa force atomique. Elle siège comme membre permanent au Conseil de Sécurité des Nations-Unies. Elle joue un rôle actif dans le Pacte de l'Atlantique[1] et dans le Conseil de l'Europe qui se réunit chaque année à Strasbourg. Elle a pris des initiatives aussi importantes que le Plan Schuman, l'Euratom (pour l'énergie atomique), le marché commun européen devenu une communauté visant à l'unification politique de l'Europe occidentale.

Il est naturel que des conflits éclatent parfois entre les Français et ses alliés, comme entre les Français eux-mêmes, à propos de certaines questions où les points de vue s'opposent. Pourtant, malgré les épreuves des guerres, malgré les complications de la politique intérieure, la France a su mener de front la reconstruction, le renouveau industriel et la reprise de ses graves responsabilités de puissance mondiale.

Albert Thibaudet a dit que «la politique, ce sont les idées». Celles-ci sont mouvantes. Les événements internationaux se succèdent aussi de façon rapide et les «experts» eux-mêmes les prévoient rarement. L'espace ci-dessus permettra de noter les derniers développements.

[1] NATO

QUESTIONS

1. Quelles différentes formes de gouvernement connaissez-vous?
2. Quelle part les jeunes Américains prennent-ils à la vie politique?
3. Les deux grands partis américains vous semblent-ils représenter suffisamment les opinions du peuple?
4. Pourquoi est-il encore assez difficile de réaliser l'union de l'Europe?
5. Quelles qualités faut-il pour réussir en politique?
6. Le colonialisme a-t-il disparu? Peut-il parfois se justifier?
7. De grands hommes peuvent-ils changer le cours des événements?
8. Avez-vous lu un journal français et pouvez-vous le comparer à un journal américain? (format, articles de fond, place faite aux diverses rubriques, publicité, bandes dessinées, etc.).
9. Quels groupes aux intérêts particuliers exercent une forte influence sur le gouvernement?

Mystique républicaine[1]

CHARLES PÉGUY *(1873–1914) was first an ardent socialist who fought passionately on the side of Captain Dreyfus in the famous Dreyfus case at the end of the nineteenth century. Captain Dreyfus was wrongly accused of treason and sent to Devil's Island, but his case became the center of a long-drawn-out battle between the supporters of the newly established Third Republic—like Péguy—and its enemies.*

The French Revolution created among the masses in France a devotion to the Republic, so often threatened by extremists on either the right or the left. When the parliamentary process began to be tainted by scandals, it seemed to Péguy that the "mystique" or faith was disappearing. It seemed to him that politics and politicians had taken the place of belief in the values of the Republic and devotion to its service, hence his distinction between a "mystique" and a "politique." He remained an ardent supporter of the Republic even after his conversion to catholicism. An essayist and poet, he writes in long, repetitive sentences which make it difficult to give extracts of his work. Many such repetitions have been regretfully deleted from this text.

Nous sommes la dernière des générations qui ont la mystique[1] républicaine. Aussitôt après nous commence le monde que nous avons appelé le *monde moderne.* Le monde qui fait le malin.[2] Le monde des intelligents, des avancés, de ceux qui savent, de ceux à qui on n'a plus rien à apprendre.[3] C'est-à-dire: le monde de ceux qui ne croient à rien, pas même à l'athéisme, qui ne se dévouent, qui ne se sacrifient à rien. Exactement: le monde de ceux qui n'ont pas de mystique. Et qui s'en[4] vantent.

Cela se voit surtout à ce que[5] ce qui était pour nous, pour nos pères, un instinct, une race, des pensées, est devenu pour eux des *propositions,*[6] à ce que ce qui était pour nous organique est devenu pour eux logique. On prouve, on démontre aujourd'hui la République. Quand elle était vivante, on ne la prouvait pas. *On la vivait.* Qu'importe,[7] nous disent les politiciens, ça marche très bien; la preuve est que ça dure.... Les politiciens se trompent.

Nous tournant donc vers les jeunes gens, nous ne pouvons que leur dire: Prenez garde. Quand vous parlez à la légère, quand vous traitez légèrement la République, vous ne risquez pas seulement d'être injustes, vous risquez d'être sots. Vous oubliez, vous méconnaissez qu'il y a eu une mystique républicaine. Des hommes sont morts pour la liberté, comme des hommes sont morts pour la foi. Ces élections aujourd'hui vous paraissent une formalité grotesque. Mais des hommes ont vécu, des hommes sans nombre, des héros, des martyrs, et je dirais des saints, des hommes ont vécu, des

[1] *Mystique républicaine:* Péguy uses the word "une mystique" in a personal manner: a burning faith in the republic.

[2] *Le monde . . . malin:* the world that thinks it is smart.

[3] *ceux . . . apprendre:* those who think they have nothing more to learn, literally, to whom one can teach nothing more (meant in an ironical sense).

[4] *en:* pronoun that refers to the whole sentence that comes before: who brag about it, i.e., that they believe in nothing, that they will devote themselves to nothing, etc.; *s'en vanter:* se vanter de cela.

[5] *Cela se voit . . . à ce que:* the reflective form is often best translated by the passive. This can most clearly be seen because. . . . Sentence structure: *se voit* controls the two *à ce que*'s.

[6] *propositions:* Péguy opposes belief and thought to mere exercises of the mind. A *proposition* as he sees it is merely an intellectual hypothesis.

[7] *Qu'importe:* What does it matter?

hommes ont souffert, des hommes sont morts, tout un peuple a vécu pour que le dernier des imbéciles aujourd'hui ait le droit d'accomplir cette formalité truquée.[8] Ce fut un terrible, un laborieux, un redoutable enfantement. Ce ne fut pas toujours du dernier grotesque.[9] Ces élections sont dérisoires. Mais il y a eu une élection. C'est le grand partage du monde[10] moderne entre l'Ancien Régime[11] et la Révolution.

Vous nous parlez de la dégradation républicaine. N'y a-t-il pas eu d'autres dégradations? Tout commence en mystique et finit en politique. Tout commence par *la* mystique, par une mystique, par sa propre mystique et tout finit par *de la* politique.[12] L'essentiel est que *la mystique ne soit point dévorée par la politique à laquelle elle a donné naissance.*[13]

CHARLES PÉGUY
Notre Jeunesse
(Gallimard)

QUESTIONS SUR *Mystique Républicaine*

1. Que veut dire Péguy quand il parle du monde qui veut «faire le malin»?
2. La durée d'un régime est-elle une preuve de sa solidité?
3. Mentionnez des héros américains de la liberté.
4. L'exercice du droit de vote vous paraît-il important?
5. Est-il bon que «le dernier des imbéciles» puisse voter?
6. Le souhait final de Péguy vous semble-t-il possible à réaliser?

[8] *Mais . . . truquée:* sentence structure: *Mais les hommes ont vécu . . . tout un peuple a vécu pour que* (the other nouns merely enumerate the type of men who lived so that this might be done); *le dernier des imbéciles:* idiomatic superlative form: the most complete fool; *une formalité truquée:* a faked formality.

[9] *du dernier grotesque:* completely grotesque: Cf. note 8.

[10] *le grand partage du monde:* it marks the great dividing line of the world.

[11] *l'Ancien Régime:* French political regime before 1789, i.e., absolute monarchy.

[12] *tout finit . . . politique:* all ends in politics. Péguy contrasts the belief in certain political principles, *la mystique,* with *la politique,* i.e., with opportunistic politics.

[13] *l'essentiel . . . naissance:* What is essential is that a "mystique" should not be devoured by the politics to which it gave birth.

Antigone et Créon

IN HIS PLAY Antigone *(1943), Jean Anouilh (b. 1910) uses a Greek myth which he interprets in terms of our time. The Greek story relates how, after the departure from Thebes of King Œdipus, the two sons of Œdipus fought for the throne, plunging the city into civil war. They were both killed in battle and their maternal uncle, Creon, became king. He decreed that one of the brothers be given burial and that the body of the other be left to rot unburied, a terrible condemnation in the eyes of the Greeks. Anyone who attempted to bury the body would be buried alive. Antigone, a young girl, daughter of Œdipus and sister of the two fratricidal brothers, decides to bury her brother. She is caught, condemned, and buried alive. But her fiancé, Creon's son, and Creon's wife both commit suicide. Creon is left to bear the horror of his act.*

Anouilh's play starts with the return of Antigone to the palace of Creon after she has buried her brother, and it ends like the Greek play. In the scene below Antigone has been caught and brought before her uncle. The two confront each other and can come to no understanding. Creon's position is that of the statesman for whom the end justifies the means. Antigone refuses to be convinced by his arguments. She can give no rational explanation of her act. She simply prefers death to an endless succession of compromises of which this is merely the first. Antigone's revolt shatters the whole structure of Creon's carefully planned policies and makes of him, in spite of himself, a tragic character. The dialogue between Antigone and Creon was particularly moving to the audience that saw the play in 1943 during the German occupation.

CRÉON. Tu as pensé que tu étais de race royale, ma nièce et la fiancée de mon fils,[1] et que, quoi qu'il arrive,[2] je n'oserais pas te faire mourir.

[1] *ma nièce . . . fils:* Creon, the king of Thebes, is the brother of Jocasta, the wife of former King Œdipus; he is therefore Antigone's uncle. Antigone is engaged to be married to Creon's son.

[2] *quoi qu'il arrive:* whatever may happen.

ANTIGONE. Vous vous trompez. J'étais certaine que vous me feriez mourir au contraire.

CRÉON. L'orgueil d'Œdipe. Tu es l'orgueil d'Œdipe. Oui, maintenant que je l'ai[3] retrouvé au fond de tes yeux, je te crois. Tu as dû penser[4] que je te ferais mourir. Et cela te paraissait un dénouement tout naturel pour toi, orgueilleuse! Pour ton père non plus—je ne dis pas le bonheur, il n'en était pas question—le malheur humain, c'était trop peu. L'humain vous gêne aux entournures dans la famille.[5] Il vous faut un tête-à-tête avec le destin et la mort. . . . Eh bien, non. Ces temps sont révolus pour Thèbes. Thèbes a droit maintenant à un prince sans histoire. Moi, je m'appelle seulement Créon, Dieu merci. J'ai mes deux pieds par terre, mes deux mains enfoncées dans mes poches et, puisque je suis roi, j'ai résolu, avec moins d'ambition que ton père, de m'employer tout simplement à rendre l'ordre de ce monde un peu moins absurde,[6] si c'est possible. Ce n'est même pas une aventure, c'est un métier pour tous les jours, et pas toujours drôle, comme tous les métiers. Mais puisque je suis là pour le faire, je vais le faire . . . Et si demain un messager crasseux dévale du fond des montagnes pour m'annoncer qu'il n'est pas très sûr non plus de ma naissance,[7] je le prierai tout simplement de s'en retourner d'où il vient et je ne m'en irai pas pour si peu regarder ta tante sous le nez et me mettre à confronter les dates. Les rois ont autre chose à faire que du pathétique personnel, ma petite fille. . . . Alors, écoute-moi bien, tu vas rentrer chez toi tout de suite, faire ce que je t'ai dit et te taire. Je me charge du silence des autres. Allez, va! Et ne me foudroie pas comme cela du regard.

[3] *le:* l'orgueil d'Œdipe.

[4] *Tu as dû penser:* You must have thought . . .

[5] *L'humain . . . famille:* You come from a family whose clothing always seems too tight around the seams, i.e., you are never satisfied to be merely human like everyone else.

[6] *j'ai résolu . . . absurde:* I've made up my mind to put all my efforts into making the order of this world a little less absurd.

[7] *un messager . . . naissance:* allusion to the shepherd in the legend who reveals the secret of the birth of Œdipus.

. . . Antigone! C'est par cette porte qu'on regagne ta chambre.[8] Où t'en vas-tu par là?

ANTIGONE. Il faut que j'aille enterrer mon frère que ces hommes ont découvert.[9] . . .

CRÉON. Dieu sait pourtant si j'ai autre chose à faire aujourd'hui, mais je vais tout de même perdre le temps qu'il faudra et te sauver, petite peste. . . . Je ne veux pas te laisser mourir dans une histoire de politique. Tu vaux mieux que cela. Parce que ton Polynice,[10] cette ombre éplorée et ce corps qui se décompose entre ses gardes et tout ce pathétique qui t'enflamme, ce n'est qu'une histoire de politique. D'abord je ne suis pas tendre, mais je suis délicat. Tu crois que cela ne me dégoûte pas autant que toi, cette viande qui pourrit au soleil? Le soir, quand le vent vient de la mer, on la sent déjà du palais. Cela me soulève le coeur. . . . Tu penses bien que je l'aurais fait enterrer, ton frère, ne fût-ce que pour l'hygiène![11] Mais pour que les brutes que je gouverne comprennent, il faut que cela pue le cadavre de Polynice dans toute la ville, pendant un mois.

ANTIGONE. Vous êtes odieux!

CRÉON. Oui, mon petit. C'est le métier qui le veut. Ce qu'on peut discuter, c'est s'il faut le faire ou ne pas le faire. Mais si on le fait, il faut le faire comme cela.

ANTIGONE. Pourquoi le faites-vous?

CRÉON. Un matin je me suis réveillé roi de Thèbes. Et Dieu sait si j'aimais autre chose dans la vie que d'être puissant . . .

ANTIGONE. Il fallait dire non, alors!

CRÉON. Je le pouvais. Seulement, je me suis senti tout d'un coup comme un ouvrier qui refusait un ouvrage. Cela ne m'a pas paru honnête. J'ai dit oui.

ANTIGONE. Eh bien, tant pis pour vous. Moi, je n'ai pas dit «oui»! Qu'est-ce que vous voulez que ça me fasse, à moi, votre politique,

[8] . . . *chambre:* Antigone here goes toward the door that leads outside, not toward the door of her room.

[9] *ont découvert:* have uncovered.

[10] *Polynice:* Antigone's brother; the rebel who, by Creon's orders, was to be left unburied as a warning to other rebels.

[11] *ne fût-ce . . . l'hygiène:* if only from the point of view of hygiene.

votre nécessité, vos pauvres histoires? Moi, je peux dire «non» encore à tout ce que je n'aime pas et je suis seul juge. Et vous, avec votre couronne, avec vos gardes, avec votre attirail, vous pouvez seulement me faire mourir, parce que vous avez dit «oui».

CRÉON. Mais, bon Dieu! Essaie de comprendre une minute, toi aussi, petite idiote! J'ai bien essayé de te comprendre, moi. Il faut pourtant qu'il y en ait qui mènent la barque. Cela prend l'eau de toutes parts,[12] c'est plein de crimes, de bêtise, de misère. . . . Et le gouvernail est là qui ballotte.[13] L'équipage ne veut plus rien faire, il ne pense qu'à piller la cale et les officers sont déjà en train de se construire un petit radeau rien que pour eux, avec toute la provision d'eau douce pour tirer au moins leurs os de là.[14] Et le mât craque, et le vent siffle et les voiles vont se déchirer, et toutes ces brutes vont crever toutes ensemble, parce qu'elles ne pensent qu'à leur peau, à leur précieuse peau et à leurs petites affaires. Crois-tu, alors, qu'on a le temps de faire le raffiné,[15] de savoir s'il faut dire «oui» ou «non», de se demander[16] s'il ne faudra pas payer trop cher un jour et si on pourra encore être un homme après? On prend le bout de bois,[17] on redresse devant la montagne d'eau, on gueule un ordre et on tire dans le tas,[18] sur le premier qui s'avance. Dans le tas! Cela n'a pas de nom. C'est comme la vague qui vient de s'abattre sur le pont devant vous; le vent qui vous gifle, et la chose qui tombe dans le groupe n'a pas de nom. C'était peut-être celui qui t'avait donné du feu[19] en souriant la veille. Il n'a plus de nom. Et toi non plus, tu n'as plus de nom, cramponné à la barre. Il n'y a plus que le bateau qui ait un nom et la tempête. Est-ce que tu le comprends, cela?

[12] *Cela prend l'eau de toutes parts:* water is seeping in on all sides. The comparison with a ship in distress is developed throughout the paragraph.
[13] *Et le gouvernail . . . ballotte:* And the rudder is shaky.
[14] *tirer . . . de là:* to save at least their "skins" from the wreck.
[15] *faire le raffiné:* to be delicate.
[16] *se demander:* to wonder.
[17] *le bout de bois:* i.e., the rudder.
[18] *on tire dans le tas:* one shoots into the mass.
[19] *celui . . . feu:* the one who gave you a light.

Antigone. Je ne veux pas comprendre. C'est bon pour vous. Moi, je suis là pour autre chose que pour comprendre. Je suis là pour vous dire «non» et pour mourir.

Créon. C'est facile de dire non!

Antigone. Pas toujours.

Jean Anouilh
Antigone
(La Table Ronde)

questions sur *Antigone et Créon*

1. Pourquoi Créon traite-t-il Antigone d'orgueilleuse?
2. Qu'était-il arrivé à Œdipe?
3. Comment Créon va-t-il se charger du silence des autres, c'est-à dire des gardes qui ont amené Antigone?
4. A un certain moment, Antigone admet qu'elle n'a plus d'obligation d'enterrer son frère. Pourquoi continue-t-elle à s'opposer à Créon?
5. Pouvez-vous deviner des allusions aux événements des années de guerre dans ce passage?
6. Quelle sorte d'homme politique représente Créon?
7. La sympathie de Jean Anouilh vous semble-t-elle aller plutôt vers Antigone ou Créon, d'après cet extrait? Où va la vôtre et pourquoi?

Démocratie Internationale

albert camus *(1913–60) became famous in the forties. Here he thoughtfully voices a conviction that he shares with many Frenchmen today: the world must willy-nilly be united under one governing body. He therefore proposes a democratic world government.*

Nous savons aujourd'hui qu'il n'y a plus d'îles et que les frontières sont vaines. Nous savons que dans un monde en accélération constante, où l'Atlantique se traverse en moins d'une journée, où Moscou parle à Washington en quelques heures, nous sommes forcés à la solidarité ou à la complicité, suivant le cas.[1] Ce que nous avons appris pendant les années 40, c'est que l'injure[2] faite à un étudiant de Prague frappait en même temps l'ouvrier de Clichy, que le sang répandu quelque part sur les bords d'un fleuve du Centre européen devait amener un paysan du Texas à verser le sien[3] sur le sol de ces Ardennes qu'il voyait pour la première fois. Il n'était pas comme il n'est plus[4] une seule souffrance, isolée, une seule torture en ce monde qui ne se répercute dans notre vie de tous les jours. . . .

Nous savons donc tous, sans l'ombre d'un doute, que le nouvel ordre que nous cherchons ne peut être seulement national ou même continental, ni surtout occidental ou oriental. Il doit être universel. Il n'est plus possible d'espérer des solutions partielles ou des concessions. Le compromis, c'est ce que nous vivons, c'est-à-dire l'angoisse pour aujourd'hui et le meurtre pour demain. Et pendant ce temps, la vitesse de l'histoire et du monde s'accélère. . . . Oui, cet ordre universel est le seul problème du moment et qui passe toutes les querelles de constitution et de loi électorale.[5] C'est lui[6] qui exige que nous lui appliquions les ressources de nos intelligences et de nos volontés.

Quels sont aujourd'hui les moyens d'atteindre cette unité du monde, de réaliser cette révolution internationale, où les ressources en hommes, les matières premières, les marchés commerciaux et les richesses spirituelles pourront se retrouver mieux redistribuées? Je n'en[7] vois que deux et ces deux moyens définissent notre ultime alternative. Ce monde peut être unifié d'en haut par un seul Etat plus puissant que les autres. . . . Notre seule objection la voici: cette

[1] *suivant le cas:* according to circumstances.
[2] *l'injure:* the harm.
[3] *le sien:* son sang.
[4] *Il n'était pas . . . il n'est plus:* il n'y avait pas, il n'y a plus.
[5] *querelles . . . électorale:* This passage was written soon after the war when the French were in the throes of writing the new 1946 constitution for the Fourth French Republic.
[6] *lui:* cet ordre universel.
[7] *en:* refers to *deux moyens:* I see only two (of these).

unification ne peut[8] se faire sans la guerre ou, tout au moins, sans un risque extrême de guerre. J'accorderai encore, ce que je ne crois pas, que la guerre puisse ne pas être atomique.[9] Il n'en reste pas moins que[10] la guerre de demain laisserait l'humanité si mutilée et si appauvrie que l'idée même d'un ordre y deviendrait définitivement anachronique . . .

Et le moyen, ici, ferait éclater la fin.[11] Quelle que soit la fin désirée, si haute et si nécessaire soit-elle,[12] le moyen employé pour y parvenir représente un risque si définitif, si disproportionné en grandeur avec les chances de succès, que nous refusons objectivement de le courir. Il faut donc en revenir[13] au deuxième moyen propre à assurer cet ordre universel, et qui est l'accord mutuel de toutes les parties. Nous ne nous demanderons pas s'il est possible, considérant ici qu'il est justement le seul possible. Nous nous demanderons d'abord ce qu'il est.

Cet accord des parties a un nom qui est la démocratie internationale. . . . C'est une forme de société où la loi est au-dessus des gouvernants, cette loi étant l'expression de la volonté de tous, représentée par un corps législatif.

ALBERT CAMUS
Actuelles I
(Gallimard)

QUESTIONS SUR *Démocratie Internationale*

1. Pourquoi l'auteur dit-il que les frontières sont vaines?
2. Pouvez-vous donner des exemples de cette solidarité internationale dont parle Albert Camus?
3. Les solutions partielles et les concessions vous semblent-elles une politique dangereuse? Pourquoi?

[8] *ne peut:* ne peut pas.
[9] *puisse . . . atomique:* (subjunctive and negative structure) there could be a nonatomic war.
[10] *Il . . . moins que:* It is nonetheless true that.
[11] *Et le moyen . . . fin:* And the means in this case would destroy the end.
[12] *Quelle que soit . . . soit-elle:* Whatever the ultimate end desired, however noble and inevitable.
[13] *Il faut . . . revenir à:* We must therefore come back to.

4. Connaissez-vous des tentatives anciennes d'organisation d'un ordre universel?

5. Que pensez-vous des Nations-Unies?

6. Quelles sont les conditions nécessaires pour établir aujourd'hui ce gouvernement mondial dont parle l'auteur?

Seule Pensée

THE SURREALIST POET, *Paul Eluard (1895–1952) wrote this poem during the occupation of France by Germany. It was circulated clandestinely and widely read, expressing as it did the collective aspiration of the French.*

Sur mes cahiers d'écolier
Sur mon pupitre et les arbres
Sur le sable sur la neige
J'écris ton nom[1]

Sur toutes les pages lues
Sur toutes les pages blanches
Pierre sang papier ou cendre
J'écris ton nom

Sur les images dorées
Sur les armes des guerriers
Sur la couronne des rois
J'écris ton nom

[1] *Sur mes cahiers d'écolier. . . . J'écris ton nom:* The entire poem, written during the war, is a kind of incantation built, with the exception of the last stanza, on the repetition of the same sentence: On . . . I write your name. Only the last line of the poem gives that name: *Liberté*. There is no punctuation at all in the whole poem, which is a kind of litany.

Sur la jungle et le désert
Sur les nids sur les genêts
Sur l'écho de mon enfance
J'écris ton nom

Sur les merveilles des nuits
Sur le pain blanc des journées
Sur les saisons fiancées
J'écris ton nom

Sur tous mes chiffons d'azur
Sur l'étang soleil moisi
Sur le lac lune vivante
J'écris ton nom

Sur les champs sur l'horizon
Sur les ailes des oiseaux
Et sur le moulin des ombres[2]
J'écris ton nom

Sur chaque bouffée d'aurore[3]
Sur la mer sur les bateaux
Sur la montagne démente[4]
J'écris ton nom. . . .

Sur les sentiers éveillés
Sur les routes déployées
Sur les places qui débordent
J'écris ton nom

Sur la lampe qui s'allume
Sur la lampe qui s'éteint
Sur mes maisons réunies
J'écris ton nom

[2] *le moulin des ombres:* shadows, like windmills, slowly turn but with the sun, not with the wind.
[3] *chaque bouffée d'aurore:* each fresh burst of dawn.
[4] *Sur la montagne démente:* on the wild mountain.

Sur le fruit coupé en deux
Du miroir et de ma chambre
Sur mon lit coquille vide
J'écris ton nom

Sur mon chien gourmand et tendre
Sur ses oreilles dressées
Sur sa patte maladroite
J'écris ton nom

Sur le tremplin de ma porte[5]
Sur les objets familiers
Sur le flot du feu béni
J'écris ton nom

Sur toute chair accordée[6]
Sur le front de mes amis
Sur chaque main qui se tend
J'écris ton nom. . . .

Sur mes refuges détruits
Sur mes phares écroulés
Sur les murs de mon ennui
J'écris ton nom

Sur l'absence sans désir
Sur la solitude nue
Sur les marches de la mort
J'écris ton nom

Sur la santé revenue
Sur le risque disparu
Sur l'espoir sans souvenir
J'écris ton nom

[5] *le tremplin de ma porte: tremplin:* spring board. The door is the place from which the poet moves out into the world.

[6] *toute chair accordée:* all flesh that is in harmony, i.e., human bodies that reach harmony in love.

Et par le pouvoir d'un mot
Je recommence ma vie
Je suis né pour te connaître
Pour te nommer

Liberté.

PAUL ELUARD
Poésie et Vérité
(Publié avec l'autorisation des Editions de Minuit)

DEUXIÈME PARTIE

Vie Intellectuelle, Artistique et Spirituelle

9

PARIS

C'est la grande ville, la capitale par excellence. Ses quartiers sont étonnamment variés, depuis l'Ile de la Cité, berceau de la ville, à l'élégant et moderne Auteuil; chacun porte dans ses monuments la marque de son histoire: c'est par exemple Notre-Dame, la cathédrale du XIIIième siècle, la Sainte-Chapelle, construite par Saint Louis, la Sorbonne dont la chapelle garde le souvenir de Richelieu, le Louvre agrandi et embelli par Louis XIV, l'Arc de Triomphe commencé par Napoléon en l'honneur des victoires de ses armées, l'Opéra et son style «fin de siècle», le Palais de Chaillot contemporain et cent autres. Tous ces bâtiments ont leur beauté, y compris la Tour Eiffel souvent critiquée mais qui fait définitivement partie du paysage parisien. Aujourd'hui, on voit s'élever, hors du centre de la ville, de petits gratte-ciel dont la construction est réglementée pour ne pas nuire à l'harmonie de la ville.

Il y a dans Paris beaucoup de verdure; les rues et les boulevards plantés d'arbres, les ronds-points fleuris, les parcs, les places nombreuses ouvrent des perspectives toujours nouvelles. La cité, d'autre part, n'est pas plate; elle est entourée de collines dont la plus haute, Montmartre, surmontée de la blanche basilique du Sacré-Coeur, domine Paris.

Un beau fleuve, la Seine, serpente à travers la ville et en fait un port important. Vivre avec un fleuve est un avantage que connaissent beaucoup de villes européennes; Paris en tire un profit exceptionnel. Des bateaux circulent, mais presque tout le commerce s'arrête aux portes, dans la banlieue; des quais peuvent ainsi longer les deux rives pour le plaisir des amis des bouquinistes, des pêcheurs et des flâneurs.

L'animation est grande, du moins au coeur de la ville; sur la chaussée foncent des milliers d'autobus, de taxis, de voitures particulières de tous genres; sur les trottoirs souvent envahis par les terrasses de café, les passants admirent les vitrines et vont à leurs affaires ou à leurs plaisirs. Quelques six millions d'habitants peuplent la cité et sa banlieue. Beaucoup viennent de la province: ouvriers pour les nombreuses industries qui entourent Paris, employés pour les administrations de l'Etat, écrivains et artistes qui doivent venir dans la capitale s'ils veulent se faire connaître, une soixantaine de milliers d'étudiants dont trois mille environ habitent la pittoresque Cité Universitaire, au sud de la ville. Il y a d'ailleurs un échange de plus en plus grand, à tous les égards, entre Paris et la province grâce au développement et à la rapidité de moyens de transport.

On reconnaît facilement le type parisien, vif, débrouillard, impertinent et gai, mais les Parisiens et les provinciaux de Paris se ressemblent assez. Ces derniers aiment à retrouver leurs camarades de même origine dans des «amicales» qui entretiennent dans la capitale le folk-lore des différentes régions. La province fournit ainsi des forces neuves à Paris et l'on a pu voir dans ce fait une des raisons pour lesquelles une civilisation aussi ancienne que la civilisation française reste toujours jeune.

Ce rajeunissement est encore dû à la présence de très nombreux étrangers, moins des touristes que de ceux qui ont décidé de vivre à Paris, intellectuels et artistes surtout. La ville n'a pas reçu ces éléments comme un creuset mais elle leur a servi de levain; en revanche, elle a subi leur influence qui a toujours été profonde sur la pensée et l'art français.

Comme l'a dit Paul Valéry dans *Regards sur le monde actuel,* il y a bien d'autres immenses cités dans le monde, mais, Paris assemble toutes les fonctions: «capitale politique, grand port, marché

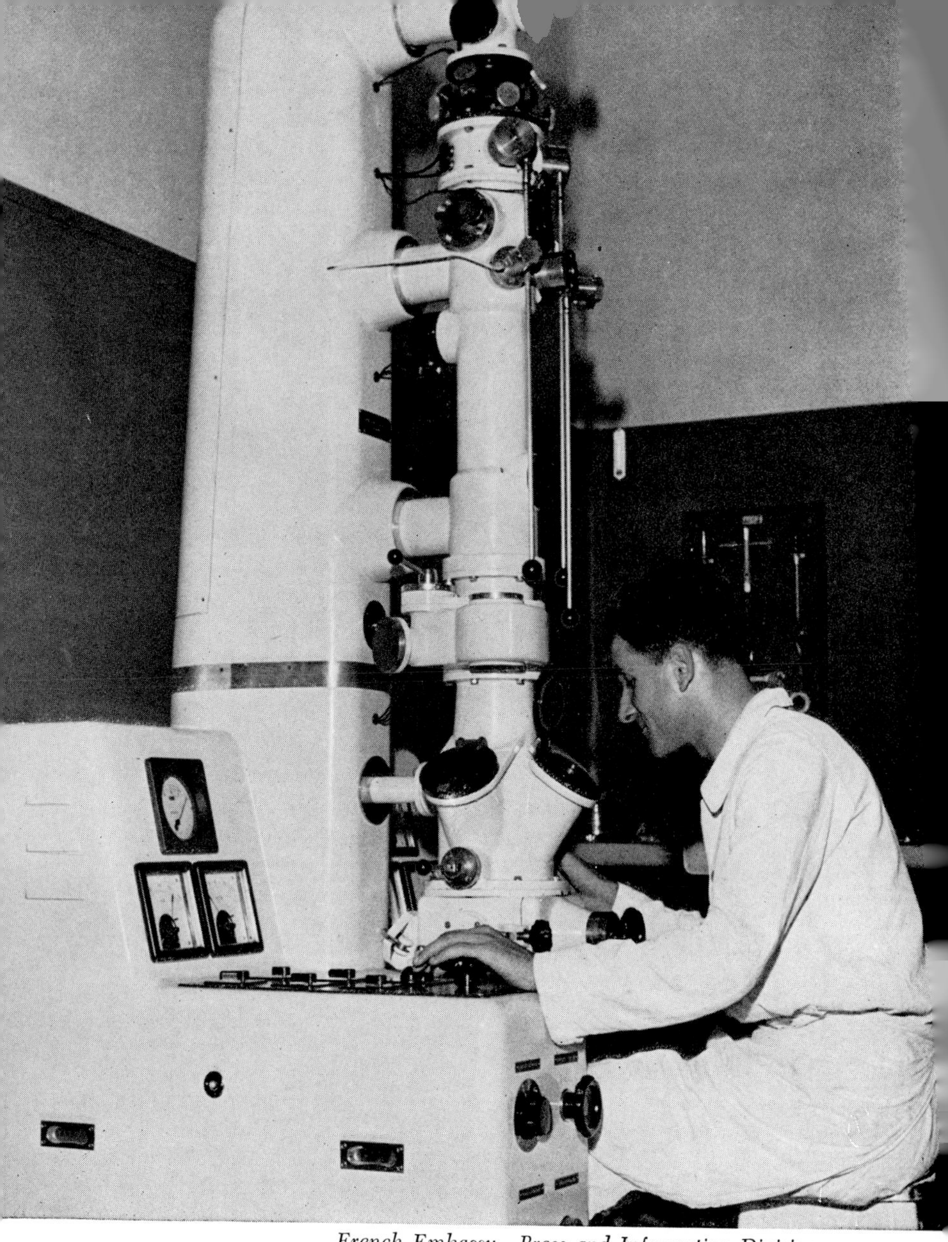

French Embassy—Press and Information Division

MICROSCOPE ÉLECTRONIQUE À L'INSTITUT PASTEUR

French Embassy—Press and Information Division

PAUL CLAUDEL

French Embassy—Press and Information Division

André Gide

French Cultural Services

Jean-Paul Sartre

de toutes les valeurs, paradis artificiel, sanctuaire de la culture et centre organique des rapports entre des provinces extrêmement variées». Paris n'est donc pas seulement une ville de beauté et de lumière, un lieu de plaisir unique; c'est une cité travailleuse et exigeante. Mais son climat, sa variété, son harmonie, son fleuve, son histoire, ses ressources, son peuple lui donnent charme et intérêt, au point de créer cette légende que les bons Américains, à leur mort, s'en vont à Paris.

QUESTIONS

1. Quels facteurs déterminent le meilleur site pour une grande ville?
2. Qu'est-ce que l'urbanisme et quels problèmes cherche-t-il à résoudre?
3. Comment peut-on essayer de supprimer les taudis?
4. Pourquoi construit-on des gratte-ciel?
5. Il semble que les villes américaines tirent un parti moins grand de la beauté de leurs fleuves que les villes d'Europe. Pourquoi?
6. Quelles villes aimeriez-vous visiter et quels plaisirs en attendez-vous?
7. Pourquoi beaucoup de gens cherchent-ils à vivre en banlieue?
8. Préférez-vous habiter une grande ou une petite ville?
9. Décrivez la vie dans votre ville.

Paris Mystique

LOUIS GILLET *(1876–1943), a deeply religious Roman Catholic writer and critic, thinks of Paris essentially as the spiritual center of France.*

Comment réduire en quelques mots le sens d'une ville comme Paris, résumer et rendre lisible ce prodigieux grimoire?[1]

[1] *ce prodigieux grimoire:* this vast book of symbols. A *grimoire* is a book of magic, illegible to the uninitiated. Each section of Paris has its meaning, that can be read in its buildings.

Il y a le Paris solennel et royal,[2] le Paris de la Seine, de Notre-Dame et de la Concorde, le Paris de la grande unité et de la monarchie françaises, qui est d'un bout à l'autre un immense chef-d'oeuvre; spectacle si arrêté,[3] si construit, d'un accord tellement réussi, qu'il semble quelque chose d'intangible et, pour ainsi dire d'astral.

Mais il y a aussi, à côté ou en marge de[4] ce Paris triomphal, un second Paris plus charmant, celui des petites rues peu fréquentées de l'étranger, le Paris de l'Ile Saint-Louis ou du Marais,[5] un Paris plein de bonhomie, pas du tout «grande ville» et surtout pas bluffeur. . . . Paris est composé d'une douzaine de villages qu'il a absorbés tour à tour, et rien n'est plus charmant que les endroits, de plus en plus rares, où il a conservé ce caractère agreste et maraîcher: la place du Tertre, à Montmartre,[6] est encore une place de village, comme certains endroits d'Auteuil et de Passy, de Charonne ou de Chaillot,[7] qui rappellent des origines naturelles, comme un pâtre, devenu ministre, garde dans un coffre sa houppelande et ses sabots.

[2] *le Paris . . . royal:* The heart of Paris, built by successive French kings. In the twelfth and thirteenth centuries, Notre-Dame, a Gothic cathedral, was built on a small island in the Seine, later called l'Ile de la Cité. The *Place de la Concorde* on the right bank of the Seine was created by Louis XV; between the two are the Palace of the Louvre and the Garden of the Tuileries, which recall the mighty presence of Louis XIV.

[3] *spectacle si arrêté:* The carefully designed architectural stateliness and grandiose proportions of "royal" Paris make it seem to belong to some distant planet.

[4] *en marge de:* beyond.

[5] *L'Ile St. Louis:* The second of the two islands in the Seine in the very heart of Paris. L'Ile Saint-Louis is a quiet residential district with handsome seventeenth century houses. *Le Marais* also has kept many gracious seventeenth and eighteenth century houses.

[6] *Montmartre:* Montmartre was an old village built on a hill near Paris. It was annexed to Paris in 1869 but kept its narrow streets and windmills even after the hill was crowned by the large and famous basilica of the Sacré-Coeur, one of the landmarks of Paris. It drew a great many artists who eventually fled to Montparnasse and Saint-Germain-des-Prés when Montmartre became a center of Paris night life.

[7] *Auteuil and Passy, Charonne and Chaillot:* formerly independent villages and have now become modern residential sections of Paris.

Il y a eu longtemps une légende de Paris, faite d'admiration et de scandale, d'horreur et d'éblouissement: légende de la «Babylone moderne», répandue par nos livres et notre théâtre, propagée surtout par la Réforme et l'esprit puritain, par tous les rigoristes et les prédicants de toutes les sectes. . . . Il faudrait parler, pour être juste, du terrible sérieux, de la gravité de Paris. Ce n'est pas la légèreté qu'on peut reprocher à Notre-Dame ou à l'Arc de Triomphe: il n'y a pas de lieu au monde où l'on ait davantage la passion du travail, le respect de la perfection, l'amour de la «belle ouvrage». . . .[8]

Un Anglais, ami de Paris, le conteur George Moore,[9] adorait aux Tuileries, à Versailles,[10] ce luxe de marbres et de déités qui égayent les parterres, cet Olympe parmi les verdures: cette mythologie, ces beautés souriantes, si inconnues à l'Angleterre, lui prodiguaient l'ivresse. Il croyait entrer dans le pays du bonheur, sous un ciel indulgent qui ne respire que la volupté. «Convenez-en, me disait-il, vous êtes un peuple de païens!»

George Moore se trompait. . . . Paris est une ville profondément religieuse, et cent fois plus qu'elle ne le croit elle-même. Ce n'est pas par hasard que le seul monument digne de ce nom qu'il ait élevé depuis soixante ans, soit un monument de la foi, ce Sacré-Coeur qu'on aperçoit de toute la ville, couronnant de sa grappe de coupoles majestueuses la vieille Colline des Martyrs,[11] d'où elle répond aux

[8] *la «belle ouvrage»:* The only expression in which *ouvrage* is feminine, indicating that the word denotes the artisan's love of a perfect piece of work.

[9] *George Moore* (1852–1933): Irish novelist who lived in Paris when he was a young man and frequently returned there later.

[10] *Les Tuileries:* The palace of les Tuileries was a royal residence in Paris, built in the sixteenth and early seventeenth centuries. The palace was burned in 1871 and there are now gardens there. *Versailles:* The Versailles Palace, with its formal gardens situated at about eighteen miles southwest of Paris was the favorite residence of Louis XIV.

[11] *Colline des Martyrs:* The Basilica of the Sacré-Coeur with its two byzantine cupolas dominates Montmartre, which literally means Mount of Martyrs. Since Louis Gillet wrote these lines other buildings have gone up in Paris. The most famous of these is the Palais de Chaillot, built in 1937 on the hills of Passy and which took the place of the old Trocadéro.

dômes du Panthéon et des Invalides,[12] comme des cloches dans un concert. . . .

Paris, qu'on le veuille ou non, est une grande ville mystique, une source de vie spirituelle. Il y a même deux formes de cette vie, deux grandes écoles parisiennes; la tradition est double, comme Paris et ses deux rives;[13] d'une part, la vieillle tradition chrétienne, fille de l'Eglise, héritière de l'Evangile et de l'ordre romain, et surtout occupée du Ciel, et qui culmine avec Pascal;[14] de l'autre une tradition critique, rebelle, frondeuse et raisonneuse, tour à tour libertine, humaniste, philosophe, révolutionnaire, combattant les abus, les dogmes, une tradition militante, incrédule, mais moins sceptique qu'il n'y paraît, croyant à une foule de choses non démontrées, à la Justice, à l'Egalité et au bonheur par le Progrès. Ces deux écoles sont presque aussi anciennes l'une que l'autre; chacune a ses aïeux, ses héros, son honneur. Elles dominent tour à tour, et au fond, les deux adversaires se ressemblent plus qu'on ne pense. Ils ne vénèrent pas les mêmes dieux, mais ils possèdent le même sentiment du sacré.

Louis Gillet
Paris
(Flammarion)

QUESTIONS SUR *Paris Mystique*

1. Racontez brièvement l'histoire de Paris—de votre ville.
2. Quels contrastes remarque-t-on entre les divers quartiers?

[12] *Le Panthéon:* was built in the eighteenth century on the old Montagne Sainte Geneviève in the Latin Quarter. It was a church, neo-Greek in style, with a high cupola. At the time of the Revolution it ceased to be a church and was given its present name when it was decided that great Frenchmen should be buried there. Among those buried there are Victor Hugo and Emile Zola. *Les Invalides:* Louis XIV had the Invalides built to serve as a home for injured officers and soldiers of his army. Under its majestic dome lies Napoleon I, whose body was brought back to France in 1840.

[13] *ses deux rives:* The two banks of the Seine, the "rive gauche" and the "rive droite," are famous and each has its individuality.

[14] *Pascal:* A great seventeenth-century mathematician and physicist. Pascal was also a fervent Christian whose *Pensées* express the depth of his religious thought.

3. Dans quelles villes américaines peut-on voir des souvenirs historiques, des vestiges du passé?
4. Qu'est-ce qu'on entend par «une Babylone»?
5. L'admiration de l'antiquité implique-t-elle une âme païenne?
6. Cette double tradition dont parle l'auteur existe-t-elle aussi nette dans d'autres pays?
7. Dessinez une carte de Paris.

Paname[1]

FRANCIS CARCO *(1886–1958), novelist of the underworld and poet of the common people and popular sections of Paris prefers these to the more grandiose aspects of the city.*

A Paris, où je vins en 1910 et dont mon père disait: «On n'attend plus que toi à Paris!» ma méthode d'incursion[2] dans la vie de mes contemporains est demeurée la même. C'est une excellente méthode dans toutes les villes du monde où chaque être a besoin de se faire aimer des autres par le trucheman[3] d'un artiste. Mais il n'existait pas à Paris de chambre meublée à louer. Par contre, il y avait des bars et c'est dans ces bars que je rencontrai les futurs protagonistes de mes romans. A force de fréquenter les mêmes lieux, nous avions lié connaissance. . . . Nous nous faisions des politesses. . . .

—Ma tournée . . . Ta tournée . . . A ta santé, Toto![4]

Voilà. Ce n'était pas plus difficile. Quant au décor,[5] il suffisait d'ouvrir les yeux. Le décor de ce Paris, que je devais décrire souvent

[1] *Paname:* popular slang name for Paris.
[2] *ma méthode d'incursion:* Carco's method of penetrating into the life of his contemporaries is to settle in a section and get to know the people living there.
[3] *trucheman:* now often written *truchement:* through an artist's interpretation.
[4] *Toto:* equivalent of Bud or Mac.
[5] *le décor:* the setting; a theatrical term.

et avec le même plaisir, ne déçoit jamais ceux qui en ont subi—ne fût-ce qu'une fois—l'étrange séduction. Je dis Paris. . . . Mais ce n'est pas Paris; c'est Paname. Des murs lépreux, d'étroites ruelles. . . . Quelquefois, passé le bistro d'angle,[6] un oiseau dans une cage, d'autres murs sombres, flétris, crevassés, gondolés . . . , d'autre part toujours les mêmes, qu'un petit arbre s'efforce de réconforter par sa présence. . . . Vous connaissez ce beau pays. . . . Ou encore des cours humides au pavé gras,[7] une ligne falote de réverbères, le mot *Hôtel* inscrit en transparence sur un globe de verre dépoli, des façades de guingois,[8] la couverture de zinc d'un pavillon et, sur le ciel brouillé d'un jour d'hiver, une longue découpure de cheminée.[9] . . .

On passe, sans transition, d'un quartier au suivant et, pour peu qu'on y songe, on saisit mieux quels liens unissent tant de citadins à leur ville quand ils n'en franchissent pas les bornes au-delà desquelles commence le Paris opulent des banquiers, des stars, des femmes de luxe, des gens très bien,[10] des étrangers. La différence entre ces deux Paris s'accentue de jour en jour. L'un comprend l'Etoile, la place de la Concorde, le Louvre, les Tuileries, la Tour Eiffel, et l'autre, Notre-Dame, la Bastille,[11] les noires prisons de la Roquette et de Saint-Lazare, le mur des Fédérés. C'est l'endroit et l'envers d'une grande capitale dont une partie travaille et peine pour embellir et décorer son élégante voisine. De l'une à l'autre, on

[6] *passé le bistro d'angle:* inversion: une fois le bistro passé: once one has passed the corner wine merchant's store . . .

[7] *cours humides au pavé gras:* moist courtyards with their slimy pavement.

[8] *des façades de guingois:* houses out of line.

[9] *une longue découpure:* the tall silhouette.

[10] *des gens très bien:* very respectable people.

[11] *La Bastille:* A square in Paris where an old citadel, later transformed into a prison, used to stand. The prison was destroyed at the outset of the French Revolution on July 14, 1789; that is how July 14th became the French National holiday. The section of modern Paris around the square is very crowded. The prison of *La Roquette* is no longer used. *Saint Lazare* was a grim and dark prison for women. *Le Mur des Fédérés:* In 1871 the people of Paris revolted against their government, which had negotiated with the victorious Germans and which also seemed too conservative to the Parisian working class. The French Army put down the uprising, and the leaders were shot at the *Mur des Fédérés,* in the cemetery of the Père-Lachaise, one of the sadder landmarks of Paris.

change de monde, de milieu. On respire un autre air. On parle presque une autre langue.

FRANCIS CARCO
(*Conferencia,* mai 1933)

QUESTIONS SUR *Paname*

1. En quoi résidait «l'étrange séduction» de ce Paname dont parle l'auteur?
2. Ce contraste entre luxe et pauvreté a-t-il toujours et partout existé?
3. Que savez-vous de Montmartre? d'autres quartiers de Paris?
4. Comment peut-on faire des connaissances dans une ville inconnue?
5. Dans ses romans, Francis Carco aime décrire des personnages des bas-fonds. Quel intérêt particulier presentent-ils?
6. Quels romanciers américains décrivent des milieux semblables?

L'Apéritif[1]

LÉON-PAUL FARGUE *(1876–1947), a gentle and amiable poet, spent his life wandering in and out of the cafés of Saint-Germain-des-Prés. He here describes the rhythm of Paris life as it is manifest in the "heure de l'apéritif."*

L'apéro[1] de Paris, ce sont deux moments de la journée, et je ne sais encore lequel des deux est le plus important: l'apéro de midi ou celui de sept heures. Il rassemble autour des tables rondes ou rectangulaires, dans le foisonnement des terrasses,[2] dans le secret des bars et le long des comptoirs, autant d'acteurs à midi que le soir. Les conversations ne sont peut-être pas les mêmes, et le temps

[1] *L'apéritif:* or *l'apéro* as it is popularly called, is an alcoholic drink taken before a meal to whet one's appetite.

[2] *dans le . . . terrasses:* in the swarming café terraces. In France the "cafés" have large outside sidewalk terraces where people sit, talk and watch the passers-by.

consacré est moins long. On demeure plus longtemps devant son verre à l'heure du dîner qu'à l'heure du déjeuner. On boit sans doute davantage le soir que le matin. Mais il y a dans l'apéritif du matin une fraîcheur, un coup de vitesse[3] et une humeur pétillante[4] qu'on ne retrouve jamais le soir. En revanche,[5] il y a un sérieux, une puissance de pensée et une sagesse dans l'apéritif du soir qui n'existent pas le matin.

L'apéritif parisien varie selon les quartiers: il est brillant avenue des Champs-Elysées, profond place Saint-Germain-des-Prés,[6] anonyme sur les boulevards, violent et bref dans les quartiers populaires, empressé autour des gares, tendre au quartier Latin, sinistre dans les avenues sans cafés. Mais un lien secret relie alors les buveurs et les causeurs, une sorte de franc-maçonnerie[7] circule de tempérament à tempérament[8] et semble enserrer les bouteilles, les siphons, les soucoupes, les cendriers dans une même mélodie mystérieuse et captivante. Qui de nous n'a senti les rouages qui l'apparentaient à la grande masse des usagers, à l'heure où nous sirotons un Mandarin-curaçao ou une Suze-citron?[9] Nous faisons, semble-t-il, partie d'une armée qui campe, d'un immense bataillon de soldats qui se reposent avant de reprendre le collier,[10] la charrue, la mitrailleuse ou le porte-plume. Cela correspond à la sieste. Ce sont de courtes vacances dans le courant de la journée, après quoi

[3] *un coup de vitesse:* auto term: picking up speed, i.e., an exhilaration.

[4] *une humeur pétillante:* a joyous mood; *pétillante:* sparkling.

[5] *en revanche:* on the other hand.

[6] *Champs-Elysées:* Elegant avenue on the right bank of Paris, stretching from l'Etoile to the Place de la Concorde. *Saint-Germain-des-Prés:* on the left bank of Paris, long a favorite literary hangout made famous after World War II by the Existentialists, and now mostly frequented by students and tourists.

[7] *franc-maçonnerie:* freemasonry, fraternity or comradeship.

[8] *de tempérament à tempérament:* between the different moods of Paris (those just discussed above).

[9] *Qui de nous . . . Suze-citron:* who among us has not felt the mechanism that links him to the large mass of customers at the time of day when we sip a Mandarin-curaçao or a Suze-citron (two well-known brands of apéritif).

[10] *reprendre le collier:* to get back into harness; Fargue then proceeds to enumerate the various kinds of things to which we are harnessed.

chacun s'en ira vers les siens,[11] du côté du restaurant, aux courses, au cinéma, dans un magasin ou ailleurs. . . .

L'apéritif permet la fusion des classes et des métiers: . . . des affaires se traitent,[12] des serments s'échangent, des commandes se passent, toutes choses auxquelles on ne pensait pas, mais qu'on n'oubliera plus, car l'apéritif est un moment excellent pour la mémoire.

Et quelles appellations ravissantes: un Byrrh-cassis, un Vittel-menthe, un Mixte, un Chambéry-fraise, un Export-grenadine, une Tomate, une Purée, une Oxygénée, un Pastis![13] Ne dirait-on pas que nous nous sommes faufilés[14] dans un univers d'insectes ou de poissons? . . .

Enfin, l'apéritif est une affaire d'hommes. D'hommes entre eux. C'est le meilleur moment pour échanger ses idées sur le sport, c'est le triomphe de l'altercation politique et des «combines»[15] de mâles. Les femmes sont réservées pour le cocktail, instant pervers, et beaucoup moins classique . . .

LÉON-PAUL FARGUE
(*Le Figaro,* 8 août 1935)

QUESTIONS SUR *L'Apéritif*

1. Quelles sont les différences entre l'apéritif de midi et celui du soir?
2. Comment l'apéritif varie-t-il suivant les quartiers?
3. Que pensez-vous de cette habitude assez générale de prendre l'apéritif?
4. Y a-t-il une coutume semblable aux Etats-Unis?
5. Pourquoi y a-t-il beaucoup de cafés en France et quel rôle jouent-ils?
6. Croyez-vous que les cafés pourraient s'établir avec succès aux Etats-Unis?

[11] *les siens:* his family.
[12] *des affaires se traitent:* business deals are made.
[13] *un Byrrh-cassis . . . un Pastis:* Fargue is lyrically assembling all the names of apéritifs to make a sort of magic incantation in mock-heroic vein.
[14] *Ne dirait-on . . . faufilés:* Does it not seem as if we have surreptitiously entered . . .
[15] *les combines:* colloquial: schemes.

Le Pont Mirabeau[1]

APOLLINAIRE *(1880–1918) is often called "the father of modern poetry" in France. In this lovely and haunting lyrical poem he associates the Seine and the Pont Mirabeau, one of the many bridges that span the river, with the passing of love and life.*

Sous le pont Mirabeau coule la Seine
Et nos amours
Faut-il qu'il m'en souvienne[2]
La joie venait toujours après la peine

Vienne[3] la nuit sonne l'heure
Les jours s'en vont je demeure

Les mains dans les mains restons face à face
Tandis que sous
Le pont de nos bras passe
Des éternels regards l'onde si lasse[4]

Vienne la nuit sonne l'heure
Les jours s'en vont je demeure

[1] *Le Pont Mirabeau:* one of the many bridges that span the Seine in Paris.
[2] *souvienne:* impersonal form poetically used: il m'en souvient, je m'en souviens; subjunctive after *faut-il que: "Must I remember them."* Note that Apollinaire uses no punctuation: he considered that poetry creates its own rhythms and intonations and needs no other means to transmit these to the reader.
[3] *Vienne:* subjunctive: "Though night comes and the hour chimes."
[4] *Tandis . . . lasse:* sentence structure: tandis que l'onde si lasse des éternels regards passe sous le pont de nos bras.

L'amour s'en va comme cette eau courante
L'amour s'en va
Comme la vie est lente
Et comme l'Espérance est violente

Vienne la nuit sonne l'heure
Les jours s'en vont je demeure

Passent[5] les jours et passent les semaines
Ni temps passé
Ni les amours reviennent
Sous le pont Mirabeau coule la Seine

Vienne la nuit sonne l'heure
Les jours s'en vont je demeure

GUILLAUME APOLLINAIRE
Alcools
(Gallimard)

[5] *Passent:* Though the days and the weeks pass.

10

ÉDUCATION

L'enseignement public en France est dirigé par le Ministre de l'Education nationale. Il exerce son autorité par l'intermédiaire de dix-neuf académies administrées chacune par un recteur, professeur d'université nommé par le ministre et assité par des inspecteurs. Le gouvernement français attache une grande importance au système scolaire et dépense de fortes sommes pour l'améliorer. Cependant, il n'impose ni les programmes ni les méthodes, qui sont déterminés par un conseil supérieur de professeurs. Ainsi, l'enseignement, quoique centralisé et uniforme, est resté libre d'influences politiques. C'est une des raisons pour lesquelles le professorat français à tous les niveaux—instituteur des écoles primaires, professeur de lycée ou d'université—est respecté et jouit d'un grand prestige.

L'enseignement public est laïque, gratuit et obligatoire. Des écoles privées, catholiques surtout, existent à côté des institutions d'état; elles peuvent même, depuis 1959, recevoir une aide financière du gouvernement, mais elles doivent dans tous les cas se soumettre à des règles imposées par lui. Tous les diplômes sont donnés par l'Etat à la suite d'examens nationaux, ce qui oblige toutes les écoles à une certaine uniformité dans les programmes et dans la qualité de l'instruction.

L'évolution constante de l'enseignement a abouti à la réforme de 1959. Le système qui existait auparavant était assez simple mais peu satisfaisant pour les nouvelles conditions économiques et sociales créées surtout par la guerre. Les buts de la réorganisation qui s'applique aux écoles primaires et secondaires ont été les suivants: 1°[1] instituer l'observation des jeunes élèves pour déterminer leurs aptitudes et les orienter en conséquence; 2° établir des programmes techniques destinés à former des ingénieurs et des techniciens dont le pays a grand besoin; 3° multiplier les options pour assouplir un système trop rigide et offrir aux élèves une occasion de développer leurs talents; 4° démocratiser l'enseignement en resserrant les liens entre les trois degrés, primaire, secondaire et supérieur, et en facilitant leurs études aux enfants de familles modestes.

On peut faire le tableau que voici de l'organisation actuelle. Tout Français doit aller à l'école à l'âge de 6 ans et y rester au moins jusqu'à l'âge de 16 ans. C'est l'école primaire où l'enfant apprend avant tout le français, la lecture, le calcul et les sciences naturelles. A 11 ans, il peut décider de continuer dans ce degré et suivre l'enseignement terminal où des cours complémentaires le prépareront à la vie active.

La majorité cependant, à l'âge de 11 ans, entre au lycée. Les deux premières classes, la 6ième et la 5ième constituent le cycle d'observation à la fin duquel l'élève est guidé selon ses aptitudes vers deux sortes d'enseignement: technique ou général. Chacun de ces enseignements se divise lui-même en court et en long. De sorte que l'on a les possibilités suivantes qui s'offrent à l'enfant: 1° enseignement technique court (dans les collèges d'enseignement technique), 2° enseignement technique long (dans les lycées techniques), 3° enseignement général court (dans les collèges d'enseignement général), 4° enseignement général long (dans les lycées et collèges). On voit qu'il y en a pour tous les goûts et il y a de fortes chances pour qu'un système aussi souple dure assez longtemps dans ses grandes lignes, d'autant plus que les cloisons ne sont pas étanches entre ces diverses divisions et un enfant dont la vocation se déclare sur le tard peut encore se rattraper et suivre la section de son choix.

[1] 1°, 2°, 3°, 4°: primo, secundo, tertio, quarto.

Remarquons, pour ceux qui regrettent le passé, que la formation d'une élite qui a beaucoup contribué à la gloire du pays dans les arts et les lettres continue à côté de la formation d'un large groupe de jeunes gens aux aptitudes scientifiques et à côté d'une nouvelle et large culture de masse. La formation de cette élite se fait dans l'enseignement général long, toujours basé sur l'étude du français (langue et littérature) par les récitations par coeur, les explications de textes où l'on étudie une page ligne par ligne, les notes prises pendant le cours du professeur, les compositions où l'on fait une synthèse de ce que l'on a analysé. Il y a d'autres matières, naturellement: latin, grec, histoire, géographie, sciences, langues (l'anglais surtout), etc., dont l'importance varie suivant les nombreuses sections que les élèves peuvent suivre.

Chacun de ces enseignements du premier ou du second degré se termine par des brevets, certificats et diplômes variés. Le plus important reste le baccalauréat, examen en deux parties, l'une à la fin de la classe de première, à 17 ans, l'autre l'année suivante où un nouveau choix s'offre à l'élève puisqu'il y a plusieurs possibilités (Philo-lettres, Sciences expérimentales, Mathématiques élémentaires, Mathématiques et Technique, Sciences économiques et humaines—pour le moment). L'épreuve reste sévère mais fait moins de victimes qu'avant puisque chacun, au lieu de se voir imposer un programme fixe, souvent chargé et difficile, a pu suivre sa voie.

Proportionnellement au chiffre de la population, moins de jeunes Français, bien que les droits d'inscription soient minimes, continuent leurs études que de jeunes Américains, mais leur nombre augmente sans cesse. On admet d'autre part que les deux dernières années de lycée correspondent à peu près aux deux premières années de l'université américaine. Quand ils entrent à l'université, les étudiants font d'abord une année préparatoire qui porte des noms différents, tels que Propédeutique pour les Lettres, PCB (c'est-à-dire Physique Chimie Biologie) pour la médecine. Ils se présentent ensuite à une licence qui peut se faire en deux ou trois ans, puis à d'autres examens. Ils peuvent, par exemple, faire un diplôme d'études supérieures ou passer l'agrégation, concours très difficile, et obtenir ainsi les meilleurs postes d'enseignement dans les lycées et les universités; ils peuvent ensuite préparer le doctorat d'Etat, titre le plus élevé donné par l'Université française, qui suppose de longs travaux de recherches.

Il y a cinq Facultés: Droit, Lettres, Sciences, Pharmacie et Médecine. Les «Grandes Ecoles» ou des écoles spéciales préparent les étudiants à d'autres carrières: administration, commerce, industrie, armée, services techniques divers. On y entre, en général, par un concours. Parmi les plus connues sont l'Ecole Normale Supérieure qui prépare aux grands postes de l'enseignement, l'Ecole Polytechnique qui forme des ingénieurs, l'Ecole d'Administration, le Conservatoire National de Musique et l'Ecole des Beaux-Arts. Une des institutions les plus célèbres est la Sorbonne, c'est-à-dire la Faculté des Lettres et la Faculté des Sciences de Paris qui se partagent à peu près également un nombre considérable d'étudiants de partout et dont presque une moitié sont des jeunes filles. Une autre est le Collège de France, centre de recherches et d'études tout à fait désintéressées.

A l'université, c'est le régime de la liberté et de la critique. Les étudiants ne sont pas obligés d'assister aux cours, qui consistent surtout en conférences par le professeur. Mais la plupart des étudiants travaillent beaucoup, car ils sont là pour préparer une carrière, et ceux qui se destinent au service de l'Etat se recruteront sur concours, c'est-à-dire que ce sont les meilleurs qui seront choisis. Il y a d'ailleurs des écoles et des instituts rattachés à l'Université (plus de 75 à Paris) où l'enseignement est, en général, moins impersonnel et plus strict qu'à la Faculté.

Dans l'ensemble, l'enseignement français, qui a un très long passé, est fondé sur une forte discipline intellectuelle et sur le respect des humanités. Il continue à l'être mais tout en sauvegardant sa valeur, il admet la nécessité d'une plus grande formation scientifique, l'exemple de systèmes éducatifs étrangers, l'adaptation aux possibilités variées des élèves et la poussée démocratique qui demande que chacun ait une chance à peu près égale aux autres de se cultiver.

QUESTIONS

1. Quels sont les buts des réformes de 1959?
2. Quelle est l'importance donnée aux activités extra-scolaires en France? aux Etats-Unis?
3. Quels sont les avantages et les inconvénients de l'enseignement mixte au lycée?
4. Quelle est la valeur de l'étude des langues vivantes?
5. Comment devient-on professeur en France? en Amérique?
6. Quelles sont les qualités d'un bon professeur? d'un bon élève?
7. Quel est le rôle du cinéma, de la télévision dans l'éducation?
8. Préférez-vous une grande université ou un petit «college»?
9. Racontez la journée moyenne d'un étudiant américain.

L'Homme se Forme par la Peine[1]

ALAIN [EMILE CHARTIER] *(1868–1949), a philosopher and essayist, was a famous professor of philosophy in a Paris lycée and at the Ecole Normale Supérieure.*

Je n'ai pas beaucoup de confiance dans ces jardins d'enfants et autres inventions au moyen desquelles[2] on veut instruire en amusant.[3] La méthode n'est déjà pas excellente pour les hommes. Je pourrais citer des hommes qui passent pour[4] instruits, et qui s'ennuient à *La Chartreuse de Parme* ou au *Lys dans la Vallée.*[5] Ils ne lisent que des œuvres de seconde valeur, où tout est disposé pour

[1] *la peine:* hard work; *se forme,* the French reflexive form is often rendered in English by the passive: Man is molded by dint of hard work.
[2] *au moyen desquelles:* by means of which.
[3] *on veut . . . amusant:* we try to teach by entertaining.
[4] *qui passent pour:* who are considered as.
[5] *La Chartreuse de Parme:* A famous novel by Stendhal, published in 1839; *Le Lys dans la Vallée* (1835), one of Balzac's most famous novels. The two books are classics.

plaire au premier regard; mais en se livrant à des plaisirs faciles, ils perdent un plus haut plaisir qu'ils auraient conquis par un peu de courage et d'attention.

Il n'y a point d'expérience qui élève mieux un homme que la découverte d'un plaisir supérieur, qu'il aurait toujours ignoré[6] s'il n'avait point pris d'abord un peu de peine. Montaigne[7] est difficile; c'est qu'il faut d'abord le connaître, s'y orienter, s'y retrouver; ensuite seulement on le découvre. De même la géométrie par cartons,[8] cela peut plaire; mais les problèmes les plus rigoureux donnent aussi un plaisir bien plus vif. C'est ainsi que le plaisir de lire une œuvre au piano n'est nullement sensible[9] dans les premières leçons; il faut savoir s'ennuyer d'abord. C'est pourquoi vous ne pouvez faire goûter à l'enfant les sciences et les arts comme on goûte les fruits confits.[10] L'homme se forme par la peine; ses vrais plaisirs, il doit les gagner, il doit les mériter. Il doit donner avant de recevoir. C'est la loi. . . .

Surtout aux enfants qui ont tant de fraîcheur, tant de force, tant de curiosité avide, je ne veux pas qu'on donne ainsi la noix épluchée.[11] Tout l'art d'instruire est d'obtenir au contraire que l'enfant prenne de la peine et se hausse à l'état d'homme. Ce n'est pas l'ambition qui manque ici: l'ambition est le ressort[12] de l'esprit enfant. L'enfance est un état paradoxal où l'on sent que l'on ne peut rester; la croissance accélère impérieusement ce mouvement de se dépasser,[13] qui dans la suite ne se ralentira que trop. L'homme

[6] *qu'il . . . ignoré:* which would always have remained unknown to him; *ignorer* does not mean "to ignore" but merely "to be unaware of, not to know."

[7] *Montaigne:* (1533–1592), author of essays that influenced Western European thought and created a new literary "genre."

[8] *la géométrie par cartons:* geometry taught through the use of card-board blocks.

[9] *n'est nullement sensible:* is not at all perceptible. *Sensible* means sensitive or perceptible or obvious, but never "sensible" in the English sense.

[10] *les fruits confits:* candied fruit.

[11] *la noix épluchée:* the shelled nut.

[12] *le ressort:* the spring, i.e., the motivating force.

[13] *la croissance . . . se dépasser:* growth violently accelerates this impulse to go beyond one's present state.

fait[14] doit se dire qu'il est en un sens moins raisonnable et moins sérieux que l'enfant. Sans doute il y a une frivolité de l'enfant, un besoin de mouvement et de bruit; c'est la part des jeux; mais il faut aussi que l'enfant se sente grandir, lorsqu'il passe du jeu au travail. Ce beau passage, loin de le rendre insensible, je le voudrais marqué et solennel.[15] L'enfant vous sera reconnaissant de l'avoir forcé; il vous méprisera de l'avoir flatté. . . .

Dès que nous approchons des pensées réelles, nous sommes tous soumis à cette condition de recevoir d'abord sans comprendre, et par une sorte de piété. Lire, c'est le vrai culte, et le mot culture nous en avertit. L'opinion, l'exemple, la rumeur de la gloire nous disposent comme il faut.[16] Mais la beauté encore mieux. . . . C'est pourquoi je suis bien loin de croire que l'enfant doive comprendre tout ce qu'il lit et récite. . . . Il sera pris par l'harmonie d'abord. Ecouter en soi-même les belles choses, comme une musique, c'est la première méditation. Semez de vraies graines, et non du sable. . . .

Comment apprend-on une langue? Par les grands auteurs, non autrement. Par les phrases les plus serrées, les plus riches, les plus profondes et non par les niaiseries d'un manuel de conversation. Apprendre d'abord, et ouvrir ensuite tous ces trésors, tous ces bijoux à triple secret.[17] Je ne vois pas que l'enfant puisse s'élever sans admiration et sans vénération;[18] c'est par là qu'il est enfant; et la vérité consiste à dépasser ces sentiments-là, quand la raison développe sans fin toute la richesse humaine, d'abord pressentie.[19]

Alain
Propos sur l'Education
(Presses Universitaires de France)

[14] *L'homme fait:* the mature man.
[15] *Ce beau passage . . . solennel:* inversion for emphasis. Structure: loin (de vouloir) rendre ce beau passage insensible, je voudrais (qu'il soit) marqué . . . ; *insensible:* imperceptible.
[16] *nous disposent comme il faut:* put us in the right frame of mind.
[17] *à triple secret:* with their threefold secrets.
[18] *Je ne vois . . . vénération:* I do not believe that a child can develop without feeling admiration and veneration.
[19] *d'abord pressentie:* of which at first one is instinctively aware.

QUESTIONS SUR *L'Homme se Forme par la Peine*

1. Est-il impossible d'instruire en amusant?
2. Que pensez-vous de cette affirmation qu'il faut savoir s'ennuyer d'abord?
3. Comment peut-on intéresser à l'étude un enfant sans ambition?
4. Pourquoi l'enfant profite-t-il du contact avec de grandes oeuvres qu'il est trop jeune pour comprendre?
5. Commentez l'opinion d'Alain sur la meilleure façon d'apprendre les langues.

Les Humanités

DURING HIS LIFETIME *Anatole France (1844–1924) was considered one of the greatest French writers. He wrote novels and essays and two or three books of memoirs that were very widely read.*

Si j'avais été pensionnaire dans un lycée, le souvenir de mes études serait cruel et je le chasserais. Mais mes parents ne me mirent point à ce bagne. J'étais externe dans un vieux collège[1] un peu monacal[2] et caché; je voyais chaque jour la rue et la maison et n'étais point retranché, comme les pensionnaires, de la vie publique et de la vie privée. Tout ce que je voyais en chemin dans la rue, les hommes, les bêtes, les choses, contribuait, plus qu'on ne saurait croire, à me faire sentir la vie dans ce qu'elle a de simple et fort.

Rien ne vaut la rue pour faire comprendre à un enfant la machine sociale. Il faut qu'il ait vu, au matin, les laitières, les charbonniers . . . ; il faut qu'il ait examiné les boutiques de l'épicier, du charcutier et du marchand de vin; il faut qu'il ait vu passer les

[1] *collège:* a type of high school usually maintained by a municipality or by religious orders.
[2] *monacal:* looking like a monastery.

régiments, musique en tête; il faut enfin qu'il ait humé l'air de la rue, pour sentir que la loi du travail est divine et qu'il faut que chacun fasse sa tâche en ce monde. J'ai conservé de ces courses du matin et du soir, de la maison au collège et du collège à la maison, une curiosité affectueuse pour les métiers et les gens de métier.

Je dois avouer pourtant que je n'avais pas pour tous une amitié égale. Les papetiers qui étalent à la devanture de leur boutique des images d'Epinal[3] furent d'abord mes préférés. Que de fois, le nez collé contre la vitre, j'ai lu d'un bout à l'autre la légende de ces petits drames figurés!

Plus tard, à quatorze ou quinze ans, mon esprit, devenu plus délicat, ne s'intéressait plus qu'aux échoppes d'estampes,[4] aux étalages de bric-à-brac[5] et aux boîtes de bouquins.[6] . . .

L'école en plein vent[7] m'enseigna, comme vous voyez, de hautes sciences. L'école domestique me fut plus profitable encore. Les repas en famille, si doux quand les carafes sont claires, la nappe blanche et les visages tranquilles, le dîner de chaque jour avec sa causerie familière, donnent à l'enfant le goût et l'intelligence des choses de la maison, des choses humbles et saintes de la vie. S'il a le bonheur d'avoir, comme moi, des parents intelligents et bons, les propos de table qu'il entend lui donnent un sens juste et le goût d'aimer. Il mange chaque jour de ce pain béni que le père spirituel rompit et donna aux pèlerins dans l'auberge d'Emmaüs.[8] Et il se dit comme eux: «Mon coeur est tout chaud au dedans de moi».

[3] *des images d'Epinal:* Epinal is a small town in Lorraine where children's stories were printed and illustrated by simple colored drawings somewhat in the manner of comics, although the stories were more traditional in content.

[4] *échoppes d'estampes:* Along the banks of the Seine and in the small streets of the left bank where Anatole France lived, there are small booths where all kinds of secondhand books and engravings are sold.

[5] *étalages de bric-à-brac:* displays of antiques and odds and ends of all kinds.

[6] *bouquins:* familiar for "livres."

[7] *L'école . . . vent:* School in the open air (outdoors). Cf. below: *L'école domestique:* School at home. Anatole France thinks that children learn outdoors and at home as well as in school.

[8] *l'auberge d'Emmaüs:* After the crucifixion, Christ, the Scriptures tell us, appeared to two of his disciples at an inn in the small village of Emmaüs. He sat down with them, blessed and broke the bread, a ritual gesture when starting a meal.

Pourtant on entrerait bien mal dans ma pensée si l'on croyait que je méprise les études classiques. Je crois que, pour former un esprit, rien ne vaut l'étude des deux antiquités d'après les méthodes des vieux humanistes français. Ce mot d'humanités, qui veut dire élégance, s'applique bien à la culture classique.

Le petit bonhomme dont je vous parlais[9] . . . était, je vous prie de le croire, un assez bon humaniste. Il goûtait en son âme enfantine, la force romaine et les grandes images de la poésie antique. . . . Il travaillait peu pour la gloire et ne brillait guère sur les palmarès;[10] mais il travaillait beaucoup pour que cela l'amusât, comme disait La Fontaine.[11] Ses versions étaient fort bien tournées.[12]. . .

Mais c'est en abordant la Grèce qu'il vit la beauté dans sa simplicité magnifique. . . . On nous donna Homère.[13] . . . Je compris, je sentis. Il me fut impossible, pendant six mois, de sortir de l'*Odyssée.* Ce fut pour moi la cause de punitions nombreuses. Mais que me faisaient les pensums? J'étais avec Ulysse «sur la mer violette»! Je découvris ensuite les tragiques.[14] Je ne compris pas grand'chose à Eschyle; mais Sophocle, mais Euripide m'ouvrirent le monde enchanté des héros et des héroïnes et m'initièrent à la poésie du malheur. A chaque tragédie que je lisais, c'était des joies et des larmes nouvelles et des frissons nouveaux. . . .

Au reste, je dois vous confesser que, nourri d'Homère et de Sophocle, je manquais de goût quand j'entrai en rhétorique.[15] C'est

[9] *Le . . . parlais:* allusion to a previous passage in which he describes himself as a schoolboy.

[10] *les palmarès:* the lists of prizewinners.

[11] *La Fontaine:* seventeenth-century writer of poetic, witty and wise fables; one of them starts «Travaillez, prenez de la peine. . . .»

[12] *tournées:* The boy's translations were "elegantly phrased." A *version* is a translation from a foreign language into one's mother tongue; a *thème,* a more difficult exercise, is a translation from one's own language into a foreign language. Both exercises are basic disciplines in France in the teaching of both classical and modern languages.

[13] *Homère:* Homer, Greek poet to whom the two vast epic poems, the *Iliad* and the *Odyssey,* are attributed.

[14] *les tragiques:* les poètes tragiques, i.e., Aeschylus, Sophocles and Euripides, the three Greek tragic authors of the fifth century B.C.

[15] *rhétorique:* "rhétorique" is the name which used to be given to the last grade in high school, where much emphasis was placed on the humanities and the attainment of a good French style. France is being ironical here.

mon professeur qui me le déclara, et je le crois volontiers. Le goût qu'on a ou qu'on montre à dix-sept ans est rarement bon. . . . Ce professeur de rhétorique ne me paraissait et ne me paraît point encore un fin lettré; mais il avait, avec un esprit chagrin,[16] un caractère droit et une âme fière. S'il nous enseigna quelques hérésies littéraires, il nous montra du moins, par son exemple, ce que c'est qu'un honnête homme.

ANATOLE FRANCE
Le Livre de Mon Ami
(autorisé par Calmann-Lévy, Editeurs)

QUESTIONS SUR *Les Humanités*

1. Pourquoi le pensionnat est-il considéré comme un bagne par l'auteur?
2. Comment se manifeste la croissance de l'enfant décrit par Anatole France d'après les choses auxquelles il s'intéresse?
3. Quelle est l'importance du pain rompu auquel l'auteur fait allusion?
4. En quoi consistent les humanités et quelle est leur valeur?
5. Qu'est-ce que le professeur du jeune élève, quoique peu lettré, lui a tout de même appris?

Étudiante à Paris

SIMONE DE BEAUVOIR *(b. 1908) was born in Paris but her family belonged to a very conservative impoverished provincial petty aristocracy. She was brought up rather strictly but broke away from the limitations of her background and went to the University of Paris where she took her degree in philosophy. In* Les Mémoires d'une jeune fille rangée *(1958), the first volume of her*

[16] *un esprit chagrin:* a quarrelsome mind.

autobiography, Simone de Beauvoir describes her life as a student and the beginning of her lifelong friendship with Jean-Paul Sartre. From 1931 to 1943, she taught philosophy in the "lycées" of Marseille, Rouen and Paris. She had always wanted to be a writer and stopped teaching with the publication (1943) of her first novel L'Invitée (She Came to Stay). *Since then, she has become known for her novels and essays and is one of the exponents of Sartrean existentialism. She is one of the directors of the leading existentialist magazine* Les Temps Modernes. *She travels widely and since the death of Colette is the best-known of France's many women writers. She has always felt that a woman must win her freedom in a society which treats women as though they were inferior to men. Her well-known book,* Le Deuxième Sexe *(1949), is an exploration of the position of women in our world and of the problems it raises. Some of these are implicit in the description Simone de Beauvoir gives us of her career as a student at the Sorbonne.*

En octobre, la Sorbonne fermée,[1] je passai mes journées à la Bibliothèque nationale.[2] J'avais obtenu de ne pas rentrer déjeuner à la maison: j'achetais du pain, des rillettes, et je les mangeais dans les jardins du Palais-Royal,[3] en regardant mourir les dernières roses; assis sur des bancs, des terrassiers mordaient dans de gros sandwiches et buvaient du vin rouge. Je me réjouissais d'échapper au cérémonial des repas de famille; en réduisant la nourriture à sa vérité,[4] il me semblait faire un pas vers la liberté. Je regagnais la Bibliothèque; j'étudiais la théorie de la relativité, et je me passionnais. De temps en temps, je regardais les autres lecteurs, et je me

[1] *la Sorbonne fermée:* since the Sorbonne was closed. In France, the academic year starts in November for the universities. The Sorbonne is the building that houses the College of Liberal Arts of the University of Paris.

[2] *la Bibliothèque nationale:* also designated as: *la Bibliothèque* and *la Nationale;* the French equivalent of the Library of Congress.

[3] *Le Palais-Royal:* Built in the early seventeenth century by Richelieu, the Palais-Royal is located near the Bibliothèque nationale. It is built around a spacious inner courtyard sheltered from the wind, where there are galleries, benches and flower-beds.

[4] *en réduisant . . . vérité:* by reducing food to its essentials. An existentialist point of view, since one of the ethical rules of existentialism is that the individual must go beyond the rituals which mask the real quality of life.

carrais[5] avec satisfaction dans mon fauteuil: parmi ces érudits, ces savants, ces chercheurs, ces penseurs, j'étais à ma place. Je ne me sentais plus du tout rejetée par mon milieu: c'était moi qui l'avais quitté pour entrer dans cette société dont je voyais ici une réduction,[6] où communiaient à travers l'espace et les siècles tous les esprits[7] qu'intéresse la vérité. Moi aussi, je participais à l'effort que fait l'humanité pour savoir, comprendre, s'exprimer: j'étais engagée dans une grande entreprise collective et j'échappais à jamais à la solitude. Quelle victoire! Je revenais à mon travail. . . .

L'Université rouvrit ses portes. J'avais sauté une année[8] et, sauf Clairaut, je ne connaissais aucun de mes nouveaux camarades; pas un amateur, pas un dilettante parmi eux: tous étaient, comme moi, des bêtes à concours.[9] Je leur trouvai des visages rébarbatifs et des airs importants. Je décidai de les ignorer. Je continuai de travailler à bride abattue.[10] Je suivais à la Sorbonne et à l'Ecole normale tous les cours d'agrégation,[11] et, selon les horaires, j'allais étudier à Sainte-Geneviève[12] ou à la Nationale. Le soir, je lisais des romans ou je sortais. J'avais vieilli, j'allais bientôt les[13] quitter: cette année mes parents m'autorisaient à aller de temps en temps au spectacle le soir, seule ou avec une amie. . . .

[5] *je me carrais avec satisfaction:* I settled down in my seat with a feeling of my own importance.

[6] *dont . . . réduction:* of which I saw here a replica on a small scale.

[7] *où . . . les esprits:* Inversion: où tous les esprits communiaient.

[8] *J'avais sauté une année:* I had skipped one year. That is the reason that only one of her former class-mates, Clairaut, is with her.

[9] *pas un . . . bêtes à concours:* Elliptical structure: Il n'y avait pas. "Bêtes à concours": slang expression; French examinations being competitive, the student becomes an animal specifically trained only to get through them.

[10] *à bride abattue:* at top speed. The metaphor of the trained horse is continued here.

[11] *cours d'agrégation:* classes reserved for students preparing the last of the competitive examinations, "l'agrégation."

[12] *Sainte-Geneviève:* Another famous library in Paris, near the Sorbonne. The libraries are open at different hours so that "selon les horaires" (according to the hours when the libraries are open), students move from one to another.

[13] *les:* i.e., mes parents.

Je ne regrettais certes pas d'être une femme; j'en tirais au contraire de grandes satisfactions. Mon éducation m'avait convaincue de l'infériorité intellectuelle de mon sexe, qu'admettaient beaucoup de mes congénères. «Une femme ne peut pas espérer passer l'agrégation à moins de cinq ou six échecs», me disait mademoiselle Roulin[14] qui en comptait déjà deux. Ce handicap donnait à mes réussites un éclat plus rare qu'à celles des étudiants mâles: il me suffisait de les égaler pour me sentir exceptionnelle; l'avenir m'était ouvert aussi largement qu'à eux: ils ne détenaient aucun avantage. Ils n'y prétendaient pas, d'ailleurs; ils me traitaient sans condescendance, et même avec une particulière gentillesse car ils ne voyaient pas en moi une rivale. . . .

Les vacances de Pâques s'achevèrent; dans les jardins de l'Ecole normale, fleuris de lilas, je me retrouvai avec plaisir au milieu de mes camarades. Je les connaissais presque tous. Seul me demeurait hermétique le clan formé par Sartre, Nizan et Herbaud;[15] ils ne frayaient avec personne; ils n'assistaient qu'à quelques cours choisis et s'asseyaient à l'écart des autres. Ils avaient mauvaise réputation. On disait qu'ils «manquaient de sympathie à l'égard des choses». Ils appartenaient à une bande, composée en majorité, d'anciens élèves d'Alain,[16] et connue pour sa brutalité: ses affiliés jetaient des bombes à eau sur les normaliens distingués qui rentraient la nuit, en smoking. . . .

Les petits camarades» m'attendaient le lundi matin à la Cité universitaire;[17] ils comptaient sur moi pour travailler Leibniz.[18]

[14] *mademoiselle Roulin:* a former teacher of Simone de Beauvoir.

[15] *Sartre . . . Herbaud:* Of these students, Sartre became the most famous as philosopher and writer. Paul Nizan (1905–40), a novelist of some promise, was killed at the beginning of the war. A communist, he left the party in 1939 at the time of the signature of the pact between Germany and Russia. Herbaud remained unknown.

[16] *Alain:* See page 126.

[17] *la Cité universitaire:* Also designated as "la Cité." The University of Paris is located in the middle of Paris. To house students, the "Cité universitaire" was built on the southern outskirts of Paris, near the "Porte d'Orléans" and the park of "Montsouris," mentioned later, and which serves as a kind of campus for students who reside there.

[18] *Leibniz:* A German philosopher (1646–1715) whose works opened the way to Kant.

J'étais un peu effarouchée quand j'entrai dans la chambre de Sartre; il y avait un grand désordre de livres et de papiers, des mégots dans tous les coins, une énorme fumée. Sartre m'accueillit mondainement; il fumait la pipe. Toute la journée, pétrifiée de timidité, je commentai «le discours métaphysique» et Herbaud me reconduisit le soir à la maison.

Je revins chaque jour, et bientôt je me dégelai. Leibniz nous ennuyait et il fut décidé que nous le connaissions assez. Sartre se chargea de nous expliquer *le Contrat social,*[19] sur lequel il avait des lumières spéciales. A vrai dire, sur tous les auteurs, sur tous les chapitres du programme[20] c'était lui qui, de loin, en savait le plus long:[21] nous nous bornions à l'écouter. J'essayais parfois de discuter; je m'ingéniais, je m'obstinais. Sartre avait toujours le dessus.[22] Impossible de lui en vouloir: il se mettait en quatre[23] pour nous faire profiter de sa science. «C'est un merveilleux entraîneur intellectuel», notai-je. Je fus éberluée par sa générosité, car ces séances ne lui apprenaient rien, et pendant des heures il se dépensait sans compter.

Nous travaillions surtout le matin. L'après-midi, après avoir déjeuné au restaurant de la Cité, ou «chez Chabin», à côté du parc Montsouris, nous prenions de longues récréations. Souvent la femme de Nizan, une belle brune exubérante, se joignait à nous. Il y avait la foire, porte d'Orléans. On jouait au billard japonais, au football miniature, on tirait à la carabine. Nous nous entassions dans la petite auto de Nizan, nous faisions le tour de Paris en nous arrêtant çà et là pour boire un demi à une terrasse. Je visitai les dortoirs et

[19] *le Contrat social:* One of the principal works of the French writer Jean-Jacques Rousseau (1712–78).

[20] *programme:* For each examination, a syllabus enumerating the works the student will be required to have studied is published by the University. The student is not required to attend the lectures themselves.

[21] *c'était lui . . . long:* it was he (Sartre) who knew the most about it.

[22] *avait toujours le dessus:* always won out.

[23] *Impossible . . . quatre:* Elliptical sentence: Il était impossible: It was impossible to resent him; he gave himself no end of trouble to.

les turnes[24] de l'Ecole normale,[25] je grimpai rituellement sur les toits. Pendant ces promenades, Sartre et Herbaud chantaient à pleine gorge des airs qu'ils improvisaient. Sartre avait une belle voix et un vaste répertoire: *Old man river* et tous les airs de jazz en vogue; ses dons comiques étaient célèbres dans toute l'Ecole: c'était toujours lui qui jouait, dans la Revue annuelle, le rôle de M. Lanson.[26]

SIMONE DE BEAUVOIR
Mémoires d'une jeune fille rangée
(Gallimard)

QUESTIONS SUR *Etudiante à Paris*

1. Pourquoi l'étudiante aimait-elle passer ses journées à la Bibliothèque nationale?
2. Quels sont les avantages et inconvénients du système des concours?
3. Quels sont les rapports entre étudiants et étudiantes en France? aux Etats-Unis?
4. Quels sont les avantages et les inconvénients de la liberté dans le choix des cours et dans la présence aux cours?
5. Quel profit y a-t-il, à un certain niveau, à travailler en groupe?
6. Quelles étaient les distractions de l'étudiante? Quelles sont les vôtres?
7. Pourquoi la Revue de fin d'année est-elle une bonne tradition?

[24] *les turnes:* study-rooms at the Ecole Normale.
[25] *l'Ecole: l'Ecole Normale Supérieure,* where Sartre was a student.
[26] *la Revue . . . Lanson:* Each year, the students of "l'Ecole Normale" write a satirical review in which they lampoon their professors. Lanson was a great scholar, famous for his *History of French Literature.*

Petits problèmes et travaux pratiques

JEAN TARDIEU *(b. 1903) who is one of the producers in the French radio and television network, has written poetry, one-act plays, and essays. A former surrealist, he combines a unique sense of humor with a form of imagination born of his grasp of the absurd creative possibilities of language.* Petits problèmes et travaux pratiques *parodies the exercises given high school students as homework: elementary problems and their practical applications. By using the usual abstract formulae, then unexpectedly applying them to our everyday world, or vice versa, Tardieu achieves a form of "nonsense" which reminds one of* Alice in Wonderland.

L'ESPACE: 1. Etant donné[1] un mur, que se passe-t-il derrière? 2. Quel est le plus *long* chemin d'un point à un autre? 3. Etant donné deux points, A et B, *situés à égale distance l'un de l'autre,* comment faire pour[2] déplacer B, sans que A s'en aperçoive? 4. Quand vous parlez de l'Infini, jusqu'à combien de kilomètres pouvez-vous aller sans vous fatiguer?

L'ESPACE ET LE TEMPS: 1. Un aviateur âgé de vingt ans fait le tour de la terre si rapidement qu'il «gagne» trois heures par jour. Au bout de combien de temps sera-t-il revenu[3] à l'âge de huit ans?

LA GÉOMÉTRIE: 1. Imaginez un procédé pour ne pas déchirer vos vêtements à la pointe des troncs de cône.[4]

PROBLÈME D'ALGÈBRE À DEUX INCONNUES: 1. Etant donné qu'il va se

[1] *Etant donné:* given.
[2] *comment faire pour:* what should be done in order to.
[3] *Au bout . . . revenu:* How long will it take for him to go back to.
[4] *à la pointe . . . cône:* on the angles of a truncated cone.

passer je ne sais quoi je ne sais quand,[5] quelles dispositions prenez-vous?

L'ASTRONOMIE: 1. Construisez un monde cohérent à partir de Rien, sachant que: Moi = Toi[6] et que Tout est Possible.

Faites un dessin.

LA LOGIQUE: 1. Lorsque vous «supposez le problème résolu»,[7] pourquoi continuez-vous *quand même* la démonstration? Ne feriez-vous pas mieux d'aller vous coucher? 2. Trouvez quel est le vice de construction du syllogisme suivant:

Mortel était Socrate
Or, je suis Parisien
Donc tous les oiseaux chantent.

LE LANGAGE: 1. Prenez un mot usuel. Posez-le sur une table bien en évidence et décrivez-le: de face, de profil, de trois-quarts.

L'ARCHÉOLOGIE: 1. Reportez-vous par la pensée[8] dans les temps antiques: la municipalité d'Athènes pose la première pierre des ruines du Parthénon. Décrivez la cérémonie.

LA VIE DE TOUS LES JOURS: 1. Si, dans la rue, un réverbère s'approche de vous et vous demande du feu,[9] comment vous y prenez-vous[10] pour ne pas paraître décontenancé? 2. Vous êtes chez le coiffeur. Un vieillard à la longue barbe blanche, vêtu d'un tablier blanc, vous prie poliment de vous asseoir.

Or, ce n'est autre[11] que l'empereur Charlemagne.

Lui donnez-vous tout de même un pourboire?

3. Sachant que vous êtes immortel, comment organiserez-vous vos journées?

[5] *Etant . . . quand:* Given that there is going to happen I don't know what, I don't know when.

[6] *Moi = Toi:* Moi égale Toi.

[7] *«supposez . . . résolu»:* "consider the problem resolved." This is one recognized method of proof applied in certain difficult cases.

[8] *Reportez-vous par la pensée:* Go back in thought to.

[9] *vous demande du feu:* asks you for a light.

[10] *comment vous y prenez-vous:* how do you go about.

[11] *Or, ce n'est autre:* Now, it is none other than.

LA PERSONNALITÉ: 1. Observez attentivement votre main gauche et dites à qui elle appartient. 2. Supposez que vous n'êtes pas et trouvez-vous un remplaçant.

PSYCHOLOGIE: 1. Comment faites-vous pour surprendre[12] les personnages indésirables qui se glissent entre vos pensées?

Enumérez divers procédés.

MÉTAPHYSIQUE: 1. Est-ce que l'univers vous apparaît comme un "poids"? Que vous portez? Que vous traînez?

Ou, au contraire, avez-vous l'impression de «flotter» sur le monde?

Motivez vos réponses.

2. On dit communément que «le temps, c'est de l'argent». Faites le calcul, au cours du[13] dollar.

3. Le Néant est-il plus sensible[14] le dimanche que les autres jours?

Souhaitez-vous y passer vos vacances?

JEAN TARDIEU
Un mot pour un autre
(Gallimard)

[12] *Comment . . . surprendre:* How do you go about intercepting.
[13] *au cours du:* at the present dollar value.
[14] *Le Néant . . . sensible:* Is Nothingness more perceptible.

11

SCIENCE

Il y a de grands savants français, mais on ne peut guère parler de science purement française; surtout de nos jours, en effet, les découvertes scientifiques d'un pays sont immédiatement utilisées par les autres; elles se font par accumulation. A part quelques coups de génie, chaque savant apporte sa pierre à un édifice toujours renouvelé. Des progrès qui défient l'imagination se sont ainsi faits en quelques décades. Les hommes se sont rendus de plus en plus maîtres de la nature et l'on ne voit pas de limites aux merveilleuses possibilités de la science, pour le plus grand bonheur ou malheur de l'humanité.

C'est peut-être en physique et en biologie que les changements les plus spectaculaires ont eu lieu. Le nom des Curie est illustre en physique par son association aux recherches sur la radioactivité, naturelle pour Pierre et Marie, artificielle pour leur fille Irène et leur gendre Joliot-Curie.

Au début du siècle également, Jean Perrin apporta une contribution éclatante à la physique atomique et moléculaire; il démontra l'existence de l'électron en tant que particule douée d'une masse et porteuse d'une charge électrique. A la suite de ces grands maîtres, les chercheurs français prirent une part très active aux recherches dans le domaine de la physique nucléaire; elles devaient culminer par la désintégration en chaîne de l'uranium 235 par l'équipe Joliot-Kovarski-Halban, peu de temps avant la seconde guerre mondiale.

En physique encore, Louis de Broglie fut un des fondateurs de la mécanique moderne; étudiant la lumière, il assimila ondes et corpuscules dans une brillante généralisation de la mécanique classique, trouvant ainsi l'explication profonde des propriétés de la matière à l'échelle atomique.

Des mathématiciens nombreux, parmi lesquels Schwartz, Lévy, et «l'école Bourbaki», continuent l'illustre tradition des Poincaré, Borel et Painlevé; l'astronomie et la radioastronomie ont connu le développement qui convient, à la veille de l'exploration des espaces interplanétaires. En chimie, les expériences de Georges Claude sur les gaz rares ont mené à la découverte de l'éclairage fluorescent; de grands praticiens et humanistes comme Leriche, illustrent la médecine et la chirurgie tandis que de savants bactériologistes continuent l'oeuvre de Pasteur, tels Roux et Calmette qui ont découvert des vaccins contre la diphtérie et la tuberculose.

Si la physique et la chimie nous révèlent les mystères de la nature et nous donnent les moyens d'agir sur elle, ces deux sciences ne nous renseignent guère sur nous-mêmes; or, la même période a vu un grand développement de la biologie et de la physiologie, dont l'objet est l'homme, «cet inconnu» pour reprendre l'expression du docteur Carrel. Celui-ci fit avec Charles Lindbergh des expériences célèbres et d'ailleurs contestées sur les tissus cellulaires. Considérant l'homme dans sa complexité, il a aussi cherché à tirer une éthique de ses expériences scientifiques; il a voulu définir le genre d'existence que les hommes doivent mener pour se développer heureusement et les mettre en garde contre la voie dangereuse, artificielle, où ils se sont engagés. Ce sont encore des études sur l'être vivant, sa constitution, ses transformations naturelles et provoquées, sa génétique, qui sont poursuivies dans de nombreux laboratoires dont celui de Jean Rostand, au Collège de France.

Nous subissons tous dans notre vie quotidienne les conséquences des progrès scientifiques. Le public comprend d'ailleurs mieux aujourd'hui l'intérêt pratique de recherches coûteuses, patientes, délicates. C'est ainsi, par exemple, que les découvertes de Louis de Broglie ont mené à l'invention du microscope électronique, infini-

French Embassy—Press and Information Division

ALBERT CAMUS

French Embassy—Press and Information Division

ANDRÉ MALRAUX

French Embassy—Press and Information Division

George Braque

Photograph by Marc Vaux, Courtesy of Pierre Cailler

BUFFET—*Ravaudeuse de filet*

ment plus puissant que le microscope optique, qui a rendu possibles les progrès d'autres sciences, de la médecine en particulier. Les recherches désintéressées des mathématiciens ont de même trouvé leurs applications pratiques dans certaines techniques industrielles, chemins de fer, automobiles, avions, routes, ports, hydroélectricité, etc, et ont multiplié les applications de l'énergie atomique.

La condition de l'homme de science peut être difficile dans une société trop passionnée de rendement immédiat. Le gouvernement est donc intervenu pour permettre au savant de se consacrer à l'étude. Il a créé, par exemple, le Centre National de la Recherche Scientifique, à Paris. Cet organisme développe et oriente les recherches de tous ordres et dote dans la mesure du possible les meilleures Facultés ou Grandes Ecoles de l'équipement de laboratoire moderne, trop coûteux pour le budget universitaire. D'autres organisations existent, dont la plus ancienne et la plus connue est l'Institut Pasteur de Paris, avec ses nombreuses annexes. Il faut dire aussi que l'industrie privée est en mesure, aujourd'hui, de faire une grande place à la recherche, comme en Amérique. Et c'est avec l'aide des Etats-Unis que l'on a fondé récemment la Maison de l'Homme qui doit établir des liaisons entre les diverses disciplines scientifiques et humaines et coordonner les recherches.

Les progrès de la science et leurs conséquences intéressent vivement écrivains et philosophes aussi bien que savants. Beaucoup d'illusions ont été perdues depuis la fin du XIXième siècle, où l'on croyait que la science résoudrait bientôt tous les problèmes. Paul Valéry, plus récemment, lançait l'avertissement que «tout ce que nous savons, tout ce que nous pouvons a fini par s'opposer à tout ce que nous sommes.» C'est le sentiment provoqué par ces désillusions, l'inquiétude née de ces problèmes qui poussaient Louis de Broglie à donner ce conseil à des élèves de l'Ecole Polytechnique: «Ayez le culte de tout ce qui est élevé dans l'ordre intellectuel, esthétique ou moral, culte sans lequel une civilisation, si perfectionnée qu'elle puisse être dans ses détails matériels, ne serait bientôt plus qu'une forme compliquée de la barbarie.»

QUESTIONS

1. Mentionnez quelques-unes des inventions qui ont changé le plus radicalement l'existence de l'homme.
2. Pouvez-vous imaginer le monde comme la science l'aura transformé dans une cinquantaine d'années?
3. Mentionnez quelques grands savants américains et indiquez quelles ont été leurs contributions.
4. La science a-t-elle généralement rendu l'homme plus heureux?
5. Quelles sont les sciences qui vous intéressent le plus?
6. Pouvez-vous mentionner des problèmes que la science cherche toujours à résoudre?

La Culture Scientifique suffit-elle à faire un Homme?

LOUIS DE BROGLIE *(b. 1892), Nobel prizewinner in physics, member of the French Academy and Secretary of the Academy of Sciences, is one of the great scientists of our day.*

La science et ses applications tiennent dans la vie des sociétés une place de plus en plus grande. Ce mouvement ira en s'accentuant; du point de vue intellectuel, les idées nouvelles apportées par la science, les horizons imprévus qu'elle ouvre ne peuvent manquer d'imprégner[1] un nombre croissant de jeunes esprits et d'y laisser une trace profonde; du point de vue de la vie quotidienne, les innombrables découvertes qui ont transformé et transformeront chaque jour davantage les conditions de notre existence ne peuvent que provoquer[2] un intérêt croissant des jeunes générations à l'égard du[3] mouvement d'idées qui a permis ces découvertes....

[1] *ne peuvent manquer de:* cannot fail to.
[2] *ne peuvent que provoquer:* cannot fail to provoke.
[3] *un intérêt croissant . . . à l'égard de:* a growing interest in.

Puisqu'il en est ainsi[4] . . . certains esprits absolus préconiseront peut-être que l'on fonde toute la formation des esprits sur l'enseignement des sciences, qu'on accorde à cet enseignement la place privilégiée réservée naguère encore aux humanités classiques. J'ai naturellement la plus profonde admiration pour la science sous tous ses aspects. . . . Néanmoins je voudrais expliquer rapidement ici pourquoi je ne pense pas qu'un enseignement exclusivement scientifique puisse donner à une nation l'ensemble des élites éclairées et diverses dont elle a, aujourd'hui plus que jamais, besoin.

Les sciences ont certainement une grande valeur éducative. Non seulement leur étude prépare les jeunes gens aux diverses carrières, et aux diverses techniques où elles jouent un rôle essentiel, mais les idées générales, les formes nouvelles de la pensée que cette étude leur apporte, les méthodes précises et souvent difficiles qu'elle apprend à manier ont une valeur indéniable pour la formation des intelligences. . . .

Aidé par la précision de la méthode expérimentale, pourvu de connaissances beaucoup plus étendues et de méthodes beaucoup plus raffinées, l'esprit de l'homme moderne pourrait aller de l'avant et un humanisme nouveau, plus large et plus scientifique que l'ancien, pourrait ainsi prendre naissance. . . . Néanmoins il ne me semble pas que cet humanisme nouveau puisse reposer uniquement sur l'acquisition de connaissances scientifiques.

L'homme en effet n'est pas uniquement intelligence et raison. Il est aussi sentiment et volonté. Pensée, désir, action sont étroitement mêlés dans son activité. . . . La science elle-même, qu'elle soit recherche de la vérité ou appétit de puissance sur le monde extérieur relève en fin de compte du sentiment ou pour mieux dire du désir, désir de connaître ou désir de réaliser.

Une culture générale devra donc toujours comporter, en dehors de l'acquisition des connaissances scientifiques, une réflexion approfondie sur la complexité de la personne humaine et sur les divers aspects qu'elle présente, une initiation aussi à l'art de sentir et de

[4] *Puisqu'il en est ainsi:* since such is the case.

vouloir. . . . Un humanisme moderne devra toujours réserver une part importante aux études littéraires.

LOUIS DE BROGLIE
(*L'Age Nouveau*, septembre-octobre 1950)

QUESTIONS SUR *La Culture Scientifique suffit-elle à faire un Homme?*

1. Pourquoi la science, selon Louis de Broglie, tiendra-t-elle une place de plus en plus grande?
2. En quoi les sciences contribuent-elles à la formation des intelligences?
3. Quelle devrait être, selon vous, la place relative des sciences et des humanités dans l'enseignement?
4. Pourquoi cette largeur de vues que montre l'auteur est-elle rare chez les «scientifiques» ou chez les «littéraires»?

Le Radium

EVE CURIE *(b. 1904), a newspaper woman and writer who has traveled extensively, is the daughter of Pierre and Marie Curie. After describing the long and patient efforts which led them to the discovery of radium, she tells us about the properties and the importance of radium.*

En 1902, quarante-cinq mois après le jour où les Curie annonçaient l'existence probable du radium, Marie remporte enfin la victoire. Elle réussit à préparer un décigramme de radium pur.

Prodigieux radium! . . . Purifié à l'état de chlorure, c'est une poudre blanche, terne, que l'on prendrait volontiers pour[1] du vul-

[1] *que l'on prendrait volontiers pour:* that could be easily taken for . . .

gaire sel de cuisine. Mais ses propriétés, de mieux en mieux connues, apparaissent stupéfiantes.[2] Son rayonnement, qui le dénonça aux Curie, dépasse en intensité toutes les prévisions: il est deux millions de fois plus fort que celui de l'uranium. Déjà la science l'a analysé,[3] subdivisé en rayons de trois sortes différentes, qui traversent, en se modifiant, il est vrai—les matières les plus opaques. Seul un épais écran de plomb peut arrêter ces rayons dans leur course invisible.

Le radium a son ombre, son fantôme: il produit spontanément un corps gazeux singulier, l'émanation du radium, actif lui aussi et qui, même enfermé dans un tube de verre, se détruit chaque jour suivant une loi rigoureuse. Sa présence sera décelée dans les eaux de nombreuses sources thermales.

Autre défi aux théories qui semblaient la base inamovible de la physique: le radium dégage spontanément de la chaleur. En une heure, il produit une quantité de chaleur capable de fondre son propre poids de glace.

De quoi n'est-il pas capable? il impressionne les plaques photographiques à travers du papier noir; il rend l'atmosphère conductrice d'électricité; il colore en mauve et en violet les récipients de verre qui ont l'honneur de l'abriter; il ronge et, peu à peu, réduit en poussière le papier ou l'ouate dont on l'entoure. . . .

Il rend phosphorescents un grand nombre de corps incapables d'émettre de la lumière par leurs seuls moyens.

Le diamant est rendu phosphorescent par l'action du radium et peut être distingué ainsi des imitations en strass, dont la luminosité est très faible.

Enfin, le rayonnement du radium est «contagieux». . . . Contagieux comme un parfum tenace, comme une maladie! Il est impossible de laisser un objet, une plante, un animal, une personne, auprès d'un tube de radium sans qu'ils acquièrent aussitôt une «activité» notable.

[2] *Mais . . . apparaissent stupéfiantes:* but its attributes . . . seemed fantastic. Note the use of the present for dramatic effect.

[3] *Déjà . . . analysé:* in no time it was scientifically analyzed.

Que nous sommes loin des[4] théories sur la matière inerte, sur l'atome immuable! Il n'y a pas plus de cinq ans,[5] les savants croyaient notre univers composé de corps bien définis, d'éléments fixés à jamais. Or voici qu'à chaque seconde du temps qui passe,[6] des particules de radium expulsent d'elles-mêmes des atomes de gaz hélium et les projettent au dehors avec une force énorme. . . . Le résidu de cette minuscule et terrifiante explosion, que Marie appellera «le cataclysme de la transformation atomique» est un atome gazeux d'émanation, qui lui-même se transformera en un autre corps radioactif, lequel se transformera à son tour! Voici que[7] les radio-éléments forment d'étranges, de cruelles familles, où chaque membre est créé par la transformation spontanée de la substance mère: le radium est un «descendant» de l'uranium, le polonium est un descendant du radium. Des corps, à chaque instant créés, se détruisent eux-mêmes, suivant des lois éternelles.

Immobile en apparence, la matière abrite des naissances,[8] des collisions, des meurtres, des suicides. Elle abrite des drames, soumis à d'implacables fatalités. Elle abrite la vie et la mort.

Tels sont les faits que la découverte de la radioactivité a révélés. Les philosophes n'ont plus qu'à recommencer la philosophie, et les physiciens la physique.

EVE CURIE
Madame Curie
(Gallimard)

QUESTIONS SUR *Le Radium*

1. Quelles sont les caractéristiques du radium?
2. En quoi cette découverte a-t-elle renouvelé la physique et la philosophie?

[4] *Que nous sommes loin de:* How far all this is from.
[5] *Il n'y a pas plus de cinq ans:* Less than five years before. Note again the use of the present for dramatic purposes.
[6] *Or voici que . . . passe:* And, now with every second that passes.
[7] *Voici que:* and so.
[8] *la matière abrite des naissances:* matter fosters births.

3. Quelle a été une des conséquences pratiques les plus connues de la découverte de la radioactivité, pendant la guerre?
4. Quel usage la médecine fait-elle, aujourd'hui, de la radioactivité?
5. Quel rôle grandissant l'énergie atomique joue-t-elle dans l'industrie?

Pensées d'un Biologiste

JEAN ROSTAND *(b. 1894), the son of the well-known author of* Cyrano de Bergerac, *is a biologist who likes to philosophize on the relatively new science of genetics, which is his field of research. One may disagree with his conclusions, but he raises stimulating ideas and problems.*

Qu'il s'agisse de[1] politique, de morale, ou de philosophie, je suspecte les jugements de ceux qui ignorent tout de ce qu'ils sont.[2] Avant de rêver, il faut savoir.

La science fait aujourd'hui son étude familière des deux infinis qu'imaginait en frémissant Blaise Pascal. Aux astronomes, l'infini de la grandeur. Aux physiciens, l'infini de la petitesse. Le biologiste, lui, se tient dans le milieu; mais, sans quitter le vivant, il se heurte au prodige.[3] . . .

[1] *Qu'il s'agisse de . . . jugements:* Whether they deal with politics . . . I suspect the judgments of.

[2] *qui ignorent . . . sont:* who know nothing about what they are.

[3] *sans quitter . . . il se heurte au prodige:* without leaving the realm of life, he comes up against the marvelous. Blaise Pascal (1623–62), mathematician, physicist and philosopher. He wrote a defense of the Christian religion which he left unfinished; the fragments of this defense were published under the title of *Pensées (Thoughts).* One famous passage, to which Rostand alludes here, evokes the then new notion of the two infinities, the infinitely small and the infinitely large as related to the infinite series of plus and minus numbers in which Pascal, as mathematician, was deeply interested.

Le jour de notre naissance, dit Emerson,[4] la porte des dons se referme sur nous.[5] A vrai dire, bien avant que de naître,[6] l'aveugle caprice des réactions cellulaires nous a composé le jeu chromosomique avec quoi nous mènerons la partie de l'existence.[7] Si l'on savait déchiffrer[8] les chromosomes humains comme l'on déchiffre un texte musical, on trouverait qu'il existe, non seulement des œufs bruns et des œufs blonds, mais des œufs disgracieux et des œufs charmants, des œufs intelligents et des œufs stupides, peut-être des œufs vertueux et des œufs pervers. Iniquité essentielle des destinées humaines! «La créature n'a pas choisi son origine», selon la grande parole de Shakespeare. Il est affreux que la nature, indifféremment, fabrique le bon et le mauvais, qu'elle ne laisse à celui-ci[9] que le droit d'être un sot, et à celle-là que la liberté d'être une laide, qu'elle accorde[10] aux uns de quoi mériter toutes les récompenses quand[11] elle inflige aux autres de quoi justifier tous les châtiments. Le privilège biologique égale en cruauté le privilège social. Et ceci n'est certes pas pour excuser nos torts sur ceux de la nature,[12] mais pour rappeler qu'elle nous donne là, comme il lui arrive souvent, un exemple à ne pas suivre. . . .

Quelle que soit l'importance de la «grâce»[13] germinale, le milieu intervient puissamment dans la réalisation humaine. . . . De l'adulte, gardons- nous de conclure à l'œuf.[14]

[4] *Emerson:* Ralph Waldo Emerson (1803–82), American poet, philosopher and essayist.

[5] *la porte des dons . . nous:* the door giving us access to talents closes upon us, i.e., after birth we acquire no new talents.

[6] *bien avant que de naître:* long before we were born.

[7] *nous a composé le jeu . . . l'existence:* picked for us the chromosomic deck of cards with which we must play the game of existence.

[8] *si l'on savait déchiffrer:* if we knew how to decipher.

[9] *qu'elle . . . celui-ci:* that it (nature) gives this boy only the right to be stupid; *et à celle-là:* and that girl.

[10] *qu'elle accorde . . . de quoi:* that it grants some people whatever is necessary to . . . Cf. below: *de quoi justifier:* all that justifies.

[11] *quand:* while.

[12] *Et ceci . . . excuser . . . nature:* And I intend here to give no excuse for our injustices by invoking nature's.

[13] *«grâce»:* "grace" used biologically with its religious connotations: an undeserved gift coming from a source outside man.

[14] *De l'adulte . . . l'œuf:* Let us beware of drawing any conclusions which go from the adult back to the egg.

L'individu qui, à la faveur d'un milieu propice, s'est largement réalisé, peut-il se promettre une meilleure descendance que celui qui, desservi par les circonstances,[15] demeura toujours en-deçà de lui-même?[16] La réponse de la biologie est, à cet égard, formellement négative. Les germes se moquent de l'aventure individuelle. Nous ne transmettons rien que nous n'ayons reçu de nos parents. Nous n'ajoutons rien à l'héritage. . . . Nos fils sont moins nos fils que les héritiers de notre lignée. N'espérons pas qu'ils devront quelque chose à nos expériences. Tout ce que nous pouvons pour eux, c'est de bien choisir leur mère.

Substantiellement, chromosomiquement, les hommes du vingtième siècle, vêtus, policés et subtils, sont identiques aux tailleurs de pierre du pléistocène.[17] Sans doute ils peuvent se prêter aux exigences complexes de la société moderne, puisqu'elle fut instaurée par des gens de leur sorte; mais ils n'ont pas plus de pente à être justes, intelligents, pacifiques, altruistes, que[18] leurs aïeux du temps des cavernes. «Le genre humain, écrivait Bonald,[19] renaît à chaque génération.» . . .

La biologie en est arrivée au point de son évolution où les conséquences de ses découvertes vont atteindre l'homme même. Si l'on ne peut qu'applaudir aux conquêtes qui font de cette jeune science une sorte de magie positive, comment se défendre de quelque émoi[20] en la voyant sans cesse étendre son empire et tout près d'essayer ses pouvoirs sur la personne humaine, jusque là intangible. . . . Demain, nos propres enfants serviront de matériel d'expériences. On déterminera leur sexe, on leur imposera, à coup

[15] *desservi par les circonstances:* handicapped by circumstances.

[16] *demeura . . . lui-même:* who never fully developed his possibilities. Literally: who always remained on the inner side of himself (well within his limits).

[17] *pléistocène:* geological era immediately preceding our own era, commonly known as the glacial era.

[18] *ils n'ont pas plus de pente à . . . que:* they have no more inclination towards . . . than.

[19] *Bonald:* (1754–1840) French political writer.

[20] *comment . . . émoi:* how can we help feeling some anxiety.

d'hormones supplémentaires,[21] une personnalité physique et morale. A cet égard tout au moins, ne portons pas trop d'envie au futur.[22] Je préfère, quant à moi, avoir vécu à l'époque barbare où les parents devaient se contenter des présents[23] du hasard, car je doute que ces fils rectifiés et calculés inspirent les mêmes sentiments que nous inspirent les nôtres, tout fortuits, imparfaits et décevants qu'ils sont.[24]

Laissant au moraliste le soin de peser les douleurs et les satisfactions individuelles, demandons-nous ce que l'homme, en tant que membre de l'espèce, peut penser de lui-même et de son labeur.

Certes, à se souvenir de ses origines, il a bien sujet de se considérer avec complaisance. Ce petit-fils de poisson, cet arrière-neveu de limace, a droit à quelque orgueil de parvenu.[25] Jusqu'où n'ira-t-il pas dans sa maîtrise des forces matérielles? Quels secrets ne dérobera-t-il pas à la nature? Demain, il libérera l'énergie intra-atomique, il voyagera dans les espaces interplanétaires, il prolongera la durée de sa propre vie, il combattra la plupart des maux qui l'assaillent et même ceux que créent ses propres passions, en instaurant un ordre meilleur dans ses collectivités.

Sa réussite a de quoi lui tourner un peu la tête.[26] Mais . . . quel sort peut-il prédire à son œuvre, à son effort? De tout cela, que restera-t-il, un jour, sur le misérable grain de boue où il réside? L'espèce humaine passera. . . . Peu à peu, la petite étoile qui nous sert de soleil abandonnera sa force éclairante et chauffante . . . Toute vie alors aura cessé sur la terre qui, astre périmé,[27] continuera

[21] *à coup . . . supplémentaires:* by means of doses of supplementary hormones.

[22] *A cet égard . . . futur:* From this point of view at least, let us not think of the future with too much envy.

[23] *présents:* gifts.

[24] *tout . . . qu'ils sont:* chance products, imperfect and disappointing . . . though they be.

[25] *a droit . . . parvenu:* has some right to manifest the parvenu's pride. A *parvenu* is a person who has succeeded in rising rapidly from his original social rank to a much higher one.

[26] *Sa réussite . . . tête:* His success is great enough to make him lose his head a little.

[27] *astre périmé:* extinct star.

de tourner sans fin dans les espaces sans bornes . . . Alors, en ce minuscule coin d'univers sera annulée pour jamais l'aventure falote du protoplasme . . .[28] Aventure qui déjà, peut-être, s'est achevée[29] sur d'autres mondes . . . Aventure qui, en d'autres mondes peut-être, se renouvellera . . .

JEAN ROSTAND
Pensées d'un biologiste
(Stock)

QUESTIONS SUR *Pensées d'un Biologiste*

1. Pourquoi Jean Rostand dit-il qu'il faut savoir avant de rêver?
2. Quels sont les buts de la biologie?
3. Quelle est l'attitude de l'auteur devant la nature?
4. Qu'est-ce que la théorie de l'évolution?
5. Que peut-on espérer des études biologiques pour l'avenir de l'homme?
6. Croyez-vous malgré tout à un progrès de l'espèce humaine?

Son de Cloche

PIERRE REVERDY *(1889–1960) is a poet, a friend of Apollinaire, who greatly influenced the surrealists. This poem evokes the hour of midnight when all life seems to have stopped on the planet, and suggests such a moment as Rostand describes at the end of the preceding passage.*

[28] *en ce . . . protoplasme:* (Inversion) l'aventure . . . sera annulée. *Falote:* absurd, dull.
[29] *s'est achevée:* has come to its end.

Tout s'est éteint
Le vent passe en chantant
Et les arbres frissonnent
Les animaux sont morts
Il n'y a plus personne
Regarde
Les étoiles ont cessé de briller
La terre ne tourne plus
Une tête s'est inclinée
Les cheveux balayant la nuit
Le dernier clocher resté debout
Sonne minuit.

PIERRE REVERDY
Les Ardoises du Toit
(Gallimard)

12

PHILOSOPHIE

Les Français s'intéressent beaucoup à la philosophie; ils y sont poussés par le goût des discussions, l'habitude de la critique, l'amour des principes, le désir de comprendre, la nécessité d'adapter leur mode de vie à des circonstances souvent changeantes. Les différentes conceptions de l'homme sont aussi à la base des oeuvres des grands écrivains chez qui l'on trouve également une esthétique, poètes comme Valéry, dramaturges comme Claudel, romanciers comme Malraux, essayistes comme Alain. En revanche, des philosophes en titre, tels que Jean-Paul Sartre qui débuta en qualité de professeur de philosophie, mettent leurs théories en romans ou en pièces de théâtre, souvent avec beaucoup d'art. Des nuances, voire des différences sérieuses, se trouvent dans ces philosophies mais elles coexistent pour la plus grande richesse de la pensée; il y a généralement des échanges d'idées et une certaine tolérance, si la passion religieuse et surtout politique ne s'en mêle pas trop.

Le commencement de ce siècle a été dominé par Bergson. Contre le déterminisme et le positivisme d'alors, Bergson a soutenu que l'intelligence, «cette petite chose qui se meut à l'extérieur de nous-mêmes», comme on l'a définie, ne sert que pour l'action pratique. L'intuition seule donne la vraie connaissance, la compréhension de la vie, de l'esprit. Bergson a ainsi redonné un sens au monde et a rendu son prestige à la philosophie un peu déroutée par les découvertes extraordinaires que la science faisait alors. Ses études sur la liberté, la durée, la mémoire, «l'élan vital» qui, à travers la matière, mène à l'homme et au-delà, eurent une grande influence sur son époque, dans tous les domaines. Cependant la guerre, ses souffrances et ses bouleversements rendent l'idéalisme assez difficile à soutenir. Elle approfondit chez les penseurs «le sentiment tragique de la vie», invite à réexaminer les valeurs données et à chercher de nouvelles attitudes devant de nouvelles situations. C'est ainsi que le surréalisme était sorti de la première Grande Guerre; c'était un mouvement de révolte, de libération, une tentative de trouver la clé d'un monde neuf dans la passion au lieu de la raison, dans le rêve, dans l'inconscient, dans le merveilleux; il a surtout influencé l'art et la poésie. De même, l'existentialisme s'est répandu pendant la guerre de 1939 et a été très important dans les années qui l'ont suivie; il s'exprime principalement par l'essai, le roman, le théâtre.

L'existentialisme est une des réponses à ces questions que se pose chaque génération: «Qu'est-ce que l'homme?» «Quel est le sens de notre destinée?» «Que valent nos efforts?». Les existentialistes analysent moins l'homme et sa nature que l'homme dans son milieu et dans son temps; ils considèrent sans illusions, sans «mauvaise foi», pour se servir d'une de leurs expressions, la condition humaine et ils la trouvent misérable. Ils ne sont certes pas les premiers et il est difficile de parler de philosophie sans rappeler les deux grands penseurs du XVIIème siècle, Descartes le méthodique et surtout Pascal l'intuitif qui méditait sur la misère et la grandeur de l'homme. Les existentialistes soulignent cette misère comme un simple fait; les uns sont d'ailleurs sensibles surtout à l'absurdité, à la futilité de cette vie qui mène à la mort, les autres éprouvent davantage le sentiment effrayant et exaltant de l'absolue liberté humaine. Comment échapper à l'angoisse commune? La question est posée depuis longtemps et diverses solutions ont été proposées: suicide, voyages, paradis artificiels, rêve, art, révolte, religion, amour, contemplation ou action. C'est pour cette dernière que décident les existentialistes dont les représentants les plus connus sont Sartre, Merleau-Ponty, Simone de Beauvoir et Camus, si l'on peut classer ensemble des philosophes qui présentent bien des différences mais veulent tous rendre à l'homme sa dignité.

Une autre tendance de la pensée contemporaine se manifeste dans le marxisme. Un de ses principaux théoriciens est Henri Lefebvre. On sait que, pour Marx, l'homme est le produit des conditions économiques et sociales et qu'il faut le libérer, par l'étude de l'histoire, par les sciences sociales, par l'action de masse.

Les marxistes ne croient pas en Dieu mais il y a beaucoup de penseurs français qui y croient. Les uns, les plus nombreux, sont dans la tradition humaniste de Saint Augustin. D'autres sont dans celle de Saint Thomas, tel Jacques Maritain, pour qui l'intelligence est le puissant auxiliaire de la foi. D'autres encore se placent dans le courant existentialiste, comme Gabriel Marcel et Louis Lavelle; ils pensent, en effet, que nous nous créons nous-mêmes par l'action mais en choisissant librement parmi des essences qui sont toutes dans cet Etre Suprême que nient les existentialistes athées; ces derniers sont d'ailleurs une forte majorité.

Il y a bien d'autres mouvements qui témoignent de la vitalité de la philosophie d'aujourd'hui, par exemple le rationalisme, vieille et solide tradition de la pensée française, que représente Alain; le personnalisme d'Emmanuel Mounier, également caractéristique de cette pensée en ce qu'il affirme «le primat de la personne humaine sur les nécessités matérielles» et cherche à faire une synthèse du devoir social et du destin religieux; la philosophie comme celle de Teilhard de Chardin, qui essaie de concilier la théorie de l'évolution et le christianisme; celle de Gaston Bachelard qui rend vivants les grands mythes de la terre, de l'eau, de l'air et du feu et nous montre «les rêves de la nature»; l'idéalisme, comme chez Simone Weil, pour lequel le progrès réel de l'homme est d'ordre spirituel.

Enfin, sans qu'ils soient nécessairement des novateurs, des maîtres de valeur cultivent et enseignent aux jeunes gens l'art de «bien penser», que ce soit en logique, en psychologie, en sociologie, en esthétique, dans la philosophie des sciences ou en morale.

QUESTIONS

1. Quelle est l'origine du mot «philosophie»?
2. Quelles sont les divisions de la philosophie?
3. Quelles sont les principales questions auxquelles un philosophe cherche à répondre?
4. Pourquoi y a-t-il de si nombreux systèmes de philosophie?
5. Mentionnez des philosophes américains importants.
6. On parle de la psychologie des foules. Pouvez-vous dire ce qui la caractérise?
7. Que savez-vous de la psychanalyse?
8. La philosophie peut être considérée simplement comme un art de vivre. Quels sont les principes du vôtre?

La Destinée

ALAIN *(see page 126 for biographical sketch).*

«La Destinée, disait Voltaire,[1] nous mène et se moque de nous.» Ce mot m'étonne de cet homme-là qui fut si bien lui-même. Le destin extérieur agit par des moyens violents; il est clair que la pierre ou l'obus écrasera un Descartes[2] aussi bien. Ces forces peuvent nous effacer tous de la terre en un moment. Mais l'événement, qui tue si aisément un homme, n'arrive pas à le changer. J'admire comme[3] les individus vont à leur fin, et comme ils font occasion[4] de tout; comme un chien, de la poule qu'il mange, fait de la viande de chien et de la graisse de chien[5] ainsi l'individu digère l'événement.

[1] *Voltaire:* eighteenth-century French writer of the Enlightenment.
[2] *Descartes:* seventeenth-century French mathematician and philosopher.
[3] *J'admire comme:* I watch with admiration the way . . .
[4] *ils font occasion:* they make use of.
[5] *comme . . . graisse de chien:* sentence structure: comme un chien fait de la viande de chien, de la graisse de chien, de la poule qu'il mange . . . : as a dog fabricates dog meat, dog grease out of the hen he eats.

Cette constance à vouloir, qui est propre aux natures[6] fortes, finit toujours par trouver passage, dans le changement de toutes choses, où il y a de tout. Le propre de l'homme fort est de marquer toutes choses de son sceau.[7] Mais cette force est plus commune qu'on ne croit. Tout est vêtement pour l'homme, et les plis suivent la forme et le geste. Une table, un bureau, une chambre, une maison sont promptement rangés ou dérangés selon la main. Les affaires suivent,[8] grandes ou petites; et nous disons qu'elles sont heureuses ou malheureuses selon un jugement extérieur; mais l'homme qui les conduit bien ou mal fait toujours son trou selon sa forme, comme le rat. Regardez bien; il a fait ce qu'il a voulu.

«Ce que jeunesse désire, vieillesse l'a en abondance.» C'est Goethe[9] qui cite ce proverbe au commencement de ses mémoires. Et Goethe est un brillant exemple de ces natures qui façonnent tout événement selon leur propre formule. Tout homme n'est pas Goethe, il est vrai; mais tout homme est soi. L'empreinte n'est pas belle, soit;[10] mais il la laisse partout. Ce qu'il veut n'est pas quelque chose de bien relevé;[11] mais ce qu'il veut, il l'a. Cet homme, qui n'est point Goethe, aussi ne voulait point l'être.[12] Spinoza,[13] qui a saisi mieux que personne ces natures crocodiliennes, invincibles, dit que l'homme n'a pas besoin de la perfection du cheval. De même aucun homme n'a usage de la perfection de Goethe. Mais le marchand, partout où il est, et aussi bien sur des ruines, le marchand vend et achète, l'escompteur prête, le poète chante, le paresseux dort. Beaucoup de gens se plaignent de n'avoir pas ceci ou cela; mais la cause en est toujours qu'ils ne l'ont pas vraiment désiré. Ce colonel, qui

[6] *propre à:* characteristic of.

[7] *de marquer . . . de son sceau:* that he puts his mark on everything. Literally: that he marks everything with his seal.

[8] *Les affaires suivent:* events follow. A rather unusual use of the word "affaires" which usually means "business."

[9] *Goethe* (1749–1832): German poet, dramatist and philosopher. One of the greatest figures in occidental literature.

[10] *soit:* let's admit it.

[11] *quelque chose de relevé:* something that is noble.

[12] *aussi . . . être:* did not wish to be Goethe either.

[13] *Spinoza* (1632–77): Dutch philosopher of Spanish and Portuguese origin.

va planter ses choux,[14] aurait bien voulu être général; mais, si je pouvais chercher dans sa vie, j'apercevrais quelque petite chose qu'il fallait faire, et qu'il n'a point faite, qu'il n'a point voulu faire. Je lui prouverai qu'il ne voulait pas être général.

Je vois des gens, qui, avec assez de moyens, ne sont arrivés qu'à une maigre et petite place. Mais que voulaient-ils? Leur franc-parler? Ils l'ont. Ne point flatter? Ils n'ont point flatté et ne flattent point. Pouvoir par le jugement, par le conseil, par le refus? Ils peuvent. Il n'a point d'argent? Mais toujours n'a-t-il pas méprisé l'argent? L'argent va à ceux qui l'honorent. Trouvez-moi seulement un homme qui ait voulu s'enrichir et qui ne l'ait point pu. Je dis qui ait voulu. Espérer ce n'est point vouloir. Le poète espère cent mille francs, il ne sait de qui ni comment; il ne fait pas le moindre petit mouvement vers ces cent mille francs; aussi ne les a-t-il point.[15] Mais il veut faire de beaux vers. Aussi les fait-il. Beaux selon sa nature, comme le crocodile fait ses écailles et l'oiseau ses plumes. On peut appeler aussi destinée cette puissance intérieure qui finit par trouver passage; mais il n'y a de commun que le nom entre cette vie si bien armée et composée, et cette tuile de hasard qui tua Pyrrhus.[16] Ce que m'exprimait un sage, disant que la prédestination de Calvin[17] ne ressemblait pas mal à la liberté elle-même.

ALAIN
Propos sur le Bonheur
(Gallimard)

[14] *planter ses choux:* to retire (vernacular).

[15] *aussi . . . point:* therefore he does not have them.

[16] *Pyrrhus:* King of Epirus, third century B.C. He was accidentally killed by a tile falling on his head.

[17] *Calvin:* French Protestant theologian and reformer (1509–64) who preached the stern doctrine of salvation only for a small predestined "elite." Alain, in this instance, is fairly close to the Sartrean idea that we "choose," lucidly or not, within the given limitations of our situation, what we make of that situation. We become what it is in us to become. In this sense one can say that a philosophy of freedom and responsibility is close to a philosophy of predestination.

QUESTIONS SUR *La Destinée*

1. Quelle distinction faut-il faire, selon l'auteur, quand on parle de la destinée?

2. La théorie d'Alain s'applique-t-elle à tout homme ou seulement aux fortes natures?

3. Quels éléments autres que la volonté peuvent intervenir pour déterminer une destinée?

4. Quelle sorte d'homme était Alain, à en juger par le début du dernier paragraphe de ce passage où il fait peut-être allusion à lui-même?

5. On parle souvent, au théâtre notamment, de l'homme en lutte contre le destin. Qu'est-ce que ce destin?

6. Qu'est-ce que la prédestination? Pourquoi Alain dit-il qu'elle ressemble à la liberté?

Caligula

CALIGULA *was the most successful of the four plays of Albert Camus (**see page 99**). The central figure is the mad Roman emperor who, from a quiet and gentle youth, turned into one of the cruelest of Rome's rulers. He made his horse a consul and tortured and murdered people in great numbers.*

In the first scene of Camus's play the young emperor has disappeared after the death of his sister Drusilla. When he comes back, he is changed. He has discovered that "men die and are not happy." In other words he has discovered the senselessness or "absurdité" of all existence in the face of death. With this discovery comes the idea of man's freedom on this earth. He cannot bear to see the courtiers all around him living complacently as if they were not all condemned to death. Since he is the emperor, he has the power to impose upon them as cruel and arbitrary a pattern of life and death as he discerns in the natural order of things. He torments and murders the people around him until at last they revolt and kill him. His last words are, "Ma liberté n'est pas la bonne." Caligula becomes a monster because he mistook his path. According to Camus, man is not free to be inhuman as the universe is.

In the scene below, Caligula has just returned from his three-day absence after the death of his sister. Hélicon is his friend.

HÉLICON. Bonjour, Caïus.

CALIGULA. Bonjour, Hélicon.

HÉLICON. Tu sembles fatigué?

CALIGULA. J'ai beaucoup marché.

HÉLICON. Oui, ton absence a duré longtemps.

CALIGULA. C'était difficile à trouver.

HÉLICON. Quoi donc?

CALIGULA. Ce que je voulais.

HÉLICON. Et que voulais-tu?

CALIGULA. La lune.

HÉLICON. Quoi?

CALIGULA. Oui, je voulais la lune.

HÉLICON. Ah! Pourquoi faire?

CALIGULA. Eh bien! . . . C'est une des choses que je n'ai pas.

HÉLICON. Bien sûr. Et maintenant, tout est arrangé?

CALIGULA. Non, je n'ai pas pu l'avoir.

HÉLICON. C'est ennuyeux.

CALIGULA. Oui, c'est pour cela que je suis fatigué. Hélicon!

HÉLICON. Oui, Caïus.

CALIGULA. Tu penses que je suis fou.

HÉLICON. Tu sais bien que je ne pense jamais.

CALIGULA. Oui. Enfin! Mais je ne suis pas fou et même, je n'ai jamais été aussi raisonnable. Simplement, je me suis senti tout d'un coup un besoin d'impossible. Les choses, telles qu'elles sont, ne me semblent pas satisfaisantes.

HÉLICON. C'est une opinion assez répandue.

CALIGULA. Il est vrai. Mais je ne le savais pas auparavant. Maintenant, je sais. Ce monde, tel qu'il est fait, n'est pas supportable. J'ai donc besoin de la lune, ou du bonheur, ou de l'immortalité, de quelque chose qui soit dément peut-être, mais qui ne soit pas de ce monde.

HÉLICON. C'est un raisonnement qui se tient.[1] Mais, en général, on ne peut pas le tenir jusqu'au bout.

CALIGULA. Tu n'en sais rien. C'est parce qu'on ne le tient jamais jusqu'au bout que rien n'est obtenu. Mais il suffit peut-être de rester logique jusqu'à la fin.

Je sais aussi ce que tu penses. Que d'histoires pour la mort d'une femme! Mais ce n'est pas cela. Je crois me souvenir, il est vrai, qu'il y a quelques jours, une femme que j'aimais est morte. Mais qu'est-ce que l'amour? Peu de chose. Cette mort n'est rien, je te le jure; elle est seulement le signe d'une vérité qui me rend la lune nécessaire. C'est une vérité toute simple et toute claire, un peu bête, mais difficile à découvrir et lourde à porter.

HÉLICON. Et qu'est-ce donc que cette vérité?

CALIGULA. Les hommes meurent et ils ne sont pas heureux.

HÉLICON. Allons, Caïus, c'est une vérité dont on s'arrange très bien. Regarde autour de toi. Ce n'est pas cela qui les empêche de déjeuner.

CALIGULA. Alors, c'est que tout, autour de moi, est mensonge, et moi, je veux qu'on vive dans la vérité! Et justement, j'ai les moyens de les faire vivre dans la vérité. Car je sais ce qui leur manque, Hélicon. Ils sont privés de la connaissance et il leur manque un professeur qui sache ce dont il parle.

HÉLICON. Ne t'offense pas, Caïus, de ce que je vais te dire. Mais tu devrais d'abord te reposer.

CALIGULA. Cela n'est pas possible, Hélicon, cela ne sera plus jamais possible.

HÉLICON. Et pourquoi donc?

CALIGULA. Si je dors, qui me donnera la lune?

In the preceding scenes, Caligula has attempted to oblige the people around him to "live with the truth." Now all except Hélicon are plotting his death. He is alone, facing death in turn. During the play he had proclaimed that since all his subjects were condemned to death, all were guilty. He too must die now, "guilty" in the sense that he cannot escape being a mortal man.

[1] *C'est un raisonnement qui se tient:* It's an argument that can be upheld.

He has not been happy and Hélicon has not brought him the moon. His soliloquy immediately precedes his assassination, which he knows is coming. His revolt has brought about nothing but disaster and has failed. It is the moment of tragic lucidity for Caligula.

CALIGULA. *(Il tourne sur lui-même, hagard, va vers le miroir.)* Caligula! Toi aussi, toi aussi, tu es coupable. Alors, n'est-ce pas, un peu plus, un peu moins![2] Mais qui oserait me condamner dans ce monde sans juge, où personne n'est innocent! *(Avec tout l'accent de la détresse, se pressant contre le miroir.)* Tu[3] le vois bien, Hélicon n'est pas venu. Je n'aurai pas la lune. Mais qu'il est amer d'avoir raison et de devoir aller jusqu'à la consommation. Car j'ai peur de la consommation. Des bruits d'armes! C'est l'innocence qui prépare son triomphe. Que ne suis-je[4] à leur place! J'ai peur. Quel dégoût, après avoir méprisé les autres, de se sentir la même lâcheté dans l'âme. Mais cela ne fait rien. La peur non plus ne dure pas. Je vais retrouver ce grand vide où le coeur s'apaise.

Tout a l'air si compliqué. Tout est si simple pourtant. Si j'avais eu la lune, si l'amour suffisait, tout serait changé. Mais où étancher[5] cette soif? Quel coeur, quel dieu auraient pour moi la profondeur d'un lac? Rien dans ce monde, ni dans l'autre, qui soit à ma mesure. Je sais pourtant, et tu le sais aussi *(il tend les mains vers le miroir en pleurant)* qu'il suffirait que l'impossible soit. L'Impossible. Je l'ai cherché aux limites du monde, aux confins de moi-même. J'ai tendu mes mains, je tends mes mains et c'est toi que je rencontre, toujours toi en face de moi, et je suis pour toi plein de haine. Je n'ai pas pris la voie qu'il fallait,[6] je n'aboutis à rien. Ma liberté n'est pas la

[2] *un peu . . . moins:* a little more, a little less (guilty). Caligula has murdered a great many people, including—just before this speech—his devoted mistress Caesonia.

[3] *Tu:* He addresses his image in the mirror.

[4] *Que ne suis-je:* How I wish I were.

[5] *où étancher:* où aurais-je pu étancher: where could I have quenched.

[6] *Je n'ai . . . fallait:* I did not take the right path (the path I should have taken).

bonne.[7] Rien! rien encore. Oh, cette nuit est lourde! Hélicon n'est pas venu: nous serons coupables à jamais! Cette nuit est lourde comme la douleur humaine.

ALBERT CAMUS
Caligula
(Gallimard)

QUESTIONS SUR *Caligula*

1. Pourquoi Caligula veut-il la lune?
2. D'après les historiens, Caligula était fou. Quelle interprétation en donne Albert Camus?
3. Comment résume-t-il la condition humaine?
4. Quelles sont les attitudes possibles devant cette vérité découverte par Caligula?
5. Pourquoi la tentative de cet empereur est-elle vouée à l'échec?

Défense de l'Existentialisme

JEAN-PAUL SARTRE *(b. 1905), philosopher, essayist, playwright and novelist, is the most vigorous of the French atheist existentialists.*

En termes philosophiques, tout objet a une essence et une existence. Une essence, c'est-à-dire un ensemble constant de propriétés; une existence, c'est-à-dire une certaine présence effective dans le monde. Beaucoup de personnes croient que l'essence vient d'abord et l'existence ensuite: que les petits pois, par exemple, poussent et s'arrondissent conformément à l'idée de petits pois et que les cornichons sont cornichons parce qu'ils participent à l'essence de corni-

[7] *la bonne:* i.e., la bonne liberté: my freedom is not the right kind.

chon. Cette idée a son origine dans la pensée religieuse: par le fait,[1] celui qui veut faire une maison, il faut qu'il sache au juste quel genre d'objets il va créer: l'essence précède l'existence; et pour tous ceux qui croient que Dieu créa les hommes, il faut bien qu'il l'ait fait en se référant à l'idée qu'il avait d'eux. Mais ceux mêmes qui n'ont pas la foi ont conservé cette opinion traditionnelle que l'objet n'existait jamais qu'en conformité avec son essence, et le dix-huitième siècle tout entier a pensé qu'il y avait une essence commune à tous les hommes, que l'on nommait *nature humaine*. L'existentialiste tient, au contraire, que chez l'homme—et chez l'homme seul—l'existence précède l'essence.

Ceci signifie tout simplement que l'homme *est* d'abord et qu'ensuite seulement il est ceci ou cela. En un mot, l'homme doit se créer sa propre essence; c'est en se jetant dans le monde, en y souffrant, en y luttant qu'il se définit peu à peu; et la définition demeure toujours ouverte;[2] on ne peut point dire ce qu'est *cet* homme avant sa mort, ni l'humanité avant qu'elle ait disparu. Après cela, l'existentialisme est-il fasciste, conservateur, communiste ou démocrate? La question est absurde: à ce degré de généralité, l'existentialisme n'est rien du tout sinon une certaine manière d'envisager les questions humaines en refusant de donner à l'homme une nature fixée pour toujours. Il allait de pair,[3] autrefois, chez Kierkegaard,[4] avec la foi religieuse. Aujourd'hui, l'existentialisme français tend à s'accompagner d'une déclaration d'athéisme, mais cela n'est pas absolument nécessaire. Tout ce que je puis dire . . . c'est qu'il ne s'éloigne pas beaucoup de la conception de l'homme qu'on trouverait chez Marx. Marx n'accepterait-il pas en effet, *cette devise de l'homme qui est la nôtre: faire et en faisant se faire et n'être rien que ce qu'il s'est fait.*

[1] *par le fait:* it is a fact that.
[2] *la définition demeure toujours ouverte:* the definition is always open to revision.
[3] *Il allait de pair . . . avec:* It (existentialism) went hand in hand . . . with.
[4] *Kierkegaard* (1813–55): Danish philosopher who is considered the father of modern existentialism.

Si l'existentialisme définit l'homme par l'action, il va de soi que cette philosophie n'est pas un quiétisme.[5] En fait,[6] l'homme ne peut qu'agir; ses pensées sont des projets et des engagements, ses sentiments des entreprises; il n'est rien d'autre que sa vie et sa vie est l'unité de ses conduites. Mais l'angoisse, dira-t-on? Eh bien! ce mot un peu solennel recouvre une réalité fort simple et quotidienne. Si l'homme *n'est* pas mais *se fait* et si en se faisant, il assume la responsabilité de l'espèce entière, s'il n'y a pas de valeur ni de morale qui soient données a priori, mais si, en chaque cas, nous devons décider seuls, sans point d'appui, sans guide et cependant *pour tous,* comment pourrions-nous ne pas nous sentir anxieux lorsqu'il nous faut agir?[7] Chacun de nos actes met en jeu[8] le sens du monde et la place de l'homme dans l'univers; par chacun d'eux, quand bien même[9] nous ne le voudrions pas, nous constituons une échelle de valeurs universelles et l'on voudrait que nous ne soyons pas saisis de crainte devant une responsabilité si entière? Ponge,[10] dans un très beau texte, a dit que l'homme est l'avenir de l'homme. Cet avenir n'est pas encore fait, il n'est pas décidé: c'est nous qui le ferons, chacun de nos gestes contribue à le dessiner: il faudrait beaucoup de pharisaïsme pour ne pas sentir dans l'angoisse la mission redoutable qui est donnée à chacun de nous. . . .

Quant au désespoir, il faut s'entendre:[11] il est vrai que l'homme aurait tort *d'espérer.* Mais qu'est-ce à dire sinon que l'espoir est la

[5] *quiétisme:* a form of mysticism which developed in the sixteenth and seventeenth centuries. The quietist passively abandons himself to God's will and presence in his soul.
[6] *En fait:* in reality.
[7] *Si l'homme . . . agir:* sentence structure: comment ne pourrions-nous pas nous sentir anxieux . . . si l'homme n'est pas . . . ; si . . . il assume . . . ; s'il n'y a pas . . . ; mais si . . . nous devons décider seuls.
[8] *met en jeu:* poses the question (of the meaning of the world).
[9] *quand bien même:* even though.
[10] *Ponge* (b. 1899): French objective poet whose thought sometimes parallels that of the existentialists.
[11] *il faut s'entendre:* let us make the point clear. Sartre's philosophy has often been accused of being a philosophy of despair. Sartre points out here that man should put his hope in nothing except himself.

pire entrave à l'action. Faut-il espérer que la guerre se terminera toute seule et sans nous, . . . que les privilégiés de la société capitaliste abandonneront leurs privilèges? . . . Si nous espérons tout cela, nous n'avons plus qu'à attendre en nous croisant les bras. L'homme ne peut vouloir que s'il a d'abord compris qu'il ne peut compter sur rien d'autre que sur lui-même, qu'il est seul, délaissé sur la terre au milieu de ses responsabilités infinies, sans aide ni secours, sans autre but que celui qu'il se donnera à lui-même, sans autre destin que celui qu'il se forgera sur cette terre. Cette certitude, cette connaissance intuitive de sa situation, voilà ce que nous nommons désespoir: ce n'est pas un bel égarement romantique, on le voit, mais la conscience sèche et lucide de la condition humaine. *De même que l'angoisse*[12] *ne se distingue pas du sens de ses responsabilités, le désespoir ne fait qu'un avec la volonté;* avec le désespoir commence le véritable optimisme: celui de l'homme qui n'attend rien, qui sait qu'il n'a aucun droit et que rien ne lui est dû, qui se réjouit de compter sur soi seul et d'agir seul pour le bien de tous . . .

Reprochera-t-on à l'existentialisme d'affirmer la liberté humaine? Mais . . . lorsque nous disons qu'un chômeur est libre, nous ne voulons pas dire qu'il peut faire ce qui lui plaît et se transformer à l'instant en un bourgeois riche et paisible. *Il est libre parce qu'il peut toujours choisir d'accepter son sort avec résignation ou de se révolter contre lui.* Et sans doute ne parviendrait-il pas à éviter la misère: mais, du sein de cette misère qui l'englue,[13] il peut choisir de lutter contre toutes les formes de la misère, en son nom et en celui de tous les autres; il peut choisir d'être l'homme qui refuse que la misère soit le lot des hommes. . . .

[12] *angoisse:* anguish in the existentialist philosophical sense. It is the feeling of acute distress man experiences when he realizes that his existence is an effect of chance, that he moves with no divine pattern and that he cannot escape from the basic senselessness of existence.

[13] *du sein . . . englue:* from the heart of the misery in which he is trapped. *Glue,* a sticky semisolid, semiliquid substance, is a favorite Sartrean image for the amorphous "sticky," "sluggish" way in which we exist.

En ai-je dit assez pour faire comprendre que *l'existentialisme n'est pas une délectation morose mais une philosophie humaniste de l'action, de l'effort, du combat, de la solidarité?*

JEAN-PAUL SARTRE
in Gaëtan Picon, *Panorama de la Nouvelle Littérature Française*
(Gallimard)

QUESTIONS SUR *Défense de l'Existentialisme*

1. Qu'est-ce qui donne son nom à l'existentialisme?
2. Qu'est-ce qui explique l'angoisse éprouvée par l'existentialiste?
3. Quel est le sens du mot «désespoir» dans le vocabulaire existentialiste?
4. Pourquoi cette doctrine d'action semble-t-elle pessimiste à beaucoup de gens?
5. Pourquoi Jean-Paul Sartre peut-il qualifier sa philosophie d'humaniste?

Prométhée

PIERRE EMMANUEL *(b. 1916) is a brilliant and prolific poet and essayist who majored in philosophy and has taught literature both in France and in the United States. He began to make a name for himself as poet at the time of the occupation of France by the Germans in 1940, and was active in the resistance movement. He uses a richly rhetorical language and an imagery fusing together the great Christian and pagan myths which, he claims, live together in our imaginations. Prometheus is one of the Titans who stole the fire of Jupiter to give it to men so that they could move out of their miserable condition. Jupiter punished him by having him chained to a rock while a vulture fed off his liver. But Emmanuel uses the myth in a more intimate, more mystical sense.*

"Prométhée" is one short episode of the long poem Babel *(1952) which Pierre Emmanuel wrote in a difficult period of despair: "Je ne partageais l'optimisme de personne—mais je croyais en l'homme à ma façon: en l'essence humaine, indestructible, capable de souffrance infinie. Je me crus de taille à bâtir une épopée spirituelle de l'histoire humaine, non point dans sa nouveauté, mais dans sa sempiternelle répétition." Through the person of "l'homme", the voice of Prometheus calls to a hidden God in a moment of despair and revolt against his lot. This voice then seems to become the voice of the earth itself, heavy with "indestructible" man's "infinite suffering." After he has spoken with the voice of Prometheus, "l'homme" becomes "le berger", the shepherd, recalling Abel, recalling Christ, the man born with the love of men in him.*

Quand revenaient les lourds nuages, quand les larmes
Montant des mers[1] étaient chassées par le vent fort
L'homme disait: "Assez pleuré. Cette boue noire
Mes pieds ne s'en déprendront-ils?[2] M'as-tu donné
Ce champ pour y semer du froment, ou des larmes?
Le soir approche, et plus que mon jour[3] j'ai pleuré
Ma peine a détrempé la terre, et pas une herbe
Que mes yeux las n'aient engourdie de leur rosée,[4]
Donne-moi mon soleil avant la nuit![5] Transperce
Du même coup[6] ce coeur épais et ces nuées.
Efface de mon ciel ces corneilles criardes
Qui peuplent mes vergers rabougris par l'hiver:[7]
Suis-je un arbre à corbeaux,[8] ou un homme? Mes membres

[1] *larmes . . . mers:* i.e., the rain.

[2] *Cette boue . . . déprendront-ils?:* Will my feet never wrench themselves loose from the black mud?

[3] *plus que mon jour:* for a longer time than is my rightful lot.

[4] *pas une herbe . . . rosée:* there is not a blade of grass that my tired eyes have not benumbed with their dew (dew: i.e., tear-drops).

[5] *ma nuit:* before night (death) falls for me.

[6] *du même coup:* at one blow.

[7] *Efface . . . l'hiver:* Obliterate from my sky the squawking ravens peopling my orchards stunted by the winter.

[8] *Suis-je . . . corbeaux?:* Am I a tree for the use of ravens?

En ont assez de mettre en loques[9] le ciel bas.
Mais dussé-je écarter de mes mains ces nuages[10]
Et moi-même enfoncer tes serres dans mon foie,[11]
Eté! je connaîtrai ton étreinte"

Une corne

Triste résonne sur la lande. Prométhée
S'éteint[12] dans le berger qui sent le froid nocturne
Lentement bruiner sur ses épaules. Nul
Ne sait. Le dos s'affaisse un peu plus vers la terre
Sous la peau de mouton des nuages.[13] Il pleut.

Pierre Emmanuel
Babel
(Desclée de Brouwer)

[9] *Mes membres . . . loques:* My limbs are tired of tearing to shreds.

[10] *Mais dussé-je . . . nuages:* But even if I had to disperse these clouds with my own hands (imperfect subj.).

[11] *moi-même . . . foie:* myself thrust your claws into my liver. The light of God's presence wounds like the vulture's claws, but the poet desires the wound.

[12] *Prométhée s'éteint:* Prometheus fades away into the shepherd. The man for a brief moment spoke as witness of man's distress. Prometheus lived within him. This moment passes but he is left transformed. He has become "the shepherd."

[13] *Le dos . . . nuages:* The back stoops a little more toward the earth under the sheep-skin of the clouds.

13

RELIGION

Le catholicisme est la religion traditionnelle des Français. On se rappelle les Croisades, de la première, prêchée par Pierre l'Ermite, à la huitième et dernière menée par Saint Louis; les cathédrales alors toutes blanches élevées dans de nombreuses villes par la ferveur religieuse; Jeanne d'Arc, «alouette au ciel de France», entendant ses voix, délivrant le royaume, répondant à ses juges et, plus récemment, Sainte Bernadette à Lourdes, lieu célèbre de pèlerinages, et Sainte Thérèse à Lisieux.

Sur les 46 millions de Français, on compte environ 36 millions de baptisés catholiques, et parmi eux quelques 4 millions de pratiquants. Les premiers contribuent à donner au pays son atmosphère de vie religieuse, les seconds sont une minorité agissante dont la vie est ponctuée par confessions, communions, sacrements. La vie spirituelle des catholiques est entretenue par un clergé actif, séculier et régulier; les ordres les plus importants sont sans doute ceux des Jésuites et des Dominicains, les plus mêlés à la vie intellectuelle du pays. Ce sont eux, les Jésuites surtout, qui dirigent les universités catholiques et les écoles paroissiales; ces dernières sont très nombreuses, en particulier dans l'Ouest.

L'église catholique recrute un sur trois de ses missionnaires en France; ces hommes ont joué un rôle important également comme explorateurs, mais ils ont veillé avant tout à l'amélioration du sort des indigènes, tel le Père de Foucauld en Afrique. D'autres se consacrent à leur oeuvre parmi les déshérités de leur propre pays, comme l'Abbé Pierre qui suscita après la guerre un mouvement national pour loger les malheureux de «la zone», c'est-à-dire de terrains alors plus ou moins abandonnés à l'extérieur de Paris. Le rapprochement entre l'Eglise et les classes sociales les moins favorisées est une des tendances du catholicisme d'aujourd'hui. Il se manifeste aussi dans les bonnes œuvres, dans les hôpitaux et les orphelinats, dans les groupements de jeunesse, dans le syndicalisme chrétien, dans le mouvement des prêtres-ouvriers, assez controversé et enfin condamné par Rome. Ces prêtres passaient une partie de leur temps dans les usines comme de simples ouvriers et poursuivaient leur sacerdoce le reste du temps dans ce même milieu. Une action analogue continue cependant car, comme le dit François Mauriac, «il ne s'agit plus de délivrer le tombeau du Christ mais de délivrer le Christ lui-même, prisonnier d'une classe sociale privilégiée.»

L'église a ses défenseurs dans les assemblées politiques, grâce au parti du Mouvement Républicain Populaire, permettant le passage de certaines mesures comme l'aide financières aux écoles paroissiales. Elle est soutenue, dans toutes ses activités, par des pratiquants groupés dans «l'Action Catholique» qui soulage les membres du clergé surmenés et dont le recrutement est difficile.

La vitalité du catholicisme se montre dans la littérature; Péguy, Claudel, Bernanos, Mauriac, Emmanuel sont de grands écrivains catholiques, parmi d'autres. Les conversions d'hommes de lettres célèbres du vingtième siècle, Claudel et Péguy notamment, ont fait beaucoup de bruit. Elle se manifeste encore dans des œuvres nombreuses qui touchent à la philosophie ou à la science.

Les protestants, eux, sont à peu près un million. On les trouve à Paris, en Afrique du Nord, où ils exercent en général des professions libérales ou travaillent dans la banque et l'industrie. On les trouve aussi en Alsace et dans le Languedoc; c'est que la révocation de l'Edit de Nantes, mettant fin en 1685 à la liberté religieuse, ne s'appliquait pas à la province nouvellement acquise d'Alsace; quant au Languedoc, les résistants huguenots pouvaient se réfugier dans les montagnes des Cévennes pour échapper aux persécutions du roi Louis XIV.

Il y a environ 300.000 Juifs en France. Beaucoup sont partis pendant et après la dernière guerre, soit pour l'Amérique soit pour le nouvel Etat d'Israël. Ceux qui sont restés ont souffert, quand ils ont survécu à la persécution nazie; mais ils ont repris leur place, beaucoup plus grande que ne le ferait supposer leur nombre, dans les domaines de la pensée, de la finance et du commerce.

Il reste en France un certain nombre de gens qui ne croient pas en Dieu. Il y en a même dans ces 36 millions de baptisés catholiques déjà mentionnés; pour eux la première communion des enfants, par exemple, est un geste, une tradition, une fête de famille plutôt qu'un acte de foi. Un certain anticléricalisme se faisait sentir en France après la Révolution de 1789. Il y avait chez beaucoup de Français, même catholiques, une hostilité à l'influence qu'exerçait l'Eglise dans l'Etat et une résistance à la police des esprits et des mœurs par le catholicisme. Ce sentiment s'est atténué depuis la séparation de l'Eglise et de l'Etat en 1905, séparation par laquelle le clergé a perdu la subvention du gouvernement, mais a gagné en prestige et en indépendance. Cependant, nous ne trouvons certes plus en France l'unanimité du Moyen Age, quand le peuple entier se sentait en sécurité dans sa cathédrale. Trop de choses se sont passées depuis. Il y a eu le rationalisme. Diverses crises ont fait penser à bon nombre de Français, avec le philosophe allemand Nietzsche, à la fin du dix-neuvième siècle, que «Dieu est mort». Ceux qui ne croient pas essaient de combler le vide laissé par cette absence par la dévotion à d'autres idées, secondaires aux yeux des chrétiens, mais qui ont certainement leur valeur.

QUESTIONS

1. Quelles sont les grandes religions du monde et quelles sont leurs caractéristiques?
2. Comment peut-on prouver l'existence de Dieu?
3. La séparation de l'Eglise et de l'Etat est-elle un bien?

French Embassy—Press and Information Division

La Terre, tapisserie de Gromaire

French Embassy—Press and Information Division

L'autel et le chemin de croix de la chapelle de Matisse à Vence

French Cultural Services

L'ÉGLISE DE RONCHAMP

French Embassy—Press and Information Division

La Danseuse DE JACQUES LIPCHITZ

4. L'instruction religieuse devrait-elle être obligatoire dans les écoles publiques?
5. Y a-t-il un conflit entre la science et la religion?
6. Sur quoi reposent les différences entre les diverses sectes protestantes en Amérique?
7. Quelle part les églises doivent-elles faire aux activités sociales?
8. Quels sont les rapports entre la religion et la morale?
9. L'homme peut-il vivre sans religion?

Ma Conversion

PAUL CLAUDEL *(1868–1955), besides having made a career as an ambassador, is one of the most vigorous and prolific literary masters of the century and a poet and playwright of great stature. He became converted to catholicism in 1886 and always considered his writing as a glorification of God's greatness.*

Tel était le malheureux enfant[1] qui, le 25 décembre 1886, se rendit à Notre-Dame de Paris pour y suivre les offices de Noël. Je commençais alors à écrire et il me semblait que dans les cérémonies catholiques, considérées avec un dilettantisme supérieur, je trouverais un excitant approprié et la matière de quelques exercices décadents.[2] C'est dans ces dispositions que, coudoyé et bousculé par la foule, j'assistai, avec un plaisir médiocre, à la grand'messe. Puis, n'ayant rien de mieux à faire, je revins aux vêpres. Les enfants

[1] Allusion to Claudel himself, who was eighteen at the time, who felt that, in the universe of material determinism, his life made no sense. He was deeply disturbed by what was later to be called the sense of the "absurd," the meaningless quality of individual lives.

[2] *décadents:* the self-styled "décadents" were a group of writers who in the 1880's reacted against naturalism, developing somewhat artificial types of æstheticism.

de la maîtrise[3] en robes blanches et les élèves du petit séminaire de Saint-Nicolas-du-Chardonnet[4] qui les assistaient, étaient en train de chanter ce que je sus plus tard être le *Magnificat*.[5] J'étais moi-même debout dans la foule, près du second pilier à l'entrée du chœur, à droite du côté de la sacristie. Et c'est alors que se produisit l'événement qui domine toute ma vie. En un instant, mon cœur fut touché et *je crus*. Je crus d'une telle force[6] d'adhésion, d'un tel soulèvement de tout mon être, d'une conviction si puissante, d'une telle certitude ne laissant place à aucune espèce de doute, que, depuis, tous les livres, tous les raisonnements, tous les hasards d'une vie agitée, n'ont pu ébranler ma foi, ni, à vrai dire, la toucher. J'avais eu tout à coup le sentiment déchirant de l'innocence, de l'éternelle enfance de Dieu, une révélation ineffable. En essayant, comme je l'ai fait souvent, de reconstituer les minutes qui suivirent cet instant extraordinaire, je retrouve les éléments suivants qui cependant ne formaient qu'un seul éclair, une seule arme, dont la Providence divine se servait pour atteindre et s'ouvrir enfin le cœur d'un pauvre enfant désespéré: «Que les gens qui croient sont heureux! Si c'était vrai pourtant? *C'est vrai!* Dieu existe, il est là. C'est quelqu'un, c'est un être aussi personnel que moi! Il m'aime, il m'appelle.» Les larmes et les sanglots étaient venus et le chant si tendre de l'*Adeste*[7] ajoutait encore à mon émotion.

PAUL CLAUDEL
Contacts et Circonstances
(Gallimard)

[3] *la maîtrise:* the school attached to Notre-Dame in which children are trained to become choirboys.

[4] *petit . . . Saint-Nicolas-du Chardonnet:* the "séminaire" is a school for future priests: the "petit séminaire" is the school for the younger boys. Saint-Nicolas-du-Chardonnet is in the center of Paris not far from Notre-Dame.

[5] *Magnificat:* the hymn of the Virgin Mary; "My soul does magnify the Lord" (Luke I:45–55); always sung at vespers.

[6] *Je crus d'une telle force . . . :* sentence structure: Je crus d'une telle force . . . que depuis tous les livres . . . n'ont pu ébranler ma foi ni . . . la toucher; *d'une telle force,* etc.: with such force, so great an exaltation of all my being, so powerful a conviction, so great a certainty that left no place for any kind of question that . . .

[7] *Adeste:* "Adeste fideles": the hymn "O come all ye faithful": one of the most popular Christmas hymns.

QUESTIONS SUR *Ma Conversion*

1. Pourquoi Claudel parle-t-il de lui-même comme d'un malheureux enfant?
2. Pourquoi est-il allé à Notre-Dame ce jour de Noël?
3. Comment a-t-il été touché par la Grâce?
4. Qu'est-ce qui peut arriver à ébranler la foi des croyants?
5. Connaissez-vous d'autres exemples de conversions célèbres et leurs circonstances?

Huguenots des Cévennes[1]

ANDRÉ GIDE *(see page 16) is a Protestant of Huguenot descent.*

Je partis sur la route, au hasard, et me décidai à frapper à la porte d'un *mas* assez grand, d'aspect propre et accueillant. Une femme m'ouvrit, à qui je racontai que je m'étais perdu, que d'être sans argent ne m'empêchait pas d'avoir faim et que peut-être on serait assez bon pour me donner à manger et à boire. . . .

Cette femme qui m'avait ouvert ajouta vite un couvert à la table déjà servie. Son mari n'était pas là; son vieux père, assis au coin du feu, car la pièce servait également de cuisine, était resté penché vers l'âtre sans rien dire, et son silence, qui me paraissait réprobateur, me gênait. Soudain, je remarquai sur une sorte d'étagère une grosse Bible, et, comprenant que je me trouvais chez des protestants, je leur nommai celui que je venais d'aller voir. Le vieux se redressa tout aussitôt; il connaissait mon cousin le pasteur; même il se souvenait fort bien de mon grand-père. La manière dont il m'en parla me fit comprendre quelle abnégation, quelle bonté pouvait habiter la plus rude enveloppe, aussi bien chez mon grand-père que

[1] *Cévennes:* Mountains to the west of the Rhône where the Huguenots sought refuge and fought the troops of Louis XIV.

chez ce paysan lui-même, à qui j'imaginais que mon grand-père avait dû ressembler, d'aspect extrêmement robuste, à la voix sans douceur mais vibrante, au regard sans caresse mais droit.

Cependant les enfants rentraient du travail, une grande fille et trois fils; plus fins, plus délicats que l'aïeul; beaux, mais déjà graves et même un peu froncés.[2] La mère posa la soupe fumante sur la table, et comme à ce moment je parlais, d'un geste discret elle arrêta ma phrase, et le vieux dit le bénédicité.

Ce fut pendant le repas qu'il me parla de mon grand-père; son langage était à la fois imagé et précis; je regrette de n'avoir pas noté de ses phrases. Quoi! ce n'est là, me redisais-je, qu'une famille de paysans! quelle élégance, quelle vivacité, quelle noblesse, auprès de nos épais cultivateurs de Normandie! Le souper fini, je fis mine de[3] repartir; mais mes hôtes ne l'entendaient[4] pas ainsi. Déjà la mère s'était levée; l'aîné des fils coucherait avec un de ses frères; j'occuperais sa chambre et son lit, auquel elle mit des draps propres, rudes et qui sentaient délicieusement la lavande. La famille n'avait pas l'habitude de veiller tard, ayant celle de se lever tôt; au demeurant je pourrais rester à lire s'il me plaisait.

—«Mais, dit le vieux, vous permettrez que nous ne dérangions pas nos habitudes—qui ne seront pas pour vous étonner, puisque vous êtes le petit de Monsieur Tancrède.»

Alors il alla chercher la grosse Bible que j'avais entrevue, et la posa sur la table desservie. Sa fille et ses petits-enfants se rassirent à ses côtés devant la table, dans une attitude recueillie qui leur était naturelle. L'aïeul ouvrit le livre saint et lut avec solennité un chapitre des évangiles, puis un psaume; après quoi chacun se mit à genoux devant sa chaise, lui seul excepté, que je vis demeurer debout, les yeux clos, les mains posées à plat sur le livre refermé. Il prononça une courte prière d'action de grâces, très digne, très

[2] *froncés:* stern. Cf. les sourcils froncés: frowning.

[3] *je fis mine de:* I made a move to.

[4] *mais . . . ne l'entendaient pas ainsi:* idiomatic; but my hosts did not intend that I should leave.

simple et sans requêtes, où je me souviens qu'il remercia Dieu de m'avoir indiqué sa porte, et cela d'un tel ton que tout mon coeur s'associait à ces paroles. Pour achever, il récita «Notre Père»; puis il y eut un instant de silence, après quoi seulement chacun des enfants se releva. Cela était si beau, si tranquille, et ce baiser de paix si glorieux, qu'il posa sur le front de chacun d'eux ensuite, que, m'approchant de lui moi aussi, je tendis à mon tour mon front.

Ceux de la génération de mon grand-père gardaient vivant encore le souvenir des persécutions qui avaient martelé[5] leurs aïeux, ou du moins certaine tradition de résistance; un grand raidissement intérieur leur restait de ce qu'on avait voulu les plier.[6] Chacun d'eux entendait distinctement le Christ lui dire, et au petit troupeau tourmenté: —«Vous êtes le sel de la terre; or si le sel perd sa saveur, avec quoi la lui rendra-t-on?» . . .

Et il faut reconnaître que le culte protestant de la petite chapelle d'Uzès[7] présentait, du temps de mon enfance encore, un spectacle particulièrement savoureux. Oui, j'ai pu voir encore les derniers représentants de cette génération de tutoyeurs de Dieu[8] assister au culte avec leur grand chapeau de feutre sur la tête, qu'ils gardaient durant toute la pieuse cérémonie, qu'ils soulevaient au nom de Dieu, lorsque l'invoquait le pasteur, et n'enlevaient qu'à la récitation de «Notre Père». . . . Un étranger s'en fût scandalisé comme d'un irrespect, qui n'eût pas su[9] que ces vieux huguenots gardaient ainsi la tête couverte en souvenir des cultes en plein air et sous un ciel torride, dans les replis secrets des garrigues,[10] du temps que le

[5] *qui avaient martelé:* which had battered; *marteler:* from *marteau:* a hammer.

[6] *un grand . . . plier:* they had kept a great inner strength because of the attempt made to break them.

[7] *Uzès:* a small town just south of the Cévennes.

[8] *tutoyeurs de Dieu:* men who said "tu" to God, a distinctive sign which sets the Protestants apart from the Catholics.

[9] *Un étranger s'en fût scandalisé . . . qui n'eût pas su:* A stranger might have been scandalised if he had not learned.

[10] *des garrigues: low hills in the Languedoc;* see note 5, page 16.

service de Dieu selon leur foi présentait, s'il était surpris, un inconvénient capital.

ANDRÉ GIDE
Si le Grain ne Meurt
(Gallimard)

QUESTIONS SUR *Huguenots des Cévennes*

1. De quelle sorte de paysans s'agit-il dans ce texte?
2. Cette habitude de lire la Bible en famille chaque soir est-elle fréquente aux Etats-Unis?
3. Une telle atmosphère d'amour et de paix est-elle possible dans une famille qui n'est pas religieuse?
4. D'où vient ce raidissement intérieur des Protestants?
5. A quand remonte la tradition de résistance dont parle Gide?
6. Connaissez-vous d'autres exemples de persécution religieuse?

L'Incroyant et les Chrétiens

ALBERT CAMUS *(see p. 99) was a declared atheist. This passage is taken from a lecture he gave in 1948 to a group of Dominicans.*

Ne me sentant en possession d'aucune vérité absolue et d'aucun message, je ne partirai jamais du principe que la vérité chrétienne est illusoire, mais seulement de ce fait que je n'ai pu y entrer. . . .

Je n'essaierai pas de modifier rien de ce que je pense ni rien de ce que vous pensez afin d'obtenir une conciliation qui nous serait agréable à tous. Au contraire, ce que j'ai envie de vous dire aujourd'hui, c'est que le monde a besoin de vrai dialogue, que le contraire du dialogue est aussi bien le mensonge que le silence et qu'il n'y a donc de dialogue possible qu'entre des gens qui restent ce qu'ils sont et qui parlent vrai. Cela revient à dire[1] que le monde d'aujourd'hui réclame des chrétiens qu'ils restent des chrétiens. . . . Je n'essaierai pas pour ma part de me faire chrétien devant vous. Je partage avec vous la même horreur du mal. Mais je ne partage pas votre espoir et je continue à lutter contre cet univers où des enfants souffrent et meurent. . . .

De quel droit un chrétien ou un marxiste m'accuserait-il pessimisme? Ce n'est pas moi qui ai inventé la misère de la créature ni les terribles formules de la malédiction divine. Ce n'est pas moi qui ai crié ce *Nemo bonus,*[2] ni la damnation des enfants sans baptême. Ce n'est pas moi qui ai dit que l'homme était incapable de se sauver tout seul et que du fond de son abaissement il n'avait d'espérance que dans la grâce de Dieu. Quant au fameux optimisme marxiste! Personne n'a poussé plus loin la méfiance à l'égard de l'homme et finalement les fatalités économiques de cet univers apparaissent plus terribles que les caprices divins.

Les chrétiens et les communistes me diront que leur optimisme est à plus longue portée,[2] qu'il est supérieur à tout le reste et que Dieu ou l'histoire, selon les cas, sont les aboutissants satisfaisants de leur dialectique. J'ai le même raisonnement à faire. Si le christianisme est pessimiste quant à l'homme, il est optimiste quant à la destinée humaine. Eh bien! je dirai que pessimiste quant à la destinée humaine, je suis optimiste quant à l'homme. Et non pas au nom d'un humanisme qui m'a toujours paru court,[4] mais au nom d'une ignorance qui essaie de ne rien nier.

Cela signifie donc que les mots pessimisme et optimisme ont besoin d'être précisés et qu'en attendant de pouvoir le faire, nous devons reconnaître ce qui nous rassemble plutôt que ce qui nous sépare.

[1] *Cela revient à dire:* This means only that.
[2] *Nemo bonus:* No one is good.
[3] *à plus longue portée:* greater in scope.
[4] *qui . . . court:* which has always seemed to me to fall short.

Nous sommes devant le mal. Et pour moi il est vrai que je me sens un peu comme cet Augustin d'avant le christianisme[5] qui disait: «Je cherchais d'où vient le mal et je n'en sortais pas.» Mais il est vrai aussi que je sais, avec quelques autres, ce qu'il faut faire, sinon pour diminuer le mal, du moins pour ne pas y ajouter. . . .

Entre les forces de la terreur et celles du dialogue, un grand combat inégal est commencé. Je n'ai que des illusions raisonnables sur l'issue de ce combat. Mais je crois qu'il faut le mener et je sais que des hommes, du moins, y sont décidés. Je crains simplement qu'ils se sentent un peu seuls, et qu'à deux millénaires d'intervalle[6] nous risquions d'assister au sacrifice plusieurs fois répété de Socrate.[7] Le programme pour demain est la cité du dialogue, ou la mise à mort solennelle et significative des témoins du dialogue. . . .

Et ce que je sais, et qui fait parfois ma nostalgie, c'est que si les chrétiens s'y décidaient,[8] des millions de voix, des millions vous entendez, s'ajouteraient dans le monde au cri d'une poignée de solitaires, qui sans foi ni loi,[9] plaident aujourd'hui un peu partout et sans relâche, pour les enfants et pour les hommes.

ALBERT CAMUS
Actuelles
(Gallimard)

QUESTIONS SUR *L'Incroyant et les Chrétiens*

1. De quel dialogue Camus dit-il que le monde a besoin?
2. Pourquoi est-ce une question de vie ou de mort?
3. Pourquoi l'auteur se révolte-t-il devant l'univers?
4. Qu'est-ce qui lui fait repousser le catholicisme? et le marxisme?
5. Quel espoir reste à l'homme, selon Albert Camus?

[5] *Augustin . . . christianisme:* Saint Augustine before his conversion.
[6] *à deux . . . intervalle:* after an interval of two thousand years.
[7] *Nous risquions . . . Socrate:* We may well witness the sacrifice of Socrates, repeated many times over. Allusion to the death of Socrates condemned by the judges of Athens to take poison.
[8] *s'y décidaient:* would make up their minds.
[9] *sans foi ni loi:* without benefit of belief or law; (idiomatic: with no regard for law or gospel).

◆◆

Magnificat (Fragment)

PAUL CLAUDEL *(see page 175 for biographical sketch).*

The Magnificat *is the third of the five great odes Claudel wrote between 1905–10. The Magnificat is the hymn sung by the Virgin Mary giving thanks to God because she is bearing the Christ-child (Luke I:46–55) who has come to deliver the earth from sin and death. This theme of deliverance from sin and death is Claudel's own all through the ode, in which he enumerates the various forms of deliverance granted him. In this fragment he recalls the conversion which delivered him from the "false gods," sensual or intellectual, which he enumerates either by recalling pagan gods or by listing the abstract ideals dear to the nineteenth century. These Claudel describes as man's creations and their emptiness calls forth the supreme Void, "l'esprit immonde," Satan himself. To these "dead gods" Claudel compares the "living God," who gives to all things, the poet among them, their rightful place and function in His creation.*

Soyez béni, mon Dieu, qui m'avez délivré des idoles,
Et qui faites que je n'adore que Vous seul, et non point
  Isis et Osiris,[1]
Ou la Justice, ou le Progrès, ou la Vérité, ou la Divinité,
  ou l'Humanité, ou les Lois de la Nature, ou l'Art, ou la
    Beauté,
Et qui n'avez pas permis d'exister à toutes ces choses qui
  ne sont pas, ou le Vide laissé par votre absence.
Comme le sauvage qui se bâtit une pirogue et qui de
  cette planche en trop[2] fabrique Apollon,

[1] *Isis et Osiris:* Egyptian gods.
[2] *de cette planche en trop:* with the piece of wood which is left over . . .

Ainsi tous ces parleurs de paroles du surplus de leurs adjectifs se sont fait des monstres sans substance,[3]

Plus creux que Moloch,[4] mangeurs de petits enfants, plus cruels et plus hideux que Moloch.

Ils ont un son et point de voix, un nom et il n'y a point de personne,

Et l'esprit immonde est là, qui remplit les lieux déserts et toutes les choses vacantes.

Seigneur, vous m'avez délivré des livres et des Idées, des Idoles et de leurs prêtres,

Et vous n'avez point permis qu'Israël serve sous le joug des Efféminés.

Je sais que vous n'êtes point le dieu des morts, mais des vivants.

Je n'honorerai point les fantômes et les poupées,
ni Diane,[5] ni le Devoir, ni la Liberté et le boeuf Apis.[6]

Et vos «génies», et vos «héros», vos grands hommes et vos surhommes, la même horreur de tous ces défigurés.

Car je ne suis pas libre entre les morts,

Et j'existe parmi les choses qui sont et je les contrains à m'avoir indispensable.[7]

Et je désire de n'être supérieur à rien, mais un homme *juste*.

Juste comme vous êtes parfait, juste et vivant parmi les autres esprits réels.

PAUL CLAUDEL
Cinq Grandes Odes
(Gallimard)

[3] *Ainsi . . . sans substance:* sentence structure: tous ces parleurs . . . se sont fait des monstres . . . du surplus de leurs adjectifs.

[4] *Moloch:* God of the Ammonites, he had a man's body and the head of a bull. Children were sacrificed to him in burnt offerings.

[5] *Diane:* Goddess of the moon. The Roman counterpart of the Greek Artemis.

[6] *Apis:* sacred bull, considered by the Egyptians as the most complete expression of divinity in an animal form.

[7] *je . . . indispensable:* and I oblige them to admit me as an indispensable part of what exists.

14

ARTS

Les origines de la peinture française moderne remontent à la fin du XIXième siècle. Les grands impressionnistes essaient de fixer la lumière qui transfigure les choses, dissolvent le monde extérieur dans des vibrations colorées et se plaisent à peindre le jeu des eaux. Viennent ensuite Van Gogh et Gauguin: ils veulent avant tout obtenir un effet, plutôt que reproduire le monde autour d'eux; Gauguin exprime souvent un calme exotique plein de mystère, Van Gogh une violence frénétique. Enfin Cézanne retrouve dans le midi la solidité du roc et cherche moins à rendre la vibration que l'espace, le volume.

Après eux, il ne s'agit plus de représenter un objet, mais de «faire une peinture», d'exprimer une vérité subjective, celle qui importe au peintre soucieux de lever «le terrible doute des apparences». Il ne faut plus évoquer la nature mais organiser de façon plastique le tableau que l'un de ces peintres définissait «une surface plane recouverte de couleurs en un certain ordre assemblées». Il faut toucher par une combinaison de lignes, de formes, de couleurs la sensibilité d'un public qui n'est pas toujours prêt à suivre l'artiste dans ce nouveau monde. Monde d'autant plus étrange que les peintres antinaturalistes cherchent des inspirations dans les arts de tous les pays, primitifs surtout, et découvrent des génies négligés jusqu'alors. La vie à Paris est, d'autre part, si libre et stimulante qu'une quantité d'étrangers viennent s'y instruire en même temps qu'ils lui apportent leurs façons exotiques de voir et de penser; le plus célèbre de ces peintres est sans doute Picasso.

Au début de ce siècle, vers 1906, une des premières écoles est celle des «Fauves», qui emploient des couleurs violentes et arbitraires qu'ils appliquent parfois directement sur la toile. Les grands noms du fauvisme sont Derain, Vlaminck et surtout Matisse, qui fut leur chef. Dès ses débuts, Matisse exprime la joie de vivre, pour reprendre le titre d'un de ses premiers tableaux, qui fit scandale; il peint avec une facilité apparente qui séduit mais qui cache beaucoup d'art, d'expérience et de travail. L'élégance de ses compositions, la musique des lignes et des couleurs, l'émotion devant la nature transformée en de belles constructions décoratives font de lui un des grands artistes d'inspiration méditerranéenne.

Les cubistes qui viennent alors, vers 1910, réagissent autant contre les dissolutions impressionnistes que contre les premiers excès du sensualisme des Fauves et ils se séparent de plus en plus de la nature où ils ne puisent que quelques suggestions. Comme Cézanne, ils introduisent la rigueur de composition, la géométrie dans la peinture. Leur problème principal est de représenter le volume, ce qui n'est pas facile quand on travaille sur la surface plane d'un tableau. Un peintre tel que Braque cherche à suggérer ce volume de diverses manières; s'il veut représenter un violon, par exemple, il en donne les morceaux épars sur des plans différents qui donnent à penser qu'il y a profondeur; ou bien il tourne autour du modèle qu'il nous montre simultanément de profil et de face; ou encore il joue avec la lumière, prenant le contre-pied de la réalité et mettant dans l'ombre ce qui devrait être éclairé par une source de lumière. Ses tableaux nous révèlent la forme, la structure des objets et ont un grand pouvoir de suggestion et d'émotion.

D'autres peintres français sont assez connus aux Etats-Unis: Rouault, dont les tableaux, aux traits énormes, ont un peu la technique des vitraux; c'est un visionnaire religieux au lieu du satiriste qu'il fut à ses débuts; Dufy, qui dessinait aussi pour les grands couturiers, dont les scènes colorées de fêtes, de régates, de courses donnent une impression de grâce et de fraîcheur; Utrillo, le peintre des rues de Montmartre; Jacques Villon dont les cubes ont fait place à une manière plus directe d'exprimer le plaisir de vivre; Léger, chantre de la machine et des objets industriels réduits à leur schéma géométrique et coloré, dont deux fresques décorent une salle des Nations-Unies à New York.

Parmi les artistes de la génération suivante, il est difficile de choisir. Les écoles sont nombreuses—celle de Paris étant la plus célèbre—et les tempéraments encore davantage. Certains des plus connus sont André Manessier, aux sujets religieux, aimant les couleurs vives, Gromaire dont les formes pleines et rudes, dans des sujets qui expriment souvent une préoccupation sociale, s'accompagnent des plus chauds coloris, Soutine et Buffet dont l'oeuvre dit les souffrances et la révolte, Soutine employant des couleurs violentes qu'il a plaisir à manipuler, Buffet surtout des blancs et des noirs car il rejette les couleurs comme incongrues à son époque, Dubuffet enfin qui préconise l'art «brut» et dont les compositions d'apparence naïve sont très curieuses.

S'il n'y a plus maintenant de centre des artistes à Paris, comme le furent autrefois Montmartre et Montparnasse, il y a toujours une vie artistique très riche. Elle se manifeste surtout par les œuvres, mais aussi par le grand nombre de revues consacrées à l'art; par les sociétés et groupes d'artistes et d'amateurs; par les salons ou expositions où les tableaux peuvent se voir et les galeries où ils peuvent s'acheter; par les écoles proprement dites dont celle des Beaux-Arts est la mieux connue; par les prix qui récompensent et encouragent les artistes; par les musées enfin, entretenus par l'Etat ou par les villes de province et dont les plus célèbres sont, à Paris, ceux du Louvre et le Musée d'Art Moderne.

La sculpture, pour diverses raisons, ne tient pas une très grande place dans l'art contemporain. Les particuliers s'y intéressent moins qu'à la peinture; elle dépend trop, pour vivre, d'un bon éclairage, et sa matière est pesante et coûteuse. Depuis l'illustre et lyrique Rodin, les sculpteurs les plus connus sont Bourdelle qui a ramené la sculpture à l'architecture, Maillol dont les fortes statues expriment la beauté, la santé, l'harmonie du midi, l'élégant Despiau, Giacometti, Lipschitz, Laurens et Germaine Richier aux oeuvres dépouillées et prenantes.

En architecture, ce sont surtout les entreprises d'utilité générale qui marquent l'époque à la recherche d'un nouvel espace cosmique: usines, gares, stades, musées, aéroports, grands magasins, ponts, cités nouvelles. C'est ainsi que, grâce au béton et au verre, Auguste Perret a refait le port et la ville du Havre, détruits par la guerre, et Le Corbusier un quartier de Marseille et de Nantes. Avec eux le logement n'est plus une «boîte à loyers» mais c'est «la maison des hommes», avec un espace intérieur bien aménagé, du confort, de la lumière, du soleil, de la verdure et du calme. Un aspect important de l'architecture est la construction de nombreuses églises modernes; certaines d'entre elles sont particulièrement connues, comme celles de Ronchamp dans le Jura, d'Assy dans les Alpes ou de Vence dans le midi parce que des artistes célèbres, pas tous catholiques, y ont aussi apporté leurs contributions.

Il y a encore les arts du feu, verrerie, porcelaine, poterie, vitrail, la tapisserie, le décor de théâtre, la reliure, l'illustration du livre, l'affiche, la photographie; ils tiennent une place importante dans le tableau de l'art français.

QUESTIONS

1. Pourquoi l'art moderne est-il souvent difficile à apprécier?
2. Naît-on artiste ou peut-on le devenir?
3. L'art moderne a-t-il sa place dans les églises?
4. Connaissez-vous de célèbres femmes-peintres?
5. Les Etats-Unis sont-ils plutôt un pays de savants ou d'artistes et pourquoi?
6. Quel est votre peintre préféré et pourquoi?
7. Quelle place l'art a-t-il dans votre vie?
8. Quelles nouveautés les architectes ont-ils apportées aux constructions modernes?
9. La photographie est-elle un art?

L'Art

ANDRÉ MALRAUX *(b. 1901), adventurer, statesman and one of the outstanding French novelists of our time, has long meditated on the strengths and weaknesses of our civilization. Since 1945 he has concentrated on the study of art, a theme which has never been absent from his novels.* The Walnut Trees of the Altenburg *is the first part of an unfinished novel. The second part was destroyed in manuscript by the Germans.*

The scene is set in Alsace, before 1914. A group of German intellectuals are discussing the problem of art, of its meaning, of its resistance to time. Walter, in this passage, develops an idea which Malraux has often expressed. In each civilization artists inherit certain forms, certain styles. But they modify them in order to create an image of man latent in their civilization. These images transcend the laws of nature and seem to express the power man has to escape from his subjection to the laws of nature, by "humanizing" the world, that is by making it submit to the exigencies of an art which the artist controls. Art, therefore, seems to point to some quality in man which separates him from the rest of nature and gives him a privileged place in the universe.

. . . Mais déjà Walter[1] avait repris l'étrange ton de dédain qui semblait s'adresser, par delà[2] mon père, à quelque interlocuteur invisible:

«—Les amants comblés—[3] on dit: comblés, je crois? — opposent l'amour à la mort. Je ne l'ai[4] pas éprouvé. Mais je sais que certaines œuvres résistent au vertige qui naît de la contemplation de nos

[1] *Walter:* one of the characters in the novel who is something of a philosopher.

[2] *par delà:* beyond.

[3] *comblés:* combler: literally: to fill to capacity. Here it means lovers who are completely happy.

[4] *l'ai:* l': cela (que l'amour est plus fort que la mort).

morts, du ciel étoilé, de l'histoire . . . Il y en a quelques-unes[5] ici. Non, pas ces gothiques;[6] vous . . . connaissez la tête de jeune homme du musée de l'Acropole?[7] La première sculpture qui ait représenté un visage humain, simplement un visage humain; libéré des monstres . . . de la mort . . . des dieux. Ce jour-là, l'homme aussi a tiré l'homme de l'argile . . . Cette photographie, là, derrière vous.[8] Il m'est advenu[9] de la contempler après avoir longuement regardé dans un microscope . . . Le mystère de la matière ne l'atteint pas.»[10]

L'infime et vaste crissement de la pluie de plus en plus fine sur les feuilles, semblable au bruit du papier brûlé qui se défroisse, venait du dehors; la grosse goutte continuait à se former, à sonner en tombant dans une flaque, régulièrement. La voix de Walter devint plus retranchée[11] encore:

«—Le plus grand mystère n'est pas que nous soyons jetés au hasard entre la profusion de la matière et celle des astres; c'est que, dans cette prison, nous tirions de nous-mêmes des images assez puissantes pour nier notre néant.» . . .

—Nous savons, reprit mon père, que nous n'avons pas choisi de naître, que nous ne choisirons pas de mourir. Que nous n'avons pas choisi nos parents. Que nous ne pouvons rien contre le temps. Qu'il y a entre chacun de nous et la vie universelle, une sorte de . . . crevasse. Quand je dis que chaque homme ressent avec force la présence du destin, j'entends[12] qu'il ressent—et presque toujours

[5] *quelques-unes:* de ces œuvres.

[6] *gothiques:* ces œuvres gothiques: belonging to the Gothic or Medieval style.

[7] *L'Acropole:* The Acropolis in Athens.

[8] *Cette . . . derrière vous:* Malraux writes in an elliptic style, i.e., look at that photograph there behind you.

[9] *Il m'est advenu:* advenir: to happen. I have sometimes happened to contemplate it.

[10] *Le mystère . . . pas:* Mystery does not destroy it; *atteindre:* to touch or wound. In other words the human face as it has been sculptured by the Greek artist keeps its strength and its unity, that are not destroyed by the findings of modern biology. Cf. Rostand, page 149.

[11] *La voix . . . retranchée:* Walter's voice now sounded still farther withdrawn.

[12] *j'entends:* I mean.

tragiquement, du moins à certains instants—l'indépendance du monde à son égard. . . .[13]

«Notre art me paraît une rectification du monde, un moyen d'échapper à la condition d'homme. La confusion capitale me paraît venir de ce qu'on a cru[14]—dans l'idée que nous nous faisons de la tragédie grecque c'est éclatant![15]—que représenter une fatalité était la subir.[16] Mais non! c'est presque la posséder.[17] Le seul fait de pouvoir la représenter,[18] de la concevoir, la fait échapper au[19] vrai destin, à l'implacable échelle divine, la réduit à l'échelle humaine. Dans ce qu'il a d'essentiel, notre art est une humanisation du monde.»

André Malraux
Les Noyers de l'Altenburg
(Gallimard)

QUESTIONS SUR *L'Art*

1. Pourquoi dit-on que l'amour est plus fort que la mort?
2. Qu'est-ce qui a donné ce même sentiment à Walter?
3. A qui André Malraux compare-t-il l'artiste?
4. A quelle prison fait-il allusion?
5. Quelle est la fonction de l'art selon André Malraux?

[13] *à son égard:* with regard to him.
[14] *La confusion . . . on a cru:* The initial error seems to me to have originated in our belief that.
[15] *dans l'idée . . . éclatant:* it is blindingly obvious in our interpretation of Greek tragedy.
[16] *que représenter . . . subir:* that to depict fatality is to submit to it.
[17] *c'est . . . la posséder:* it is almost to possess it (the fatality): Art is our way of escaping from "necessity" or fate, because, through art we can conceive and therefore control and rise above the laws that determine our fate.
[18] *Le seul . . . . représenter:* The very fact that we can depict it (fatality).
[19] *la fait échapper au:* insures its evasion out of.

La Peinture Moderne

JEAN PAULHAN *(b. 1884) is a poet and critic, director of the distinguished literary review* La Nouvelle Nouvelle Revue Française, *the successor of the famous* Nouvelle Revue Française *of which he was also director.*

Parmi les reproches que l'on adresse chaque jour à la peinture moderne, la plupart[1] sont trop bêtes pour valoir qu'on s'y attarde[2] plus d'un instant. Le monsieur qui trouve, par exemple, qu'on ne doit pas peindre de cubes, de vaches vertes ni de femmes à pinces de crabe[3] parce que les femmes ont de jolies petites mains et que les cubes et les vaches vertes ne se voient pas[4] dans la nature, ce monsieur ne mérite même pas qu'on lui fasse une réponse sérieuse. Autant vaudrait[5] reprocher à Fra Angelico d'avoir peint des anges, à Delacroix la Liberté.[6] Soit,[7] il n'existe pas d'anges, ni de Liberté, si l'on veut. Non. Mais il se passe dans la nature des événements si étranges[8] qu'il faudrait, à défaut de Liberté, renoncer à y rien comprendre;[9] et qui ne s'est jamais senti pousser des plumes dans le dos,[10] tant pis pour lui. Or, la peinture est précisément faite pour

[1] *la plupart:* la plupart de ces reproches.
[2] *pour valoir qu'on s'y attarde:* to be worth lingering over.
[3] *femmes à pinces de crabe:* women with crab's claws.
[4] *ne se voient pas:* translate with the passive form: cannot be seen.
[5] *Autant vaudrait:* You might as well.
[6] *Fra Angelico* (1387–1455): known as the Painter of the Angels. He painted many biblical scenes in delicate and clear colors. *Eugène Delacroix* (1798–1863): was the most vigorous of the Romantic artists. He painted an allegoric "Freedom Guiding the People," commemorating the revolution of 1830.
[7] *Soit:* Let us admit it.
[8] *Mais il se passe . . . étranges:* mais des événements si étranges se passent (take place).
[9] *qu'il faudrait . . . comprendre:* that, if there were no such thing as freedom, one would have to give up trying to understand anything.
[10] *et qui . . . dos:* et celui qui n'a jamais senti des plumes lui pousser dans le dos (growing out of his back).

nous rappeler ces événements: pour nous permettre d'y croire. Je ne sais s'il y a trop de tableaux dans le monde, je ne le crois pas. Mais n'y en eût-il qu'un seul,[11] on y verrait un ange à cheval sur une vache verte, et les plus modestes graffiti,[12] comme l'on sait, prêtent des ailes à ce qui n'en a pas.

Et pourtant, il y a une âme de vérité dans ces reproches absurdes: il est bien vrai que la peinture moderne a son danger, et son défaut: elle a certes raison de peindre des vaches vertes ou des cubes. Mais peut-être s'en contente-t-elle[13] un peu plus qu'il ne faudrait. Avec trop d'insistance. Avec trop, dirait-on, d'indiscrétion. Fra Angelico peignait des anges comme si les anges étaient tout naturels.[14] Mais les peintres d'aujourd'hui pour la plupart ont ce trait au moins de commun avec leurs ennemis: ils ont l'air de penser que c'est extraordinaire de peindre des pinces de crabe et des cubes; que c'est le comble de la hardiesse,[15] et qu'il n'en faut pas davantage pour être fiers.

Il suffit de les écouter. Au fait, leur défaut est si évident qu'il ressort clairement de[16] leurs propos, et de leur doctrine: de leur découverte.

Car ils ont fait une grande découverte; ils n'ont rien trouvé de moins que le secret de la peinture. Seulement, c'est une découverte à laquelle ils se sont aussitôt montrés inégaux. Dont[17] il faut croire qu'ils n'étaient pas tout à fait dignes. Car Juan Gris[18] (par exemple) a très bien remarqué qu'il n'était point d'œuvre classique qui ne cachât un minutieux calcul de plans et d'élévations et de sections d'or. Mais Juan Gris, lui, n'a pas toujours caché ses calculs.

[11] *Mais . . . seul:* but were there only one, i.e., even if there existed only one.
[12] *graffiti:* rough drawings or inscriptions found on walls or houses.
[13] *s'en contente-t-elle:* inversion after "peut-être" placed at the beginning of the sentence; *se contenter de:* to be satisfied with.
[14] *tout naturels:* quite natural.
[15] *le comble de la hardiesse:* the height of audacity.
[16] *il ressort de:* it shows clearly in.
[17] *Dont:* (une découverte) dont: of which we must think.
[18] *Juan Gris* (1887–1927): a cubist painter of great delicacy.

Delaunay[19] observe justement qu'un beau tableau murmure toujours quelque rythme cosmique: mais Delaunay ne murmure pas du tout ses rythmes. Fernand Léger[20] dit avec raison qu'une belle toile est nécessairement pleine d'allusions délicates à des sphères et des cubes; malheureusement Fernand Léger, s'il a le sens de la couleur, n'a sûrement pas le sens de l'allusion délicate. . . . Bref, les peintres ont découvert, entre dix-neuf cents et dix-neuf cent trente, que la bonne peinture avait eu de tout temps son secret. Et ce secret, ils n'ont eu rien de plus pressé[21] que de le crier sur les toits. . . . J'ai dit qu'il y avait chez Braque un secret. Et peut-être mieux qu'un secret. Car Braque, de toute évidence, devine ce qu'ont deviné tous les grands peintres: c'est que la peinture est, à sa base, allusion mystérieuse, et chose mentale. Mais Braque sait aussi ce qu'il était plus difficile (suivant toute apparence) de savoir de nos jours: c'est qu'à divulguer le mystère,[22] on lui retire sa vertu. Il connaît un secret, ce serait peu. Il a le sens du secret. Il sait que le peintre doit extrêmement se défier des[23] sensations, et de la nature apparente; mais aussi qu'il doit pourtant s'y confier, jusqu'à la modestie folle et au paradoxe: jusqu'à prendre, dans ses propos et ses mythes, contre le peintre le parti du tableau. Bref, l'homme qui a inventé, après Cézanne, la peinture moderne, est aussi celui qui sait la protéger de l'indiscrétion. . .

J'ai fait allusion aux impressionnistes. Il faut y revenir.[24] Je ne suis pas de ces gens timorés qui voudraient à tout prix interdire aux peintres de nous montrer, s'il leur plaît, des ombres violettes et des vaches vertes. Il me semble qu'une vache verte a son charme; elle

[19] *Robert Delaunay* (1885–1941): a dynamic, colorful painter of the same generation as Gris, Picasso, and Braque.

[20] *Fernand Léger* (1881–1955): One of the best-known contemporary French painters who has gone through several different phases in his painting. His work tends to be semi-abstract.

[21] *ils n'ont . . . pressé:* they couldn't have been more eager.

[22] *à divulguer le mystère:* when one divulges a mystery.

[23] *se défier de:* to be wary of.

[24] *Il faut y revenir:* Let us go back to them. The allusion was made in an earlier part of the book.

peut même avoir sa raison. Mais cette raison n'est sûrement pas celle que nous donnaient les peintres du dix-neuvième siècle, et qui m'a toujours paru d'une pénible faiblesse.

Car Monet ou Signac[25] se sont obstinés à démontrer qu'il leur fallait peindre des ombres violettes (par exemple) parce que les ombres étaient violettes en réalité (et non pas noires, comme les voit le sens commun). Il y suffisait de dégager quelques lois physiques; cette loi, entre autres, que l'ombre se teinte toujours légèrement de la complémentaire[26] du clair. . . . Le peintre enfin ne cessait de faire appel aux savants contre l'homme de la rue, aux spécialistes contre les honnêtes gens: il ne prétendait pas du tout[27] qu'il était libre de peindre des vaches vertes; il prétendait étrangement qu'il n'était pas libre de ne pas peindre des vaches vertes—puisque c'est ainsi, disait-il, que le soleil se joue de nous.[28] (Et qui oserait faire une objection au soleil?) . . . Un autre exemple sera plus clair; s'il est un point bien établi,[29] c'est que la nature et les vaches et le soleil même se peignent à l'envers sur notre rétine.[30] Et leur savante doctrine, trop savante, eût dû logiquement conduire[31] Monet ou Signac à nous montrer des hommes et des arbres la tête en bas. C'est ce qu'ils n'osaient pas faire, par un reste de pudeur. C'est à vrai dire ce qu'il serait absurde de faire, pour mille raisons que l'on voit aisément: si claires[32] que l'on peut en tirer une autre découverte.

Les peintres changent à nos yeux le monde; l'homme ne voit plus tout à fait les mêmes nuages après Turner,[33] les mêmes citrons après Braque. L'art, on le sait, imite moins la nature que la nature n'imite

[25] *Monet ou Signac:* Monet (1840–1926) is the most famous of the impressionist painters. Signac (1863–1935) practiced "divisionnisme" or the breaking up of any one colored surface into innumerable small dabs of varied color.
[26] *la complémentaire:* la couleur complémentaire.
[27] *il . . . du tout:* he did not claim in the slightest.
[28] *se joue de nous:* dupes us.
[29] *S'il est . . . établi:* If there was ever a well established fact.
[30] *se peignent . . . rétine:* are painted upside down on our retina.
[31] *eût dû . . . conduire:* should logically have led (pluperfect subj.).
[32] *si claires:* i.e., des raisons si claires que.
[33] *Turner:* English painter (1775–1851).

l'art. Mais il se peut que la raison en soit toute simple.[34] C'est qu'il est au principe même de la vision un acte absurde et paradoxal: de pur arbitraire.[35] Si nous voyons les hommes debout sur leurs pieds, c'est qu'il nous a plu de les voir debout. Tout allait là contre: notre œil ne nous offrait qu'un arbre fourchu.[36] La nature nous laissait croire que les vaches reposaient sur leur dos, et les maisons sur leur toit. C'est de quoi il a fallu[37] vigoureusement nous défendre. Par un choix proprement humain. Par un choix de peintre.

JEAN PAULHAN
Braque le Patron
(Gallimard)

QUESTIONS SUR *La Peinture moderne*

1. Pourquoi a-t-on pu dire que ce qui entend le plus de bêtises, c'est un tableau de musée?
2. Est-il naturel que les gens demandent presque toujours ce qu'un tableau représente?
3. Quel est le secret de la peinture dont parle l'auteur?
4. Pourquoi Jean Paulhan considère-t-il Braque comme l'un des meilleurs peintres?
5. En quoi la science avait-elle influencé la peinture impressionniste?
6. Quelle est la fonction du vrai peintre, selon l'auteur?

[34] *Mais . . . simple:* But the reason for this may be quite a simple one.
[35] *C'est . . . arbitraire:* i.e., c'est qu'il y a un acte absurde et paradoxal, purement arbitraire au principe même (at the very root of) de la vision.
[36] *un arbre fourchu:* i.e., man seen upside down.
[37] *C'est de quoi il a fallu:* It is against this that we had to.

La Chapelle du Rosaire, à Vence[1]

—Dieu est là. Et pour tout le monde. Un mahométan, un protestant, un bouddhiste, un sauvage même, ne peut entrer dans cette chapelle sans se sentir exhorté à la prière,[2] à «sa» prière. . . .

—C'est ce que j'ai voulu, réplique Matisse. Vous qui êtes comédienne, vous me comprendrez mieux que quiconque. Quand vous entrez en scène, le plateau est préparé. Le décor peut être admirable, mais il faut néanmoins que seuls comptent les acteurs[3] aussitôt que l'action commence. C'est ainsi que toute ma chapelle qui équilibre une surface de lumière et de couleurs avec un mur au dessin noir sur blanc a été faite pour le noir et blanc du costume des sœurs.[4] Ce sont des actrices. Tout est prêt pour leur rôle divin.

Puis, se tournant vers moi:

—Vous parliez de contrastes. Tout art essentiel est fait d'une symphonie d'accords et de contrastes.[5] Contraste avec l'austérité des traits noirs sur la céramique, le rôle chaleureux du soleil, devenu peintre en traversant les vitraux.[6] Et ma croix de rude fer forgé,[7] si

[1] This is the account of an interview between the painter Matisse (1869–1954) and Madame Lucien François, an actress and journalist. Matisse is speaking of the Chapel of the Rosary that he planned and decorated at Vence, in southern France.

[2] *sans . . . prière:* without feeling that he is being exhorted to prayer.

[3] *il faut . . . acteurs:* nevertheless only the actors must count.

[4] *toute ma chapelle . . . soeurs:* sentence structure: toute ma chapelle a été faite pour le noir et blanc . . . ; *ma chapelle . . . blanc:* my chapel that sets off a surface of light and color against a wall on which the designs are black on white. Matisse designed an entire wall for the stations of the cross, all in black and white ceramic.

[5] *une symphonie d'accords et de contrastes:* a symphony made of harmony and contrasts.

[6] *Contraste avec . . . vitraux:* i.e., le rôle chaleureux du soleil forme contraste avec . . . l'austérité. The stained glass windows of the chapel are done in brilliant green and blue.

[7] *ma croix . . . forgé:* allusion to the strange and beautiful cross in wrought iron that rises above the chapel roof outside.

légère bien qu'elle pèse une tonne, n'est-ce pas encore un contraste que de l'avoir associée à la tendresse du paysage? Je l'ai posée sur le toit, sans aucun socle. Elle agrippe la chapelle, et ses racines sont visibles, comme celles de cet arbre là sur le mur. Certains architectes m'on dit que j'étais fou de vouloir ça. . . . Or, cette croix est ce qu'elle doit être: un signe dans le ciel, au-dessus d'une construction trapue. C'est le contraste qui lui donne sa valeur d'appel. . . . Plus visible est le contraste de l'expression du tragique dans mon chemin de croix,[8] avec l'ensemble serein des vitraux éclatants et des images apaisées de saint Dominique et de la Vierge. Notez bien qu'il n'y a là rien de délibéré. . . . Ce tragique s'est imposé à moi. Je l'ai recommencé vingt fois, mon chemin de croix, jusqu'à ce que j'aie senti que je prenais part au drame, et qu'il était nécessaire que je sois en plein dedans. . . .[9] Si j'ai choisi le blanc et le bleu pour les tuiles de mon toit, c'est parce que ces couleurs s'harmonisent avec le gris et le bleu de la terre, des oliviers et du ciel. C'est plus tard seulement que je me suis rendu compte qu'il s'agissait des couleurs de la Vierge.

—Autre contraste: la lumière mauve qui règne dans le confessionnal.

—Certains visiteurs cherchent le projecteur qui la provoque. Or, elle est née toute seule. Les murs du confessionnal sont blancs comme ceux de la chapelle. Mais derrière la porte découpée,[10] les vitraux ne jouent plus.[11] Et le blanc, qui n'est plus rompu par l'ambiance verte et bleue, prend la nuance des violettes de Parme. Cette tendresse n'est autre que la lumière dure. La violence des vitraux m'a d'ailleurs imposé des disciplines difficiles. Impossible d'employer un rouge. Tout rouge réel serait tué par le rouge qui se crée dans l'esprit du spectateur. Ce rouge invisible est le complémentaire du vert et du bleu. C'est ainsi que même dans une toile,[12] et la plupart

[8] *le chemin de croix:* the stations of the cross.
[9] *en plein dedans:* in the very middle of it.
[10] *la porte découpée:* the carved door. The door of the confessional is very carefully and completely carved in contrast with the austerity of the whole.
[11] *les vitraux ne jouent plus:* the stained glass windows play no part.
[12] *une toile:* a canvas, i.e., a painting.

des peintres l'ignorent, la couleur importante n'est pas toujours celle qui est exprimée. Ce sont les complémentaires qui créent le principal.

Cette loi singulière que vient de formuler le grand artiste l'entraîne loin de cette chapelle du Rosaire, où il affirme avoir groupé[13] toutes ses révélations, pour aborder les révélations elles-mêmes:

—De semblables réactions de la réceptivité font que, dans un tableau, le trait ne trouve sa place qu'en fonction de son rayonnement.[14]. . . Il m'a fallu cinquante ans de travail pour découvrir les raisons de l'alliance synthétique des éléments dont dispose le peintre, mais cette alliance, dès mes débuts,[15] je l'ai cherchée d'instinct. Synthèse du trait, de la couleur, de la composition. Synthèse qui est mon message, ma vie. Ce qu'on a appelé le fauvisme[16] en est le pressentiment. Cela s'imposait à moi, sans que je sache pourquoi.

—C'est la part du génie.

—Peut-être est-ce ce que vous appeliez l'inspiration divine. . . . Dans l'accomplissement deux autres choses interviennent avec une égale puissance: cafard[17] et acceptation. Le cafard, tout artiste authentique l'éprouve devant sa toile blanche. . . . L'acceptation, c'est ensuite, le don de se conformer à ce qui est né. Il faut s'admettre.

—Pourtant, l'inquiétude? . . .

—Avant, avant! . . . On détruit ses qualités à trop corriger ses défauts. Au départ, la réalité. . . . La réalité est une racine. Il faut trouver autour, trouver au-delà. L'art commence dans les trouvailles personnelles qui s'affranchissent de la nature.

Lucien François
(*Opéra*, 2 janvier 1952)

[13] *où il affirme . . . groupé:* où il affirme qu'il a groupé.

[14] *De semblables . . . rayonnement:* such reactions in our receptivity explain why, in a painting, the line finds its place only in relation to its power of radiation.

[15] *dès mes débuts:* from the moment I started to paint.

[16] *le fauvisme:* name of a group of painters of the early 1900's to whom Matisse first belonged and who used brilliant colors; hence their name: fauve, meaning both wild beast and tawny-colored.

[17] *cafard:* colloquial: "the blues," discouragement.

QUESTIONS SUR *La Chapelle de Vence*

1. Pourquoi Matisse compare-t-il sa chapelle à un théâtre?
2. Quels accords et quels contrastes mentionne le peintre-architecte?
3. Comment l'artiste a-t-il finalement réussi son chemin de croix?
4. Qu'appelle-t-on: couleurs complémentaires?
5. De quels éléments dispose le peintre? Certains vous semblent-ils plus importants que les autres?
6. Par quelles phases un grand artiste doit-il passer, selon Matisse?

Pour faire le Portrait d'un Oiseau

JACQUES PRÉVERT *(b. 1900) is a delightful and popular poet whose very simple verse is sensitive and imaginative. This poem develops in a few long sentences. Prévert uses the infinitive form of the verb as in recipes.*

Peindre d'abord[1] une cage
avec une porte ouverte
peindre ensuite
quelque chose de joli
quelque chose de simple
quelque chose de beau
quelque chose d'utile
pour l'oiseau
placer ensuite la toile contre un arbre
dans un jardin
dans un bois
ou dans une forêt
se cacher derrière l'arbre

[1] *Peindre d'abord: . . . peindre ensuite . . . placer ensuite . . . se cacher:* First paint . . . then paint . . . then place . . . hide.

sans rien dire
sans bouger . . .
Parfois l'oiseau[2] arrive vite
mais il peut aussi bien mettre de longues années
avant de se décider
Ne pas se décourager
attendre
attendre s'il le faut pendant des années
la vitesse ou la lenteur de l'arrivée
de l'oiseau n'ayant aucun rapport
avec la réussite du tableau
Quand l'oiseau arrive[3]
s'il arrive
observer le plus profond silence
attendre que l'oiseau entre dans la cage
et quand il est entré
fermer doucement la porte avec le pinceau
puis
effacer un à un tous les barreaux
en ayant soin de ne toucher aucune des plumes de l'oiseau
Faire ensuite[4] le portrait de l'arbre
en choisissant la plus belle de ses branches
pour l'oiseau
peindre aussi le vert feuillage et la fraîcheur du vent
la poussière du soleil
et le bruit des bêtes de l'herbe dans la chaleur de l'été
et puis attendre que l'oiseau se décide à chanter
Si l'oiseau ne chante pas[5]

[2] *Parfois l'oiseau: . . . ne pas se décourager . . . attendre:* Sometimes the bird comes quickly . . . don't be discouraged . . . wait.

[3] *Quand l'oiseau arrive: . . . observer . . . attendre . . . fermer . . . effacer:* When the bird comes, . . . observe . . . wait . . . close . . . rub out.

[4] *Faire ensuite: . . . peindre aussi . . . et puis attendre:* Next paint . . . paint also . . . and then wait.

[5] *Si l'oiseau ne chante pas: . . . mais s'il chante:* If the bird does not sing . . . but if it sings.

c'est mauvais signe
signe que le tableau est mauvais
mais s'il chante c'est bon signe
signe que vous pouvez signer
alors vous arrachez tout doucement
une des plumes de l'oiseau
et vous écrivez votre nom dans un coin du tableau.

Jacques Prévert
Paroles
(Gallimard)

15

MUSIQUE ET CINÉMA

La musique française se distingue probablement de celle des autres pays en ce qu'elle fait davantage appel à l'esprit qu'aux émotions. Classique plutôt que romantique, elle est, à ses meilleurs moments, claire, précise, bien proportionnée, subtile, d'une inspiration qui semble toujours contrôlée par l'intelligence. Cela fait d'elle une musique de nature plus aristocratique que populaire, souvent difficile à apprécier. Avec la Renaissance, la période moderne est l'une des plus brillantes. Au début du vingtième siècle, à côté de mélodistes comme Vincent d'Indy et surtout Fauré, c'est Debussy qui renouvela la musique, brisant après Berlioz les cadres où elle était enfermée. Il unit consonances et dissonances pour créer des sonorités neuves, interpréta avec art les poèmes impressionnistes et symbolistes de l'époque, aux environs de 1900. Sa musique, elle, s'adresse d'abord aux sens et est aussi connue qu'elle est admirée aujourd'hui.

Cette admiration n'a pourtant pas toujours été sans réserve. En fait, c'est contre les formes vagues, contre la mièvrerie occasionnelle des debussystes que se dégage la nouvelle école, vers 1910. Ses chefs en sont Erik Satie et un jeune homme aux talents divers, qui n'est pourtant pas un compositeur, Jean Cocteau, qui fait connaître Igor Stravinsky, le ballet russe, le jazz et devient le manager du «Groupe des Six». Le mot est à une musique dépouillée, à la ligne mélodique et simple, aux couleurs nettes. Cocteau avait du flair et quatre membres du groupe original sont devenus célèbres: Auric, qui compose beaucoup pour le cinéma; Poulenc aux pièces pleines de grâce et d'humour et qui s'adonne maintenant à la musique religieuse; Darius Milhaud et Arthur Honegger dont les oeuvres témoignent d'une grande puissance, d'audace rythmique, de recherches constantes, depuis les morceaux s'inspirant des bruits mécaniques du monde aux derniers opéras de caractère biblique.

Maurice Ravel, maître de l'orchestration, appartient à cette génération; tout le monde connaît son *Concerto de piano pour la main gauche* ou, du moins, son *Boléro* dont le poète Léon-Paul Fargue disait que «c'est une gageure qui a l'ampleur d'un magnificat, . . . c'est le mouvement perpétuel caché dans la musique, sa vraie place, . . . c'est une plongée dans le cœur mystérieux de la monotonie, une exploration des profondeurs en fusion du rythme universel, le baptême du son d'une force de la nature . . .»[1]

Il y a, naturellement, un grand nombre d'autres compositeurs de renom, comme Albert Roussel, marin devenu musicien, Jacques Ibert, l'auteur d'*Escales*, André Jolivet; celui-ci a écrit le *Concerto pour piano, orchestre et gifles*, indiquant bien que cette musique n'est pas toujours immédiatement adoptée par le public. Tel est le cas de Pierre Boulez qui prend des sons et les déforme de mille manières, avec l'aide de machines, réussissant souvent des montages étranges, «des symphonies de bruits humains et inhumains» que l'on peut très bien finir par aimer. Tel est encore le cas d'Olivier Messiaen; mélodiste, c'est aussi un excellent technicien qui cherche des combinaisons nouvelles et des rythmes complexes, essayant tous les instruments, empruntant aux pays exotiques, obtenant des effets inouïs. Cette musique, dit Messiaen, est avant tout spirituelle et doit «établir une correspondance entre le monde visible et l'autre.»

Parlant du cinéma, un critique s'émerveillait de ce que «nous avons vu naître un art». Cette aventure extraordinaire a commencé

[1] Cité par André Beucler, dans *Vingt ans avec Léon-Paul Fargue* (Editions du Milieu du Monde).

au début du siècle et il semble que les frères Lumière, de Lyon, aient eu le mérite de fabriquer une des premières caméras et de projeter un des premiers films. Peu après, Méliès tournait des bandes pleines de fantaisie et d'ingéniosité, inventant des techniques comme le fondu, la surimpression, le ralenti. Mais ce n'est qu'une vingtaine d'années après que Griffith créait aux Etats-Unis le cinéma plus ou moins comme nous le connaissons aujourd'hui et ce n'est qu'en 1927 que le parlant succéda au muet.

Depuis lors le cinéma a conquis ses titres de noblesse. Il est devenu le principal rival du roman. En fait, sa technique a influencé de nombreux écrivains. Une quantité d'ouvrages célèbres ont été adaptés pour l'écran. De grands auteurs écrivent parfois des scénarios. Marcel Pagnol est entré à l'Académie française, il y a quelque années, surtout à titre de réalisateurs de films dont plusieurs sont bien connus à l'étranger, comme son *Marius* ou comme *La femme du boulanger,* de Jean Giono.

Les Français sont des amateurs de cinéma presque aussi enthousiastes que les Américains et presque tous vont «au ciné» au moins une fois par semaine. On leur présente d'ordinaire un film principal et des actualités; c'est ensuite un court métrage ou un dessin animé dont la seule annonce fait passer un souffle de joie sur la salle prête à être métamorphosée; on montre aussi parfois un documentaire, voyage ou reportage qui peut avoir une grande valeur, comme ce *Farrebique* filmé dans une ferme pendant une année, document social et poème de la terre.

Ce qui attire le public au cinéma est rarement l'auteur du scénario; ce sont plutôt les vedettes, que les spectateurs connaissent bien pour les avoir vues de près sur l'écran et pour avoir lu toutes sortes d'histoires à leur sujet: Jean Gabin, longtemps le type du hors-la-loi, Jean-Louis Barrault le mime, Pierre Fresnay l'aristocrate, Jean-Paul Belmondo ou Jean-Claude Brialy, les jeunes premiers, Jeanne Moreau, Michèle Morgan, Simone Signoret, Danielle Darrieux qui ont tout le charme de la femme de trente et de quarante ans, Yvette Mimieux ou Brigitte Bardot qui représente, selon Simone de Beauvoir, le monde de la femme-enfant qui intrigue fort les hommes. Ce sera d'autres demain, mais certains de ces artistes gardent très longtemps la faveur du public.

Ce qui l'attire encore, ce sont les metteurs en scène: René Clair, qui débuta comme danseur, et on retrouve dans ses films la beauté en mouvement, avec beaucoup de fantaisie et d'observation de la vie; Jean Renoir, un des fils du peintre, grand artiste lui-même, dont le film sur la guerre de 1914, *La Grande Illusion,* est un classique; Jean Cocteau, un des premiers poètes qui s'intéressa à ce moyen d'expression et dont les films, *Orphée* et *Le Testament d'Orphée* sont de belles études cinématographiques du rêve, de la poésie et de la mort. Il y a beaucoup d'autres noms qui sont une garantie de qualité, comme ceux de René Clément dont *Les Jeux interdits* nous montrent de façon très émouvante les conséquences de la guerre sur les enfants, Jules Dassin dont le film policier *Rififi* eut un si grand succès, Henri-Georges Clouzot qui tint ses auditoires en suspens avec *Diabolique* et nous a donné *La Vérité.*

Plus récemment encore la «nouvelle vague» a apporté des metteurs en scène qui, avec peu de finances, pas de vedettes, traitent en artistes, par des touches de caméra, en insistant sur certains détails, avec une grande simplicité, l'actualité la plus brûlante et les plus graves questions humaines. Mentionnons Robert Bresson *(Un condamné s'est échappé),* François-René Tuffraut *(Les 400 coups),* Alain Resnais *(Hiroshima mon amour),* Jean-Luc Godard *(A bout de souffle),* Louis Malle *(Zazie dans le métro),* Roger Vadim *(Les Liaisons dangereuses).* Tous ces films français, anciens et nouveaux, ne sont pas nécessairement des chefs-d'oeuvre mais ce ne sont pas des parodies de la vie.

QUESTIONS

1. Quelles contributions les Etats-Unis ont-ils apportées à la musique?
2. Comment peut-on apprendre aux enfants à aimer la musique et à jouer d'un instrument?
3. La musique peut-elle affecter le caractère d'une personne?
4. Quel est votre instrument favori et pourquoi?
5. Quels sont les éléments nécessaires à une bonne chanson populaire?

French Embassy—Press and Information Division

Oliver Messiaen avec quelques élèves

Studio Lipnitzki

JEAN GIRAUDOUX ET LOUIS JOUVET

French Cultural Services

MADELEINE RENAUD (*à gauche*), JEAN COCTEAU, SUZY DELAIR ET JEAN-LOUIS BARRAULT

French Embassy—Press and Information Division

CHARLES DULLIN ET JULES ROMAINS

6. Pourquoi allez-vous au cinéma?
7. Décrivez votre acteur préféré ou votre actrice préférée.
8. Quelle influence le cinéma a-t-il sur les mœurs?
9. Quelles différences y a-t-il entre les films américains et les films français?
10. Pourquoi les dessins animés ont-ils tant de succès?

L'Inspiration Musicale

OLIVIER MESSIAEN *(b. 1908) is an organist and composer of numerous works who, in 1936, founded a new musical group, «Jeune France».*

Les mots «technique», «style», «originalité» reviennent souvent dans la bouche de nos critiques. On réclame tant de choses des pauvres musiciens:[1] un métier impeccable,[2] un langage neuf, personnel, une émotion sincère, constante! En admettant[3] un compositeur pourvu[4] au maximum de toutes ces qualités, il faut encore qu'il ait le temps[5] de les mettre en œuvre, il faut surtout qu'il en ait envie. C'est ce besoin irrésistible, cette soif d'écrire à tout prix qu'il est convenu[6] d'appeler inspiration. Mot assez oublié, relégué dans le passé avec quelques images absurdes où l'artiste, les cheveux au vent,[7] se frappe le cœur d'un air romantique. Quel mot pourtant! *L'inspiration!* Prendre l'air nécessaire à sa vie, recevoir le souffle!

J'ai souvent insisté sur la nécessité impérieuse d'une technique consommée, d'un langage neuf, à la fois personnel, cohérent, efficace.

[1] *On réclame . . . musiciens:* People ask so much of a poor musician.
[2] *un métier impeccable:* a perfect technique.
[3] *En admettant:* If we admit (there exists).
[4] *pourvu:* past participle of pourvoir: to provide with.
[5] *il faut . . . temps:* he must still have time to.
[6] *il est convenu de:* impersonal form; we have agreed to . . .
[7] *les cheveux au vent:* bareheaded.

Mais je ne pense pas que l'on puisse séparer la technique de l'individu qui la possède, des chocs qu'il a reçus. On apprend l'harmonie, l'orchestration, les formes, c'est vrai. Mais il y a telle mélodie, tel accord qui ne font qu'un avec[8] le sang, avec l'âme de tel musicien, avec son amour, son sourire, ses peines, les paysages qui l'entourent, et toutes les créatures visibles ou invisibles qui peuvent l'influencer. Tous les objets, pour un amant, ont la couleur du même visage; et que de vibrations cachées, de symphonies mystérieuses,[9] dans un nuage, dans un arbre, dans une étoile, dans un œil d'enfant! Le musicien trouve partout de secrets motifs d'inspiration, et la plus étrange, la plus terrible des créatures, le *temps*, avec son inépuisable trésor de rythmes, devrait être sa fiancée secrète et préférée.

Je crois à l'inspiration musicale. Non pas qu'elle soit la brusque invasion d'un délire pythique,[10] c'est plutôt un travail lent, insensible, qui se fait[11] malgré nous; nous pouvons le contrôler dans une certaine mesure, nous n'avons sur lui aucun pouvoir absolu. Une bonne action, un tableau surréaliste, un timbre particulier, un enchaînement d'accords,[12] une mélodie exotique . . . et me voilà saisi, happé, perdu—moi et non autre. C'est pourquoi les mozartiens ne souriront jamais comme Mozart,[13] comme Debussy jamais ne sauront faire dire: «Je t'aime» aux nuages, et à la mer les debussystes,[14] et il y a loin, loin, de Stravinsky et Schönberg[15] à leurs suiveurs. L'inspiration est affaire absolument personnelle; on peut

[8] *qui ne font qu'un avec:* which cannot be separated from (are one with).

[9] *et que de . . . mystérieuses:* and what hidden vibrations and mysterious symphonies there are.

[10] *un délire pythique:* Pythia was Apollo's priestess at Delphi. When seized by divine inspiration, she prophesied. Pythic delirium is a state of divine possession.

[11] *se fait:* se faire: to take shape.

[12] *un enchaînement d'accords:* a succession of chords.

[13] *Mozart:* Austrian composer (1756–91).

[14] *comme Debussy . . . debussystes:* sentence structure: Les debussystes ne sauront jamais faire dire comme Debussy . . . *Debussy:* French composer (1862–1918).

[15] *Stravinsky:* American composer of Russian origin (b. 1882), one of the greatest modern composers. *Schönberg* (1874–1951): American composer of Austrian origin. One of the most audacious experimenters of our time.

dire, en paraphrasant un texte de Valéry sur le Vinci,[16] que chaque musicien est entouré d'une famille de sons dont il possède sans le savoir tous les éléments de groupe infini: à lui de les retrouver![17] «Peut-être le thème à demi oublié d'un air qu'on chantait autrefois est-il la première idée qu'on ait en propre», dit Hoffmann[18] dans ses *Contes Fantastiques,* et il insinue par là la lenteur de l'inspiration, et comment elle nous fait digérer et recréer ce qui était déjà.

C'est alors que nous connaissons les joies de la «première fois»; de notre «première fois» à nous. C'est alors, dit Paul Eluard,[19] «que les beaux yeux recommencent, comprennent et que le monde s'illumine.»

OLIVIER MESSIAEN
(*Opéra,* 19 décembre 1946)

QUESTIONS SUR *L'Inspiration Musicale*

1. Quelles qualités exige-t-on d'un musicien?
2. Comment Olivier Messiaen définit-il l'inspiration?
3. Quelles en sont les sources, selon lui?
4. Sa théorie condamne-t-elle les écoles?
5. Cette idée de l'inspiration peut-elle s'appliquer à d'autres arts?
6. En quoi cette pensée de Messiaen vous paraît-elle originale?

Psychologie du Cinéma

ANDRÉ MALRAUX *(see page 189 for biographical sketch).*

Tant que[1] le cinéma n'était que le moyen de reproduction de personnages en mouvement, il n'était pas plus un art que la phono-

[16] *un texte . . . Vinci:* Paul Valéry (1871–1945), French poet and essayist, wrote an essay on Leonardo da Vinci in which he tried to analyze the elements that enter into what we call "genius."

[17] *à lui:* it's up to him.

[18] *Hoffmann* (1776–1822): German musician and romantic novelist who is a master story-teller of fantastic tales. His *Weird Tales (Contes Fantastiques)* are among his best-known works.

[19] *Paul Eluard* (1895–1953): the great French lyric poet, who wrote the poem *Seule Pensée.*

[1] *Tant que:* As long as.

graphie ou la photographie de reproduction.[2] Dans un espace circonscrit, généralement une scène de théâtre véritable ou imaginaire, des acteurs évoluaient, représentaient une pièce ou une farce que l'appareil se bornait à enregistrer.[3] La naissance du cinéma en tant que moyen d'expression[4] (et non de reproduction) date de la destruction de cet *espace circonscrit;* de l'époque[5] où le découpeur imagina la division de son récit en plans,[6] envisagea,[7] au lieu de photographier une pièce de théâtre, d'enregistrer une succession d'instants, d'approcher son appareil (donc de faire grandir les personnages dans l'écran quand c'était nécessaire), de le reculer; surtout de substituer[8] au plateau d'un théâtre le «champ», l'espace qui sera limité par l'écran–le champ où l'acteur entre, d'où il sort, et que le metteur en scène *choisit,* au lieu d'en[9] être prisonnier. Le moyen de reproduction du cinéma était la photo qui bougeait, mais son moyen d'expression, c'est la succession des plans.

La légende veut que Griffith[10] ait été si ému par la beauté d'une actrice en train de tourner un de ses films, qu'il ait fait tourner à nouveau, de tout près,[11] l'instant qui venait de le bouleverser, et que tentant de l'intercaler en son lieu, et y parvenant, il ait inventé le gros plan.[12] L'anecdote montre bien en quel sens s'exerçait le talent

[2] *la photographie de reproduction:* photography with no artistic aim, which merely reproduces an object.

[3] *que l'appareil . . . enregistrer:* that the camera merely recorded; *se borner à:* to limit oneself to.

[4] *en tant que . . . d'expression:* as a means of expression.

[5] *de l'époque:* i.e., elle date de l'époque.

[6] *le découpeur . . . en plans:* the cutter got the idea of projecting the story on different planes.

[7] *envisagea:* i.e., l'époque où le découpeur envisagea.

[8] *de substituer:* i.e., l'époque où le découpeur envisagea de substituer . . .

[9] *d'en être prisonnier:* to be the prisoner of the "champ" or field of vision within the screen.

[10] *La légende veut que Griffith:* Legend tells us that. . . . The subjunctive in the French sentence follows the verb *vouloir.* Translate by the past: was. *Griffith:* one of the better-known early American movie producers.

[11] *qu'il ait fait tourner à nouveau . . . l'instant . . . :* that he had the moment in the film that had just moved him . . . filmed over.

[12] *et que tentant . . . le gros plan:* and that, attempting to insert it in its place and succeeding, he invented the close-up.

d'un des grands metteurs en scène du cinéma primitif, comment il cherchait moins à agir sur l'acteur (en modifiant son jeu par exemple) qu'à modifier la relation de celui-ci avec le spectateur (en augmentant la dimension de son visage).[13] Et elle contraint à prendre conscience de ceci:[14] oser couper un personnage à mi-corps au cinéma transforma celui-ci.[15] Parce que, quand l'appareil et le champ étaient fixes, tourner deux personnages à mi-corps eût contraint à tourner ainsi tout le film. Jusqu'à l'instant où, précisément, on découvrit plans et découpage. . . .

C'est donc de la division en plans,[16] c'est-à-dire de l'indépendance de l'opérateur et du metteur en scène à l'égard de la scène même, que naquit la possibilité d'expression du cinéma—que le cinéma naquit en tant qu'art. A partir de là,[17] il *put* chercher la succession d'images significatives, suppléer par ce choix à son mutisme.[18]

De ses débuts, puérils aux derniers films, muets,[19] le cinéma semblait avoir conquis des domaines immenses; depuis, qu'a-t-il gagné? Il a perfectionné son éclairage et son récit, sa technique; mais dans l'ordre de l'art . . .

J'appelle art, ici, l'expression de rapports inconnus et soudain convaincants entre les êtres,[20] ou entre les êtres et les choses. Le cinéma américain de 1939, suivi par les autres, s'occupe avant tout (ce qui lui est naturel en tant qu'industrie) de perfectionner sa puissance de distraction et de divertissement. Il n'est pas une littérature, il est un journalisme. Mais, en tant que journalisme, il retrouve, qu'il le veuille ou non,[21] un domaine d'où l'art ne peut rester à jamais

[13] *il cherchait moins . . . spectateur:* he tried less to influence the actors than to modify the relation of the actors to the spectators; *en modifiant son jeu:* by changing his way of acting.

[14] *Et celle . . . ceci:* (elle: i.e., l'anecdote). And it obliges us to become conscious of the following facts.

[15] *celui-ci:* le cinéma.

[16] *de la division en plans:* from the division into planes.

[17] *A partir de là:* from there on.

[18] *suppléer . . . mutisme:* (and) to make up for its muteness by this selection.

[19] *films muets:* silent movies.

[20] *rapports . . . êtres:* de rapports entre les êtres . . . qui sont inconnus et semblent soudain convaincants.

[21] *qu'il le veuille ou non:* whether it likes it or not.

absent: le mythe. Et la vie du meilleur cinéma, depuis une bonne dizaine d'années,[22] consiste à ruser avec le mythe.

Le premier symptôme de ce jeu de cache-cache, c'est le rapport du scénario et des stars, hommes et femmes—femmes de préférence. Une star n'est en aucune façon[23] une actrice qui fait du cinéma. C'est une personne capable d'un minimum de talent dramatique dont le visage exprime, symbolise, incarne un instinct collectif: Marlène Dietrich n'est pas une actrice comme Sarah Bernhardt,[24] c'est un mythe comme Phryné. Les Grecs avaient incarné leurs instincts en de vagues biographies; ainsi font les hommes modernes, qui inventent pour les leurs des histoires successives.

Il en est si bien ainsi[25] que les stars connaissent obscurément les mythes qu'ils ou elles incarnent, et exigent des scénarios capables de les continuer. Le public, *à cause des gros plans*, les connaît comme il ne connut jamais les acteurs de théâtre. Et la vie artistique des uns se développe en sens inverse de celle des autres: une grande actrice est une femme capable d'incarner un grand nombre de rôles dissemblables, une star est une femme capable de faire naître un grand nombre de scénarios convergents.

Les pantomimes, jadis, attribuaient d'innombrables aventures aux quelques personnages de la comédie italienne. Et les fervents du cinéma savent bien que, malgré les efforts du scénario pour particulariser les personnages, l'acteur domine tout. . . .

Ce que l'acteur nous montre à l'évidence[26] est sans doute vrai du scénario. Les *Niebelungen*[27] sont un mythe illustre; le plus grand succès international de René Clair, *Le Million*,[28] est le mythe rajeuni

[22] *depuis . . . années:* in the last ten years.

[23] *en aucune façon:* by no means.

[24] *Sarah Bernhardt:* a great French actress of the early 1900's. *Phryné:* a famous Greek courtesan whom, we are told, the sculptor Praxiteles used as the model for his statue of Venus.

[25] *Il en est . . . ainsi:* This is so true.

[26] *à l'évidence:* quite clearly.

[27] *Niebelungen:* The Nibelungen, in German mythology, were a family of wrong-doers who possessed a hidden hoard of gold. This is the theme of Wagner's famous "Ring of the Nibelungen."

[28] *Le Million:* A movie whose heroine wins a million in a lottery.

de Cendrillon, . . . il y a du mythe dans tout Charlot.[29] Entre autres mythes modernes, la justice sous sa forme individuelle et collective, l'aventure et la sexualité, sont loin d'avoir épuisé leur puissance.

Le cinéma s'adresse aux masses, et les masses aiment le mythe, en bien et en mal. . . . Le mythe commence à Fantômas,[30] mais il finit au Christ. Les foules sont loin de préférer toujours ce qu'il y a de meilleur en elles; pourtant elles le reconnaissent souvent.

André Malraux
Esquisse d'une Psychologie du Cinéma
(Gallimard)

QUESTIONS SUR *Psychologie du Cinéma*

1. Quelles sont les différences essentielles entre l'art du théâtre et celui du cinéma?
2. Quelle circonstance, selon André Malraux, a permis au cinéma de devenir un moyen d'expression?
3. Est-ce nécessairement un blâme de dire que le cinéma américain est un journalisme?
4. Y a-t-il eu évolution du cinéma américain depuis que Malraux écrivait ce texte, en 1946?
5. Pourquoi l'art est-il toujours présent dans le mythe?
6. Connaissez-vous des films, américains ou étrangers, qui illustrent un mythe?

Le Farouest

RAYMOND QUENEAU *(b. 1903) is a poet and novelist. He has a theory that the French language currently spoken in France is as different from written French as vulgar Latin was from clas-*

[29] *Charlot:* Charlie Chaplin.
[30] *Fantômas:* A mysterious and fiendish character, of epic dimensions, in a widely read serial novel made into movies in the early 1900's.

sical Latin. He uses all the forms of spoken French in his novels, modifying French spelling to conform to the actual pronunciation of the words: Farouest, Far West. Jacques L'Aumône, the hero of Loin de Rueil (The Skin of Dreams) *loves the movies and always identifies himself with the hero on the screen. Eventually he will become a movie star himself. In this passage Queneau describes a typical American "Western" seen through the eyes of a small boy.*

—Papa, dit Jacquot.

—Mon fils?

—Je peux aller au cinématographe?

—Tu as fait tes devoirs?

—Oui papa.

—Eh bien va au cinématographe, mon fils.

—Ne traîne pas après la sortie, dit sa mère.

Dehors Lucas l'attendait. . . . Ils arrivèrent devant le Rueil Palace. Des groupes frénétiques et puérils attendaient l'ouverture.

—Ça va être bath,[1] disait-on en regardant les affiches.

La fille Bechut commence[2] à distribuer les billets à dix et à vingt ronds.[3] On se bouscule. Une horde farouche se précipite sur les meilleures places les plus proches de l'écran comme si tous étaient myopes . . . Jacques et Lucas se ruent sur les premiers rangs eux aussi. . . . Enfin la lumière s'éteint. On fait silence. Le premier grand film commence.

Se profila[4] sur l'écran un cheval énorme et blanc et les bottes de son cavalier. . . . On montre donc la crinière du solipède et la culotte du botté[5] et l'on montre ensuite les pistolets dans la ceinture du culotté et l'on montre enfin . . . la gueule du type,[6] un gaillard à

[1] *Ça va . . . bath:* (pronounced batte) slang: It's going to be swell.

[2] *commence:* the present is used almost all through the passage instead of the usual narrative past to give more intensity to Jacquot's excitement.

[3] *ronds:* slang for "sous."

[4] *Se profila:* inversion: un cheval se profila.

[5] *On montre . . . botté:* So they show the mane of the solipede (the hoofed animal; Queneau is having fun with the semiscientific word) and the breeches of the booted man; *le botté:* noun formed from the adjective "*botté*". Cf. *le culotté:* the man with the breeches.

[6] *la gueule du type:* colloquial: the guy's mug.

trois poils.[7] . . . pour qui la vie des autres ne compte pas plus que celle d'un pou, et Jacquot n'est nullement étonné de reconnaître en lui Jacques L'Aumône. . . .

En ce moment[8] par exemple il inspecte la plaine debout sur un éperon rocheux qui domine la vallée, il finit par apercevoir là-bas à l'horizon quelque chose on ne sait pas encore très bien quoi. Il fait un geste, un grand geste purement décoratif qui zèbre l'écran de toute la promesse de rares aventures[9] et le cheval qui jusqu'alors piaffait fout le camp[10] au galop.

On les voit qui déboulent des pentes,[11] à pic[12] parce qu'on a mis l'objectif de travers,[13] sans le dire. Ils sautent par-dessus d'imprévus obstacles ou voltigent par-dessus des ruisseaux. Un peu après . . . notre héros se précipite menaçant sur un chariot bâché[14] que conduit un vieil homme et que traînent approximativement deux ou trois mules.

Haut les mains,[15] le vioc obtempère,[16] mais alors ô merveille, une superbe et idéale innocente et blonde jeune fille apparaît. . . . Jacques galant homme ne lui fera pas le moindre mal non plus qu'au croulant[17] qui n'est autre que le papa. Au contraire il va les protéger. . . .

Tout d'un coup, voilà ce qu'on craignait et ce qu'on espérait: cinq ou six lascars se sont embusqués derrière les rochers. Haut les mains qu'ils crient[18] eux aussi mais Jacques ne se laisse pas impres-

[7] *un gaillard à trois poils:* idiomatic: a staunch guy.
[8] *En ce moment:* Now.
[9] *un grand . . . aventures:* a wide purely decorative gesture which stretches across the screen bringing the full promise of rare adventures.
[10] *fout le camp:* colloquial: gets going. Cf. *foutre le camp:* to run away.
[11] *déboulent des pentes:* colloquial: *débouler:* to rush down.
[12] *à pic:* vertically.
[13] *on . . . de travers:* because they manoeuvred the lens of the camera without saying so. Jacques is enough of a movie fan to be aware of some of its techniques.
[14] *un chariot bâché:* a covered wagon.
[15] *Haut les mains:* Hands up.
[16] *le vioc obtempère:* The old guy obeys; *vioc* is straight slang.
[17] *le croulant:* colloquial: the decrepit old man; from *crouler:* to fall to pieces.
[18] *qu'ils crient:* the "que" is ungrammatical and reflects popular speech.

sionner:[19] il se jette à bas de son cheval et que la poudre parle![20] Elle ne parle pas, elle siffle! Non pas elle, les balles![21] Sifflent. En tout cas voilà déjà un des assaillants sur le carreau:[22] il voulut montrer son nez hors de sa cachette et toc[23] c'est un mourant. . . . Un second, fantaisie singulière, change d'abri. Notre héros l'atteint d'un plomb agile[24] et le desperado faisant une grimace s'écroule, supprimé. La jeune personne s'est planquée[25] derrière le chariot, elle utilise une carabine élégante et jolie pour faire le coup de feu.[26] Un grand méchant[27] à moustaches noires vise Jacques L'Aumône, pan[28] la jolie blonde lui enlève un bout de biceps d'une balle rasante.[29] Cet exploit provoque la retraite des agresseurs. On se congratule quand tout à coup on s'aperçoit que le paternel[30] est mort. Il est plein de grains de plomb. Il n'y a plus qu'à l'enterrer.[31] On l'enterre.

Mais que va-t-elle devenir la charmante orpheline, plus belle encore d'avoir ses yeux tout humides. Elle a de plus en plus besoin d'un protecteur et comme elle voudrait bien aller à Houston (Texas) rejoindre son frère, Jacques propose de l'accompagner. . . .

—Alors, Jacquot, ça t'a plu ce beau film?[32]

Jacquot se retourne. Des Cigales[33] est derrière lui.

[19] *ne se laisse pas impressionner:* doesn't allow himself to be awed.
[20] *et que la poudre parle:* and let the powder speak! a mock heroic use of stock phrases used in descriptions of battles.
[21] *Non . . . les balles:* No, not it (the powder), the bullets: they whistle.
[22] *sur le carreau:* idiomatic: laid out on the ground.
[23] *toc:* bing.
[24] *d'un plomb agile:* with a fast bullet.
[25] *se planquer:* colloquial: to hide for safety.
[26] *faire le coup de feu:* to get into the battle.
[27] *Un . . . méchant: méchant* is used as a noun; un homme grand et méchant: a tall bad fellow.
[28] *pan:* bang.
[29] *d'une balle rasante:* with a grazing bullet.
[30] *le paternel:* colloquial for *le père:* the old man.
[31] *Il . . . enterrer:* All one can do is to bury him.
[32] *ça t'a plu . . . film?:* vernacular: est-ce que ce beau film t'a plu? Did you enjoy this fine film?
[33] *Des Cigales:* an elderly character whom Jacques admires.

—Voui msieu. . . .[34]

—Tu aimes ça le cinématographe?

—Voui msieu.

—Moi aussi. Cet art—car c'en est un—nous fait oublier les misères de la vie quotidienne.

—Voui msieu. . . .

Des Cigales pérore:

—Quand je vois un film comme celui que nous venons de voir, je me transporte sur la toile par un acte en quelque sorte magique. . . . et je me retrouve prenant conscience de moi-même en tant que l'un des héros de l'histoire à nous contée. . . . Mais par exemple toi mon petit Jacquot lequel de ces personnages te croyais-tu?

Jacquot hésite. Il trouve la question terriblement indiscrète et recule devant une telle confidence.

—Le type qui meurt à la fin?

—Voui msieu. . . .

—Eh bien moi, dit des Cigales, j'étais Daisy.

RAYMOND QUENEAU
Loin de Rueil
(Gallimard)

QUESTIONS SUR *Le Farouest*

1. Pourquoi les enfants aiment-ils s'asseoir aux premiers rangs du cinéma?
2. Comment l'auteur rend-il si vivante la description d'un début commun de film?
3. Pouvez-vous raconter la fin de ce scénario?
4. Quelles variations les cinéastes américains apportent-ils au thème du Far West?
5. Pourquoi la dernière question posée à l'enfant est-elle si indiscrète?
6. Quel effet l'auteur obtient-il en employant ce vocabulaire et cette syntaxe?

[34] *Voui msieu:* Oui, *monsieur*. Queneau spells the words as Jacques pronounces them.

16

THÉÂTRE

Pendant de longues années, l'activité théâtrale française était inséparable de Paris. Les saisons dramatiques étaient brillantes, les vedettes comme Sarah Bernhardt étaient des idoles nationales. Mais le théâtre d'avant 1914 remplissait surtout une fonction sociale et commerciale avec ce qu'on appela «le théâtre du boulevard».

Au début du vingtième siècle, un besoin de renouvellement se manifestait non seulement en France mais en Europe. Des metteurs en scène et des théoriciens de l'art dramatique réclamaient des réformes; ils cherchaient à créer un théâtre libéré des conventions de la scène, ouvert aux grandes pièces du répertoire et à celles d'une véritable valeur littéraire. Ils créèrent «le théâtre d'avant-garde».

En France, Jacques Copeau fonda dans ce but le Théâtre du Vieux-Colombier, à Paris, en 1913. Cette salle était en même temps une école d'acteurs. Pour Jacques Copeau, ce qui importait avant tout était la pièce et la fidélité de son interprétation. Dans un décor très simple, presque nu, une troupe d'acteurs bien entraînés, où ne dominait aucune vedette, devait transmettre le sens profond de l'œuvre. Le théâtre, pour Copeau, n'était pas un divertissement, un spectacle ordinaire; c'était un rite, une manifestation d'art dans le sens le plus élevé. Le Vieux-Colombier—que ses détracteurs appelaient les Folies-Calvin à cause de l'austérité de l'atmosphère—fit faillite après plusieurs saisons mémorables, mais son influence ne cessa de croître. Entre les deux guerres, quatre grands metteurs en scène imposèrent au public cette nouvelle compréhension du théâtre, ces nouveaux goûts: Pitoëff, Baty, Dullin et Jouvet; ils montèrent, chacun dans son style particulier, les classiques grecs et latins, anglais et français, et beaucoup de pièces modernes de divers pays.

Aujourd'hui, d'autres metteurs en scène continuent l'oeuvre de leurs anciens, qui ont disparu. Les plus connus sont Jean-Louis Barrault, Jean Vilar, André Barsacq, Roger Planchon. Jean-Louis Barrault est le directeur du nouveau Théâtre de France. Jean Vilar est celui du vigoureux Théâtre National Populaire (T.N.P.) qui dispose de deux salles dont une est expérimentale; sa mission est d'atteindre le peuple, de rendre aux classiques leur efficacité, de faire connaître de bonnes pièces nouvelles. Le T.N.P. a eu un succès considérable à Paris, mais aussi dans la banlieue parisienne et dans les provinces où il joue souvent. Le Théâtre de France et le T.N.P. sont subventionnés par l'Etat comme l'est depuis longtemps la Comédie-Française qui attire toujours un nombreux public en majorité composé d'étudiants, de provinciaux et d'étrangers. C'est encore à Paris qu'a lieu chaque année depuis 1953 un «Festival international» auquel participent des troupes venues de tous les pays du monde, donnant à la saison théâtrale une variété et un brillant exceptionnels. Mais le théâtre a aujourd'hui une tendance à se décentraliser. Des festivals ont lieu dans des stations d'été, les tournées se multiplient et des centres dramatiques, aidés par l'Etat ou les communautés, ont été créés en province.

En 1959, André Malraux, alors Ministre de la Culture dans le gouvernement du Président de Gaulle, a réorganisé le théâtre subventionné dans le but d'élever le niveau des spectacles et de créer, à côté des scènes traditionnelles, un théâtre expérimental; Albert Camus, à qui la direction de celui-ci devait être confiée, mourut trop tôt pour l'assumer.

Riche en directeurs dévoués à l'art de la scène, notre temps l'est aussi en dramaturges. Déjà, les réformes de Copeau avait encouragé les meilleurs écrivains à écrire pour la scène; au lieu de pièces conventionnelles et «bien faites», vaudevilles, pièces à thèse, drames bourgeois, ces auteurs tentèrent de donner à leurs oeuvres la grandeur et l'universalité des pièces classiques; sachant qu'ils auraient un théâtre où se faire jouer et un public pour les apprécier, ils apportèrent des tragédies ou des comédies dont les thèmes sont puisés aux mythes grecs, à la Bible, à l'histoire, à l'actualité.

La plupart des dramaturges contemporains, tout en continuant à s'intéresser aux caractères et aux mœurs, se préoccupent beaucoup de métaphysique. Dans ce débat sur la condition humaine, Paul Claudel donne le point de vue catholique, montre l'homme qui aveuglément cherche sa voie, déchiffrant pas à pas sa destinée, qui consiste à jouer son rôle souvent malgré lui, selon les desseins de Dieu. C'est Dieu son personnage principal, quoiqu'invisible. Jean-Paul Sartre, au contraire, oppose à l'homme de Claudel celui qui n'obtient que de lui-même sa victoire, «s'éprouve libre dans un monde délivré de l'autorité abusive des dieux et du jugement de ses semblables». Ce sont là les thèmes de ses pièces les plus connues, *Les Mouches, Huis-Clos, Le Diable et le bon Dieu, Les Séquestrés d'Altona. Les Mouches,* reprenant le mythe d'Electre, fut joué pendant l'occupation allemande; Sartre exprimait aussi par ce détour l'aspiration violente des Français pour la liberté.

Jean Anouilh montre dans *Antigone* moins un conflit de caractères qu'un conflit de droits, de conceptions de l'homme. D'autres pièces plus récentes, comme *L'Alouette,* l'histoire de Jeanne d'Arc et *Becket ou l'Honneur de Dieu* ont valu beaucoup de succès à leur auteur.

Le théâtre de Jean Giraudoux, d'une fraîcheur unique de pensée et de style, a dominé l'entre-deux-guerres; il met en scène, à travers des mythes divers, les grands débats sur la justice, l'amour, la guerre et le destin; Jean Cocteau a connu le succès avec *Orphée, La Machine infernale, La Voix humaine;* Jules Romains s'intéresse à la psychologie collective; sa comédie *Knock* eut un succès mondial, malgré l'absence de toute intrigue amoureuse dans le portrait de ce médecin qui est un aventurier moderne; Henry de Montherlant *(La Reine Morte)* est le seul grand écrivain qui présente surtout des conflits de personnalité; Albert Camus, dans *Caligula,* la première de ses pièces, montre la tragédie de l'homme amoureux de la beauté du monde, épris de vérité et qui se révolte inutilement devant son inéluctable condamnation à mort.

Une nouvelle avant-garde se manifesta en 1952 avec *En attendant Godot* de Samuel Beckett, d'origine irlandaise. La pièce, qui créa de violentes réactions parmi le public du petit théâtre où on la jouait, devait connaître un succès mondial; elle révélait l'existence d'un «anti-théâtre» en rupture avec le théâtre de grands conflits, souvent tragique, qui occupait alors la scène. Parmi les nouveaux dramaturges de cette école, les mieux connus sont Adamov *(Le Ping-Pong)*, Beckett *(En attendant Godot, Fin de Partie, La dernière Bande)* Genêt *(Les Bonnes, Le Balcon, Les Nègres)* et Ionesco, le plus prolifique des quatre *(La Cantatrice chauve, La Leçon, Les Chaises, Tueur sans gages, Le Rhinocéros)*.

Se débarrassant de l'intrigue, peu soucieux de créer des personnages individualisés engagés dans des conflits bien délimités, ces auteurs empruntent nombre de leurs moyens scéniques au mime, au ballet, au cirque. Chez eux, comme chez les surréalistes et les expressionnistes allemands, la scène elle-même fait partie intégralement du drame, traduisant un climat intérieur que les paroles échangées n'expriment pas: climat de solitude, de désarroi ou d'anxiété. Bien que le fond du drame puisse être angoissant, les automatismes du langage et des gestes se déclenchent souvent à contre-temps ou dans le vide, suscitent des situations de farce dont l'incongruité fait rire. Ces farces parfois qualifiées de «métaphysiques», semblent, avec des pièces comme *Le Ping-Pong, Les Nègres* et *Le Rhinocéros*, s'orienter vers la satire sociale.

Richesse et variété des oeuvres, originalité dans la conception de la scène et des décors, exigences pour le métier d'acteur, contact étroit avec le public, subventions de l'Etat ou des villes sont autant de caractéristiques qui assurent au théâtre sa vitalité et expliquent le grand intérêt que les Français ont pour lui depuis longtemps.

QUESTIONS

1. Que savez-vous des origines et du développement du théâtre?
2. Pour quelles raisons aimez-vous aller au théâtre?
3. Le théâtre semble-t-il souffrir de la concurrence du cinéma et de la télévision?

4. Quels avantages présentent les théâtres subventionnés?
5. Pourquoi les pièces qui présentent une thèse ou prêchent une morale sont-elles souvent ennuyeuses?
6. Quelles différences y a-t-il entre une tragédie et une comédie?
7. Quels sont les grands dramaturges américains d'aujourd'hui?
8. Quel rôle joue l'avant-garde dans la vie du théâtre?

Qu'est-ce Que le Théâtre?

LOUIS JOUVET *(1887–1951) was one of the great "avant-garde" producers and actors of the period between the two World Wars. He thought of the theater as an art of expression and wrote several essays on the subject. The beginning of the passage is a quotation from a play by Paul Claudel. An actress in the play analyzes her reaction to the theater. Jouvet then develops his own idea of what the theatre really is, quoting from the playwright Jean Giraudoux with whom he worked very closely.*

L'actrice:
—«Le théâtre, vous ne savez pas ce que c'est?

Il y a la scène et la salle.
Tout étant clos,[1] les gens viennent là, le soir et ils sont assis par rangées, les uns derrière les autres, regardant.

Ils regardent le rideau de la scène.
Et ce qu'il[2] y a derrière quand il est levé
Et il arrive quelque chose[3] sur la scène comme si c'était vrai.
Je les regarde et la salle n'est rien que de la chair vivante et habillée
Et ils garnissent les murs[4] comme des mouches jusqu'au plafond
Et je vois des centaines de visages blancs—

[1] *Tout étant clos:* Everything having closed up.
[2] *Et ce que:* i.e., et ils regardent ce que.
[3] *Et il arrive quelque chose:* and something happens.
[4] *Et ils garnissent les murs:* And they line the walls.

–L'homme s'ennuie et l'ignorance lui est attachée depuis sa naissance.
Et ne sachant de rien comment cela commence ou finit,[5] c'est pour cela qu'il va au théâtre.
Et il se regarde lui-même, les mains posées sur les genoux
Et il pleure et il rit et il n'a point envie de s'en aller.
Et je les regarde aussi et je sais qu'il y a là le caissier qui sait que demain
On vérifiera les livres, et la mère adultère dont l'enfant vient de tomber malade
Et celui qui vient de voler pour la première fois, et celui qui n'a rien fait de tout le jour
Et ils regardent et écoutent comme s'ils dormaient.»

(PAUL CLAUDEL–*L'Echange*, acte I)

Il n'y a pas de définition du théâtre. Il n'y a pas d'explication de cet *acte étrange* qu'est une représentation.

Des trois participants de cette cérémonie pratiquée de temps immémorial–spectateur, comédien, auteur–le poète dramatique est toujours celui qui en parle le mieux. Il a, dans ce mystère et ce jeu, le rôle actif, prépondérant. . . .

«Le Théâtre, vous ne savez pas ce que c'est?» dit Claudel. A ce qu'il nous propose nous pouvons ajouter:

Ce sont des gens qui viennent là le soir et qui ne sont plus eux-mêmes. Ils sont transformés subitement et ils ne le savent pas. . . .

En vérité, c'est un acte étrange, c'est un des phénomènes les plus insensés que l'on puisse imaginer, une des actions les plus saugrenues de notre vie d'homme.

Qu'est-ce qui engendre cet acte? Quoi, ou qui, nous porte à[6] ce divertissement, à ce jeu, à cette action?

[5] *Et ne sachant de rien . . . finit:* And since he does not know how anything begins or ends.
[6] *nous porte à:* draws us to.

Claudel nous dit: «L'homme s'ennuie, l'ignorance lui est attachée depuis sa naissance et ne sachant de rien comment cela commence et cela finit, c'est pour cela qu'il va au théâtre.»

C'est la misère et la déchéance de l'homme qui, pour Claudel, expliquent le théâtre.

Peut-être, en effet, est-ce là l'aboutissement de ces occupations;[7] peut-être ce point de vue métaphysique justifie-t-il le théâtre; il ne le pénètre pas tout à fait. Il n'explique pas ce jeu, ses règles.

Jean Giraudoux va nous rassurer.

Dans une réplique de *L'Impromptu de Paris,*[8] Jean Giraudoux décrit aux spectateurs ce qu'est un spectateur. . . .

«Si tout ce public, les lumières baissées, est maintenant tendu et recueilli dans l'ombre, c'est pour se perdre, pour se donner, s'abandonner.»

C'est la première phrase de la définition du poète. Elle concerne également le comédien. S'il est là sur le théâtre, dans la coulisse, tendu et recueilli, prêt à entrer dans le piège lumineux du décor, c'est, lui aussi, pour se perdre, se donner et s'abandonner.

Et le poète ajoute: «Il se laisse remettre en jeu dans l'émotion universelle.[9] . . . Il se sent soudain le sourire à un centimètre de ses lèvres, les larmes de ses yeux, l'angoisse de son cœur[10] . . . Bref, il aime», dit Jean Giraudoux, et il nuance cette affirmation et l'épure encore en ajoutant: «Mais il n'aime plus égoïstement, étroitement.»

Ne plus aimer[11] égoïstement, étroitement! Se sentir[12] soudain généreux, capable d'héroïsme et de tendresse, de droiture et de dévouement, avoir un cœur neuf, assumer toutes les responsabilités,

[7] *Peut-être . . . occupations:* inversion after *peut-être* when placed at the beginning of the sentence; l'aboutissement . . . est peut-être là.

[8] *L'Impromptu de Paris:* one of Giraudoux's plays.

[9] *Il se laisse . . . l'émotion universelle:* He allows himself to be carried away by a universal emotion.

[10] *Il se sent . . . coeur:* He feels his smile is at just one half inch behind his lips, his tears just back of his eyes, his anguish just back of his heart.

[11] *Ne plus aimer . . . :* No longer to love . . .

[12] *se sentir:* to feel . . .

. . . c'est cela le théâtre, c'est cela qui le magnifie, honorant ceux qui participent à ses divertissements et à ses jeux.

LOUIS JOUVET
Témoignages sur le Théâtre
(Flammarion)

QUESTIONS SUR *Qu'est-ce que le théâtre?*

1. Quels sont les éléments du théâtre vu par cette actrice de Paul Claudel?
2. Pourquoi Louis Jouvet parle-t-il d'une représentation comme d'un acte étrange?
3. Pourquoi l'explication de Claudel ne semble-t-elle pas tout à fait satisfaisante à Jouvet?
4. Donnez des exemples qui montrent la justesse de la définition de Giraudoux.

Discours aux Morts

JEAN GIRAUDOUX *(1882–1944) is a playwright and novelist. His plays, produced by Jouvet, were very successful and continue to rank among the best of our time. Several of them,* Ondine, The Madwoman of Chaillot, The Apollo of Bellac, *have been well received in the United States.* La Guerre de Troie n'aura pas lieu *(1935) was adapted by the English dramatist Christopher Fry and enjoyed considerable success both in London and in New York under the title* Tiger at the Gates. *The theme is briefly the following: Hector, the son of King Priam of Troy, is just returning to the city after a victorious war. He is determined that Troy shall fight no more wars, and insists that the symbolic gates of war be closed. During his absence Paris has carried off Helen, and the Greek ambassador Ulysses is on his way to ask for reparation. Hector struggles desperately to avoid the war but as the play ends the gates of war roll open. The speech given below is the speech that Hector, the victorious general, must make when the gates of war are closed. It is supposed to be a speech in honor of the dead. Hector refuses the conventional words and attitudes by which one masks the realities of war, and his speech is tragically ironical and sincere. Before he gives it, Hector recalls what he said on the battlefield to his dying comrades in arms. It is obvious that Giraudoux, who fought in the first World War, is adapting the Greek story to the tense situation that prevailed in 1935.*

HECTOR. Il n'y aura pas de discours aux morts.

PRIAM. La cérémonie le comporte.[1] Le général victorieux doit rendre hommage aux morts quand les portes se ferment.

HECTOR. Un discours aux morts de la guerre, c'est un plaidoyer hypocrite pour les vivants, une demande d'acquittement. C'est la spécialité des avocats. Je ne suis pas assez sûr de mon innocence....

DEMOKOS. Le commandement est irresponsable.

HECTOR. Hélas, tout le monde l'est, les dieux aussi! D'ailleurs je l'ai fait déjà, mon discours aux morts. Je le leur ai fait à leur dernière minute de vie, alors qu'adossés un peu de biais aux oliviers du champ de bataille, ils disposaient d'un reste d'ouïe et de regard.[2] Et je peux vous répéter ce que je leur ai dit. Et à l'éventré,[3] dont les prunelles tournaient déjà, j'ai dit: «Eh bien, mon vieux, ça ne va pas si mal que ça . . .»[4] Et à celui dont la massue avait ouvert en deux le crâne: «Ce que tu peux être laid[5] avec ce nez fendu!» Et à mon petit écuyer, dont le bras gauche pendait et dont fuyait le dernier sang: «Tu as de la chance de t'en tirer avec le bras gauche . . . » Et je suis heureux de leur avoir fait boire à chacun une suprême goutte à la gourde de la vie.[6] C'était tout ce qu'ils

[1] *le comporte:* requires it.

[2] *alors que . . . regard:* at the time when, leaning a little sideways against the olive trees of the battlefield, they could still hear and see a little.

[3] *l'éventré:* i.e., *l'homme éventré:* the disembowelled man.

[4] *ça ne va . . . ça:* you're not doing so badly.

[5] *ce que . . . laid:* how ugly you are.

[6] *de leur . . . vie:* that I gave them each a last drop to drink from the flask of life.

réclamaient, ils sont morts en la[7] suçant . . . Et je n'ajouterai pas un mot. Fermez les portes.

LA PETITE POLYXÈNE. Il est mort aussi, le petit écuyer?

HECTOR. Oui, mon chat. Il est mort. Il a soulevé la main droite. Quelqu'un que je ne voyais pas le prenait par sa main valide. Et il est mort.

DEMOKOS. Notre général semble confondre paroles aux mourants et discours aux morts.

PRIAM. Ne t'obstine pas, Hector.

HECTOR. Très bien, très bien, je leur parle . . . *(Il se place au pied des portes.)*

HECTOR. O vous qui ne nous entendez pas, qui ne nous voyez pas, écoutez ces paroles, voyez ce cortège. Nous sommes les vainqueurs. Cela vous est bien égal, n'est-ce pas? Vous aussi vous l'êtes.[8] Mais, nous, nous somme les vainqueurs vivants. C'est ici que commence la différence. C'est ici que j'ai honte. Je ne sais si dans la foule des morts on distingue les morts vainqueurs par une cocarde.[9] Les vivants, vainqueurs ou non, ont la vraie cocarde. Ce sont leurs yeux. Nous, nous avons deux yeux, mes pauvres amis. Nous voyons le soleil. Nous faisons tout ce qui se fait dans le soleil. . . .

O vous qui ne sentez pas, qui ne touchez pas, respirez cet encens, touchez ces offrandes. Puisqu'enfin c'est un général sincère qui vous parle, apprenez que je n'ai pas une tendresse égale, un respect égal pour vous tous. Tout morts que vous êtes, il y a chez vous la même proportion de braves et de peureux que chez nous qui avons survécu[10] et vous ne me ferez pas confondre, à la faveur d'une cérémonie, les morts que j'admire avec les morts que je n'admire pas. Mais ce que j'ai à vous dire aujourd'hui, c'est que la guerre me semble la recette la plus sordide et la plus hypocrite pour égaliser

[7] *la:* i.e., *la gourde.*

[8] *vous l'êtes:* i.e., vous êtes les vainqueurs.

[9] *une cocarde:* a rosette or badge. For Hector there is no victory, no triumphant badge for the dead.

[10] *qui avons survécu:* we who survived. Death does not turn cowards into brave men. Hector is here destroying the myth that death in battle automatically turns men into heroes.

les humains et que je n'admets pas plus la mort comme châtiment ou comme expiation au lâche que comme récompense au héros. Aussi qui que vous soyez, vous absents, vous inexistants, vous oubliés, vous sans occupation, sans repos, sans être, je comprends en effet qu'il faille[11] en fermant ces portes[12] excuser près de vous ces déserteurs que sont les survivants, et ressentir comme un privilège et un vol ces deux biens qui s'appellent, de deux noms dont j'espère que la résonance ne vous atteint jamais, la chaleur et le ciel.

JEAN GIRAUDOUX
La Guerre de Troie n'aura pas lieu
(Grasset)

QUESTIONS SUR *Discours aux Morts*

1. Qu'y a-t-il de frappant dans les premières paroles l'Hector aux morts?
2. Comment s'explique son sentiment de honte?
3. Pourquoi dit-il que c'est enfin un général sincère qui parle?
4. Pourquoi condamne-t-il la guerre?
5. Que pouvez-vous ajouter à ce réquisitoire?

L'Acteur

JEAN-LOUIS BARRAULT *(b. 1910), mime, actor, director of a well-known troop of actors, is one of the most successful of the present postwar producers. In* Réflexions sur le Théâtre *(1949) he speaks of his training and gives his opinion and ideas on different types of productions. In the twenties, there was a real rebirth of the mime in France. Barrault studied this art with*

[11] *je comprends . . . qu'il faille:* faille, present subjunctive of falloir: I can see that one must.
[12] *ces portes:* the doors of war that were closed when the war was over.

> *great interest. He made a world-wide hit as a mime in the movie* Les enfants du paradis, *the first one of his roles which brought him fame.*

J'appris surtout à l'Atelier[1] à aimer le Théâtre. Nous avions devant nous un des plus grands et sincères amoureux du théâtre qui puisse[2] se rencontrer. Le plus instructif[3] pour nous, en effet, c'était de regarder travailler Dullin.

Quant à jouer des rôles, on[4] n'en jouait guère; je veux dire des rôles importants, car au contraire des rôles, des silhouettes, des utilités, on en jouait beaucoup; quatre ou cinq dans la même soirée. . . . Mais sous l'exemple[5] de Dullin nous poursuivions la moindre silhouette jusque dans ses retranchements les plus cachés, jusque dans sa psychologie la plus profonde. . . .

Tout personnage qui entre en scène, entre dans une *situation.*

Dans quel état est-il?

D'où vient-il?

Où va-t-il?

Dans quel but vient-il agir?

Quel est l'objet qu'on pourrait trouver qui puisse dès la première seconde[6] le situer pour le public et pour lui-même?

Quelle est sa forme, sa silhouette, sa découpure?[7] Quel est son regard? . . . etc.

L'enseignement de Dullin s'appuyait sur l'importance essentielle de *vivre sincèrement une situation.* Les exercices que nous faisions à son cours étaient presque toujours des *exercices de sincérité.* On n'acquérait peut-être pas une grande technique, mais on apprenait à vivre la situation. S'il nous arrivait de parler faux, nous ressentions vrai.

[1] *l'Atelier:* the theatre directed by Dullin.
[2] *qui puisse:* subjunctive after the superlative: one of the greatest . . . that one could meet.
[3] *Le plus instructif:* la chose la plus instructive: What taught us most.
[4] *on:* translate here by *we.*
[5] *sous l'exemple:* following the example.
[6] *dès la première seconde:* within the very first second.
[7] *sa découpure:* his overall aspect.

La succession de toutes ces silhouettes m'apprit entre autres choses les maquillages.[8]

Dans *La Volupté de l'honneur*, de Pirandello,[9] où Dullin était magnifique, au premier acte je traversais une première fois la scène en nourrice,[10] portant un rouleau de chiffons dans les bras en guise de[11] bébé. Chaque soir, je me faisais un maquillage nouveau, cela me passionnait.

Ma «passade» faite,[12] j'avais tout juste le temps de remonter dans la loge des élèves, de me démaquiller en hâte et d'attaquer un nouveau maquillage car à la fin du II,[13] juste à la tombée du rideau, je faisais le troisième «je-ne-sais-plus-quoi»[14] (c'était un notaire je crois) et là encore, je changeais chaque jour de maquillage. Sur ce maquillage-là, mon imagination pouvait d'autant plus s'en donner à cœur joie[15] que je savais que personne ne me verrait, car voilà comment cela se passait:[16]

Un des principaux personnages du drame disait:

«Faites entrer ces messieurs» et le domestique ouvrait la porte du fond. Le premier monsieur entrait: «bonjour messieurs» le 2e monsieur le suivait, ainsi que le 3e monsieur que je représentais; mais la réplique du premier: «bonjour messieurs» était la dernière réplique de l'acte et le signal pour le «baisser» du rideau.

Jamais je n'ai pu arriver assez tôt pour apercevoir encore un coin de la salle. Toujours, quand j'arrivais dans le décor, le rideau était fermé.

Je ne crois pas qu'il existe, dans tout le répertoire, de rôle aussi discret.

Cela ne m'empêchait pas pendant l'entracte de rester maquillé et de faire admirer mon maquillage par mes camarades et par Dullin qui s'en amusait beaucoup.

[8] *les maquillages:* the art of make-up.
[9] *Luigi Pirandello* (1867–1936), Italian novelist and dramatist.
[10] *en nourrice:* as a wet-nurse.
[11] *en guise de:* in lieu of.
[12] *Ma «passade» faite:* When I had crossed the stage.
[13] *du II:* de l'acte II.
[14] *je faisais . . . quoi:* I played the role of a third "I-forget-what."
[15] *s'en . . . joie:* to have a field day.
[16] *car . . . passait:* for this is what happened.

Si en définitive on ne savait pas faire grand chose, on apprenait tout de même ce qu'il était convenu de faire pour, un jour ou l'autre, faire bien. On *apprenait une méthode*, plus qu'on ne l'appliquait.

L'enseignement dirigé par Dullin attirait notre attention sur l'expression du corps, sur le sens religieux du masque. Toute convention était irrévocablement rejetée, quitte à ne la pouvoir remplacer par rien.[17]

La pureté avec laquelle nous étions encouragés à aborder le théâtre s'appuyait principalement sur l'Ecole lointaine de Stanislawski, sur l'Ecole plus proche du Vieux-Colombier de Jacques Copeau, et sur les théories passionnantes de Gordon Craig.[18]

A Stanislawski, l'honneur d'attirer notre attention sur *la faculté de concentration, le développement de l'observation, la maîtrise de soi* et *la décontraction. . . .*

A Copeau l'honneur d'avoir hissé le théâtre au niveau même des autres arts; d'avoir redonné à notre profession une certaine grandeur qui n'était plus que l'apanage du seul Théâtre Français.[19]

A Gordon Craig celui de nous avoir rappelé que notre profession est un grand artisanat, un artisanat collectif. Travailler avec le machiniste, travailler avec l'électricien, participer à la fabrication des décors, à la confection des costumes, apprendre à faire son masque soi-même, étudier si possible la musique, etc. etc. . . . le Théâtre étant un Tout et non un simple lieu d'exhibitionnisme.

JEAN-LOUIS BARRAULT
Réflexions sur le Théâtre
(Jacques Vautrain)

[17] *quitte à . . . rien:* even if we could replace it by nothing.

[18] *Stanislawski* (1865–1938): is the great Russian producer whose theories on acting did much to transform the European theatre in the early 1900's; *Jacques Copeau* (1878–1949) opened the theatre of the Vieux Colombier in 1913. He launched a vigorous attack against the commercial theatre and started the French theatre on the road to a much needed revival as an art form. *Gordon Craig* (b. 1872), an Englishman, expounded many sound and revolutionary theories on the nature of the stage and the techniques the theatre should use.

[19] *que . . . Français:* characteristic at the time only of the *Théâtre Français* (or *Comédie-Française*).

QUESTIONS SUR *L'acteur*

1. A quoi sert-il de jouer beaucoup de petits rôles?
2. La sincérité est-elle indispensable au bon acteur?
3. Pourquoi Dullin employait-il beaucoup les masques?
4. Quelles ont été les contributions au renouvellement du théâtre de Stanislawski, Craig et Copeau?
5. En quoi consiste la formation d'un acteur?
6. Pourquoi acteurs et actrices ont-ils souvent un caractère difficile?
7. L'auteur distingue la pantomime ou langage de gestes et le mime qui est action pure. Pouvez-vous vous exprimer de l'une ou l'autre de ces façons?

17

LITTÉRATURE

Malgré toutes ses difficultés au cours de son histoire, la France est restée un des centres de la civilisation occidentale dans un domaine au moins: celui de la littérature. Ceci est certainement vrai pour la période contemporaine.

A la fin du dix-neuvième siècle, le mouvement symboliste manifesta sa rupture avec les principes de la littérature d'alors qui se proposait avant tout d'«imiter» la réalité. Se retirant dans le monde subjectif des émotions et de l'imagination, les écrivains se lancèrent dans l'exploration des mondes intérieurs. Cela devait mener à une riche littérature. Mais le monde subjectif est fluide et en perpétuel mouvement. Pour l'écrivain, il y avait donc un premier problème, essentiellement esthétique, comment donner une forme à ce monde informe?

Les tentatives de mise en ordre furent nombreuses. La première génération d'écrivains de ce siècle fut très brillante. Nés aux environs de 1870, Paul Claudel, André Gide, Marcel Proust et Paul Valéry ont façonné une œuvre qui a laissé une forte empreinte sur la poésie, le théâtre, le roman, l'essai et la critique littéraire.

Converti au catholicisme, Paul Claudel considérait le poète comme le glorificateur de la création divine et de la grande entreprise quotidienne de Dieu: le salut de cette création. Ses poèmes aux amples rythmes, aux images riches, son théâtre aux proportions épiques se dressent à part dans la littérature française. André Gide, souple, tolérant, styliste accompli, a été appelé «le maître de trois générations». Il est surtout connu pour son roman, *les Faux-Monnayeurs,* et pour ses récits, comme *Thésée,* respectivement écrits en 1926 et 1946. C'est avant tout un chercheur qui veut trouver le chemin par lequel l'individu pourra atteindre son plein et authentique développement, sortir des contraintes imposées par une société assez rigide.

Marcel Proust a créé l'un des plus grands romans de notre siècle, *A la Recherche du Temps Perdu* (1913–27). Un peu difficile d'accès, ce livre présente l'odyssée spirituelle d'un personnage, le narrateur, à la recherche de la «vraie vie». Sa quête aboutit car, dans les deux derniers volumes, *Le Temps Retrouvé,* il découvre la qualité spirituelle de la vie, manifeste dans l'art et en même temps il découvre sa vocation d'artiste. Paul Valéry, dans sa poésie, a exploré avec une extrême pénétration les profondeurs de la conscience humaine et les démarches qui mènent à la création du poème. Il y a d'autres grands noms dans cette génération, comme Charles Péguy ou comme Guillaume Apollinaire, le précurseur des surréalistes, «poètes assassinés», le premier en 1914, le second en 1918.

En 1916 apparurent les Dadaïstes,[1] groupe international qui, profondément blessé par le spectacle de la guerre, voulait révéler à la société son hypocrisie et son absurdité. En 1921, un jeune homme, André Breton, fatigué des négations du dadaïsme, fonda le surréalisme. Son but était de briser la barrière des conventions et routines qui, selon lui, nous emprisonne. Par toutes sortes de moyens, rêve, «déraison», écriture automatique, c'est-à-dire aussi spontanée que possible, il essaya de découvrir ce qu'était cette vie du subconscient révélée par Freud de manière à l'intégrer complètement à notre vie consciente, créant ainsi un nouveau mode de vie et d'expression. L'influence du surréalisme se fit sentir dans toute la littérature; la langue se chargea d'images inattendues, les œuvres échappèrent à l'organisation rationnelle et aux traditions. Le surréalisme lui-même ne donna qu'un grand poète, Paul Eluard, mais il

[1] L'expression vient, soi-disant, du mot *dada* (hobby-horse) sur lequel était tombé par hasard un des fondateurs du mouvement en ouvrant le dictionnaire.

féconda la littérature. Un écrivain comme Jean Cocteau, par exemple, tout en restant en marge du mouvement, en utilisa la technique.

La génération qui suivit celle des maîtres et dont les œuvres parurent dans les années après 1918, sembla d'abord compter surtout des romanciers et dramaturges tels que François Mauriac, Jules Romains, Georges Duhamel, Jean Giraudoux. Mais plusieurs grandes figures de poètes s'en dégagèrent, Pierre Reverdy, Jules Supervielle, Pierre-Jean Jouve et Saint-John Perse qui obtint le prix Nobel de littérature en 1960 car il faut plus de temps aux poètes qu'aux autres écrivains pour se faire reconnaître. Ce furent des années brillantes, riches en expériences littéraires. Cependant, à partir de 1930, l'horizon s'assombrit. C'est alors que parurent les premiers livres d'André Malraux. Dans ces romans, la révolution, la violence jouent un rôle important. *La Condition humaine*, en 1933, proposait à cette décade de l'inquiétude ses thèmes principaux: sentiment d'angoisse, sentiment de la disparition mouvementée d'un ordre ancien, hantise de «l'absurde», du non-sens de la vie humaine, problème de l'homme et des valeurs selon lesquelles il vit. Les romanciers contemporains de Malraux: Bernanos, Saint Exupéry, Giono, se posent ces mêmes questions, chacun à sa manière; et Henri Michaux lutte contre la hantise du néant au moyen d'une œuvre poétique originale qui tire ses effets de l'exploration d'un monde intérieur.

De 1939 à 1945, la France se trouva plongée dans le désastre; poètes, romanciers et dramaturges prirent part aux événements, le plus souvent dans la Résistance. C'est alors que s'affirmèrent deux jeunes écrivains, Jean-Paul Sartre et Albert Camus. Jean-Paul Sartre, le chef du mouvement existentialiste athée, proclamait la fin de l'esthétisme et la nécessité d'une littérature «engagée», c'est-à-dire s'adressant à un public aussi vaste que possible, faisant face aux problèmes du jour, prenant position. Albert Camus cherchait de son côté une morale qui puisse convenir à notre époque; ses deux romans, *L'Etranger* et *La Peste* (1942 et 1947) sont parmi les plus significatifs de notre temps. Quant aux poètes, René Char, Pierre

Emmanuel et le poète martiniquais Aimé Césaire ont incorporé à leurs poèmes ce même souci de donner un sens à l'aventure humaine.

Après la guerre, les tensions et difficultés auxquelles s'affrontent les Français ayant diminué, la vie littéraire, très active, a repris son rythme normal. Cela se manifeste notamment par le grand nombre de journaux et de revues littéraires, par les prix destinés à récompenser les meilleures œuvres de l'année, par la publication abondante des livres en tous genres et par la recherche continuelle d'autres voies.

C'est ainsi qu'à partir de 1955 environ, tout un groupe de jeunes romanciers, mécontents de la médiocrité de la production courante, s'est préoccupé de rechercher de nouvelles techniques de narration. Le «nouveau roman» est très varié. Robbe-Grillet *(La Jalousie, Dans le Labyrinthe)* travaille dans le sens d'une nouvelle objectivité; le personnage central de ses romans est, en général, invisible. Mais c'est ce personnage qui voit tout ce qui se passe et c'est cela qui est alors présenté sous forme de descriptions minutieuses, de scènes où passé et présent, souvenirs, émotions, événements véritables ou imaginés se superposent, se modifient à travers des répétitions imperceptiblement modifiées. Michel Butor *(La Modification, Degrés)* cherche à exprimer à travers ses personnages les liens complexes qui les attachent aux lieux et qui leur donnent le prolongement temporel qui tient à leur enracinement dans de complexes civilisations.

Nathalie Sarraute *(Portrait d'un Inconnu, Le Planétarium)* explore les mouvements les plus ténus de la sensibilité d'individus qui se heurtent, se cherchent, se cachent, dans leurs rapports les plus quotidiens les uns avec les autres. Les courts romans dialogués de Marguerite Duras *(Moderato Cantabile)* se développent comme des compositions musicales tout en se chargeant de tout le poids de relations humaines mystérieuses et souvent angoissées qui ne parviennent que rarement à briser l'essentielle solitude de chaque personnage. Cependant, toute une génération de «nouveaux poètes», Yves Bonnefoy, Philippe Jaccottet, Alain Bosquet, Claude Vigée et d'autres cherchent à retrouver et à transmettre dans leurs poèmes un espoir encore timide dans l'avenir de l'homme et un profond attachement à notre terre qui ne survivra, semble-t-il, dans cet âge, que si nous le voulons.

QUESTIONS

1. Quelles qualités un livre doit-il avoir pour être considéré comme un chef-d'œuvre?
2. Croyez-vous qu'un livre puisse changer la vie d'une personne?
3. Les écrivains doivent-ils rester dans leur tour d'ivoire ou se mêler activement au monde?
4. Plusieurs romanciers français ont été influencés par la littérature américaine d'aujourd'hui. Savez-vous pourquoi?
5. Peut-on juger une nation d'après sa littérature?
6. D'où vient le succès des romans policiers?
7. La traduction permet-elle généralement de connaître assez bien les œuvres étrangères?
8. Quelle est votre idée de la poésie?
9. D'après les passages que vous avez lus dans ce livre, quel serait un de vos auteurs favoris et pourquoi?

La Langue Française

PAUL VALÉRY *(1871–1945), a poet and essayist, withdrew from the literary scene after a brilliant début. He spent many years studying the workings of the mind and started to publish again just before World War I. He is one of the two or three greatest prose writers of modern France.*

Trois caractères distinguent nettement le français des autres langues occidentales: le français, bien parlé, ne chante presque pas. C'est un discours de registre peu étendu,[1] une parole plus plane que les autres. Ensuite: les consonnes en français sont remarquablement adoucies; pas de figures rudes ou gutturales.[2] Nulle consonne

[1] *un discours de registre peu étendu:* a type of speech with a narrow range in tonality, more even than other types.
[2] *pas de . . . gutturales:* there are no guttural or harsh patterns.

française n'est impossible à prononcer pour un Européen. Enfin, les voyelles françaises sont nombreuses et très nuancées, forment une rare et précieuse collection de timbres délicats[3] qui offrent aux poètes dignes de ce nom des valeurs par le jeu desquelles[4] ils peuvent compenser le registre tempéré et la modération générale des accents de leur langue. La variété des é et des è,—les riches diphtongues, comme celles-ci:[5] feuille, paille, pleure, toise, tien, etc.,—l'e muet qui tantôt existe, tantôt ne se fait presque point sentir, et qui procure tant d'effets subtils de silences élémentaires, ou qui termine ou prolonge tant de mots par une sorte d'ombre que semble jeter après elle une syllabe accentuée,[6] voilà des moyens dont on pourrait montrer l'efficacité par une infinité d'exemples. . . .

L'histoire du français nous apprend à ce sujet des choses curieuses, que je trouve significatives. Elle nous enseigne, par exemple, que la lettre r, quoique très peu rude en français, où elle ne se trouve jamais roulée ni aspirée, a failli disparaître[7] de la langue, à plusieurs reprises,[8] et être remplacée,[9] selon un adoucissement progressif, par quelque émission plus aisée. (Le mot chaire est devenu chaise, etc.)

En somme, un examen phonétique même superficiel,[10] m'a montré dans la poétique et la langue de France des traits et des singularités que je ne puis m'expliquer que par les caractères mêmes de la nation.

Si la langue française est comme tempérée dans sa totalité générale; si bien parler le français c'est le parler sans accent; si les

[3] *timbres délicats:* delicate tonalities.
[4] *par le jeu desquelles:* by the interplay of which.
[5] *comme celles-ci:* such as the following.
[6] *que . . . syllabe accentuée:* qu'une syllabe accentuée semble jeter: (a shadow) that an accentuated syllable seems to project after itself.
[7] *a failli disparaître:* almost disappeared.
[8] *à plusieurs reprises:* several times.
[9] *et être remplacée:* et (a failli) être remplacée: and was almost replaced.
[10] The value of this passage is not in the objective information it contains but in the subjective form of expression a poet uses to appraise the characteristic features of his own language. Valéry does not use the technical vocabulary of a professional phonetician. To understand him, one must read these lines as if they were a "chanson grise," a sort of prose poem. Then expressions such as "ne chante pas" and "une parole plane" are images that describe agreeably the steady, continuous lines of French intonation contours; and the term "diphtongue" is not an error but a poetic transposition from the visual to the auditory. Then "gutturales" is just another word for harsh, and "nuancées" conveys the wealth of timbres that French actually offers.

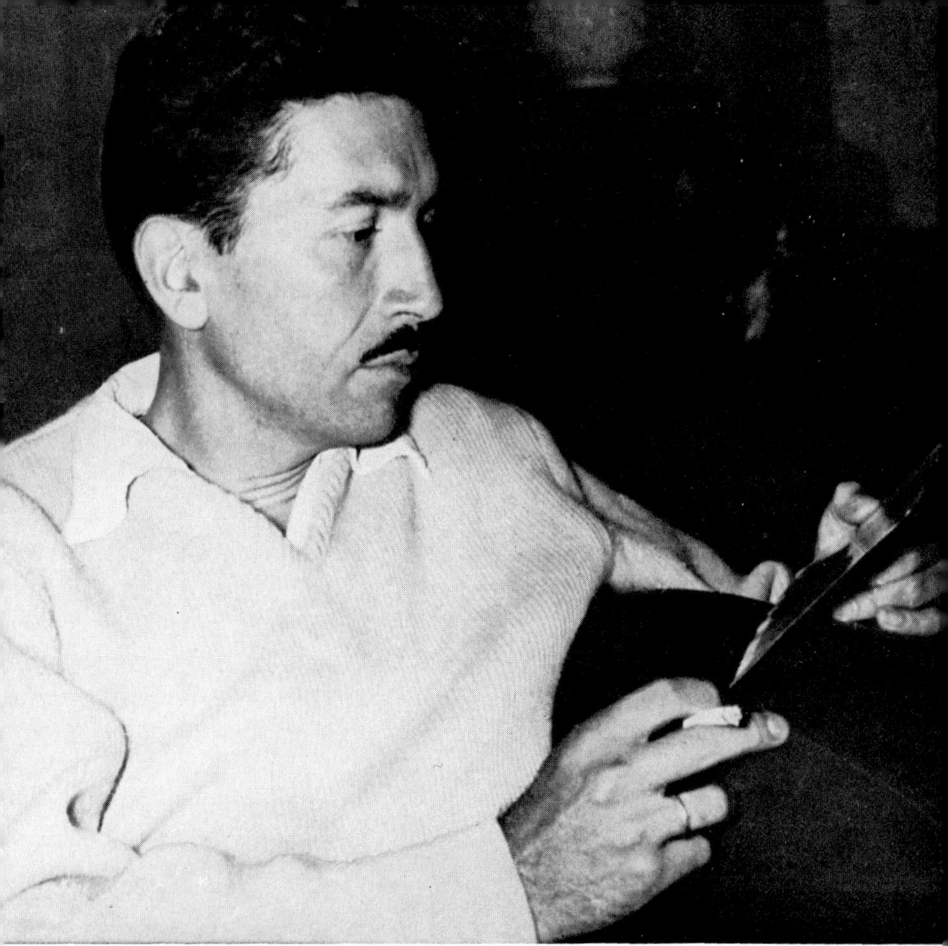

French Embassy—Press and Information Division

ALAIN ROBBE-GRILLET

French Embassy—Press and Information Division

Paul Valéry

phonèmes rudes ou trop marqués en sont proscrits, ou en furent peu à peu éliminés; si, d'autre part, les timbres y sont nombreux et complexes, les muettes si sensibles, je n'en puis voir d'autre cause[11] que le mode de formation et la complexité de l'alliage de la nation.[12] Dans un pays où les Celtes, les Latins, les Germains, ont accompli une fusion très intime, où l'on parle encore, où l'on écrit, à côté de la langue dominante, une quantité de langages divers, (plusieurs langues romanes, les dialectes du français, deux du breton, le basque, le catalan, le corse), il s'est fait nécessairement une unité linguistique parallèle à l'unité politique et à l'unité de sentiment.[13] Cette unité ne pouvait s'accomplir que par des transactions statistiques, des concessions mutuelles, un abandon par les uns de ce qui était trop ardu à prononcer pour les autres,[14] une altération composée. . . .

Le Français est bien séparé des autres langues, non seulement par le vocabulaire, mais par sa diction, mais par la rigueur et la complication des règles de l'orthographe et de la syntaxe; mais par une remarquable tendance à n'employer qu'un petit nombre de mots,—à quoi nous trouvons[15] de l'élégance et je ne sais quel air universel.

Quant à la diction, mère de la Poésie, j'observe que notre musique de poésie[16] diffère de toutes les autres, s'oppose[17] plus que les autres au ton de la voix normale; et par conséquence, elle s'est développée

[11] *Si . . . d'autre cause:* sentence structure: principal cause: *je n'en puis voir d'autre cause que:* I can see no other reason for it than; subordinate clauses: *si la langue . . . ; si bien parler français . . .* (if to speak French well is to speak without an accent); *si les phonèmes . . . en sont proscrits ou en furent éliminés . . . ; si les timbres y sont nombreux . . . ; phonème:* a speech sound.

[12] *la complexité . . . nation:* the complex make-up of the nation.

[13] *Dans un pays . . . sentiment:* sentence structure: principal clause: *il s'est fait nécessairement une unité linguistique:* a linguistic unity necessarily came about; subordinate clause: *Dans un pays où les Celtes . . . où l'on parle . . . (une quantité de langages) . . . où l'on écrit . . . une quantité de langages.*

[14] *un abandon par les uns . . . les autres:* the abandoning by certain groups of what was too difficult for other groups to pronounce.

[15] *à quoi nous trouvons:* a tendency which we find elegant and which has a certain air of universality; *je ne sais quel air:* an indescribable air, literally: I cannot say what air.

[16] *notre musique de poésie:* the music our poetry makes.

[17] *s'oppose . . . :* reflexive to be translated by a passive: is more removed than others from the tonality of the ordinary voice.

vers un art savant et formel, très distinct et très éloigné de toute production naïve et populaire. C'est pourquoi l'on a pu dire avec une certaine exactitude apparente, et une grande injustice dans le fond que nous étions plus faits pour la prose que pour les vers.

Il est vrai que le chef-d'œuvre littéraire de la France est peut-être sa prose abstraite dont la pareille ne se trouve nulle part.[18] Depuis le XVIe siècle, il n'est pas d'époque chez nous qui n'ait produit des ouvrages de philosophie, d'histoire, ou même de science pure admirables par l'ordonnance et par le style.

PAUL VALÉRY
Regards sur le Monde Actuel
(Gallimard)

QUESTIONS SUR *La Langue Française*

1. Quels sont trois caractères du français, selon Paul Valéry?
2. Quelle explication donne-t-il de ces caractères?
3. Pourquoi la lettre *r* a-t-elle disparu de beaucoup de mots?
4. Qu'est-ce qui distingue le français des autres langues?
5. Quels facteurs font évoluer une langue?
6. Quels sont les origines, les traits caractéristiques, les ressources de l'anglais?

Thésée

ANDRÉ GIDE *(see page 16 for biographical sketch). Gide's Theseus is a* récit, *that is, a story of his life told by the hero himself. Theseus, founder of Athens, is a legendary character that Gide has chosen to reinterpret. It is the aging king who speaks. He*

[18] *dont la pareille ne se trouve nulle part:* whose equal can be found nowhere.

has lost his son Hippolytus and is now looking back over his long and successful life. In the passage below, he tells of his youth. Gide uses the material of the legend: Theseus was brought up by a foster-father far from Athens and before returning to his father's palace had to find a sword and sandals hidden under a rock. But Gide transforms the story, giving it an ethical meaning which is truly Gidian.

C'est pour mon fils Hippolyte[1] que je souhaitais raconter ma vie, afin de l'en instruire; mais il n'est plus,[2] et je raconterai quand même. A cause de lui je n'aurais osé relater, ainsi que je vais faire ici, quelques aventures galantes:[3] il se montrait extraordinairement pudibond et je n'osais parler devant lui de mes amours. Celles-ci[4] n'ont du reste[5] eu d'importance que dans la première partie de ma vie; mais m'ont appris[6] du moins à me connaître, concurremment avec les divers monstres que j'ai domptés. «Car, lui[7] disais-je, il s'agit d'abord de bien savoir[8] qui l'on est. Ensuite il conviendra[9] de prendre en conscience et en mains son héritage. Que tu le veuilles ou non, tu es, comme j'étais moi-même, fils de roi. Rien à faire à cela:[10] c'est un fait; il oblige.»[11] Mais Hippolyte s'en souciait peu, moins encore que je ne faisais à son âge, et, comme moi dans ce temps, se passait fort commodément de[12] le savoir. O premiers ans vécus dans l'innocence! Insoucieuse formation! J'étais le vent, la

[1] *Hippolyte:* Hippolytus, the son of Theseus, was killed by Neptune at Theseus' request when Theseus' wife, Phædra, who was in love with Hippolytus, her step-son, wrongly accused him of having tried to seduce her.
[2] *il n'est plus:* he is dead.
[3] Hippolytus was known for his chastity, whereas Theseus was involved in many love affairs.
[4] *Celles-ci:* pronoun referring to *amours; amour* used to be feminine in gender but became masculine in the singular in the eighteenth century. When the word is used in the plural, it generally is considered to be feminine.
[5] *du reste:* as a matter of fact.
[6] *mais m'ont appris:* mais elles (mes amours) m'ont appris.
[7] *lui: i.e.,* à Hippolyte.
[8] *il s'agit . . . savoir:* you should well know, first of all.
[9] *il conviendra:* it will be fitting.
[10] *Rien à faire à cela:* Nothing can be done about that.
[11] *il oblige:* it creates an obligation.
[12] *se passait . . . de: se passer de:* to do without.

vague. J'étais plante; j'étais oiseau. Je ne m'arrêtais pas à moi-même, et tout contact avec un monde extérieur ne m'enseignait point tant mes limites qu'il n'éveillait en moi de volupté. J'ai caressé des fruits, la peau des jeunes arbres, les cailloux lisses des rivages, le pelage des chiens, des chevaux, avant de caresser des femmes. . . .

Un jour mon père m'a dit que ça ne pouvait pas continuer comme ça. «Pourquoi?» Parce que, parbleu,[13] j'étais son fils et que je devais me montrer digne du trône où lui succéder.[14]. . . Alors que[15] je me sentais si bien, assis à cru[16] sur l'herbe fraîche ou sur une arène embrasée. Pourtant je ne puis donner tort à[17] mon père. Certes il faisait bien d'élever ma propre raison contre moi. C'est à cela[18] que je dois tout ce que j'ai valu par la suite; d'avoir cessé de vivre à l'abandon, si plaisant que cet état de licence pût être. Il[19] m'enseigna que l'on n'obtient rien de grand, ni de valable, ni de durable sans effort.

L'effort premier je le donnai sur son invite.[20] Ce fut en soulevant des roches, pour y chercher les armes que, sous l'une d'elles, me disait-il, Poseidon avait cachées. Il riait de voir, par cet entraînement,[21] mes forces s'accroître assez vite. Et cet entraînement musculaire doublait celui de mon vouloir. Après que, dans cette recherche vaine, j'eus déplacé les lourdes roches d'alentour, comme je commençais de m'attaquer aux dalles du palais,[22] il m'arrêta:

«Les armes, me dit-il, importent moins que le bras qui les tient; le bras importe moins que l'intelligente volonté qui le guide. Pour

[13] *parbleu:* a mild swearword: by Jove!

[14] *où lui succéder:* where I would succeed him.

[15] *Alors que:* When.

[16] *Assis à cru:* sitting naked.

[17] *donner tort à:* to judge that someone is not justified.

[18] *C'est à cela: cela* refers to the end of the sentence, i.e., *d'avoir cessé de vivre à l'abandon.* It is because I stopped living without discipline that I owe all that I was worth later on.

[19] *Il:* mon père.

[20] *sur son invite:* at his request.

[21] *par cet entraînement:* through this physical exercise.

[22] *je commençais . . . du palais:* as I started to work on the flagstones of the palace.

aucun de nous rien ne vaut que ce qu'il acquiert.[23] Voici les armes. Pour te les remettre, j'attendais que tu les mérites. Je sens en toi désormais l'ambition de t'en servir et ce désir de gloire qui ne te laissera t'en servir que pour de nobles causes et pour l'heur[24] de l'humanité. Le temps de ton enfance est passé. Sois homme. Sache montrer aux hommes ce que peut être et se propose de devenir l'un d'entre eux.[25] Il y a de grandes choses à faire. Obtiens-toi.»[26]

ANDRÉ GIDE
Thésée
(Gallimard)

QUESTIONS SUR *Thésée*

1. Quel a été le rôle et la place de l'amour dans la vie de Thésée, selon André Gide?
2. Quelle a été la valeur de l'insoucieuse formation du jeune Thésée?
3. Pourquoi est-il essentiel de bien savoir qui l'on est?
4. Par quel moyen de bonne psychologie le père de Thésée a-t-il développé les forces de son fils?
5. L'éducation du jeune garçon vous semble-t-elle bonne et complète?
6. Quelle morale du devoir prêche le père de Thésée?

Dans le Labyrinthe

ALAIN ROBBE-GRILLET *(b. 1922) is an agricultural engineer who first worked at the French national Institute of Statistics, then in an institute for research on tropical fruits. He traveled widely*

[23] *rien . . . acquiert:* nothing has any value except that which he acquires himself.
[24] *l'heur:* an old French form for *le bonheur.*
[25] *ce que . . . l'un d'entre eux: ce que l'un d'entre eux peut être et se proposer de devenir.*
[26] *Obtiens-toi:* a very Gidian precept. Obtain yourself, i.e., become what you have it in you to be.

in Africa and the French West Indies. His first novel appeared in 1953 and by now, with four novels and many articles to his credit, he is considered as one of the masters of the "new" novel. Robbe-Grillet has developed a theory of the novel as dealing with things, not symbols or ideas. Each one of his novels presupposes someone who sees from a distinct point of view, a point of view which the reader makes his own. Robbe-Grillet meticulously describes, and his novel develops through a series of patterns which vary slightly with each repetition, each modification corresponding to some change in the point of view. The novel entitled In the Labyrinth *describes the efforts of a soldier, belonging to a defeated army, who on a winter night, comes into a town and attempts to deliver a shoe box to someone whom he never finds. It had been entrusted to him by a dead companion. The soldier moves through a labyrinth where a few scenes, streets, people, rooms, pictures appear and reappear and mingle with each other, as the snow slowly falls and the soldier nears his death. The scene below, the soldier's meeting with the child, is one of the central motifs of the book and reappears several times with slight variations; as everything in the passage suggests, they have met several times before.*

Le soldat, au pied de son réverbère, attend toujours, immobile, les deux mains dans les poches de sa capote, le même paquet sous son bras gauche. Il fait jour de nouveau, le même jour terne et pâle. Mais le réverbère est éteint. Ce sont les mêmes maisons, les mêmes rues désertes, les mêmes couleurs blanches et grises, le même froid.

La neige a cessé de tomber. La couche sur le sol n'est guère plus épaisse, peut-être un peu plus tassée seulement.[1] Et les chemins jaunâtres, que les piétons pressés ont dessinés tout au long des trottoirs, sont les mêmes. Autour de ces étroits pasages, la surface blanche est presque partout restée vierge; de menues altérations se sont néanmoins produites çà et là, telle la zone arrondie[2] que les grosses chaussures du soldat ont piétinée, contre le réverbère.

C'est l'enfant cette fois qui vient à sa rencontre. Il n'est d'abord qu'une silhouette indistincte, une tache noire irrégulière qui se

[1] *peut-être . . . seulement:* only perhaps a little more solidly packed.
[2] *telle . . . arrondie:* like, for instance, the circular area.

rapproche, assez vite, en suivant l'extrême bord du trottoir. Chaque fois que la tache arrive au niveau d'un lampadaire, elle exécute un mouvement rapide vers celui-ci[3] et reprend aussitôt sa course en avant, dans sa direction première. Bientôt il est facile de distinguer l'étroit pantalon noir qui enserre les jambes agiles, la cape noire rejetée en arrière qui vole autour des épaules, le béret de drap enfoncé jusqu'aux yeux. Chaque fois que l'enfant arrive au niveau d'un lampadaire, il étend brusquement son bras vers la colonne de fonte,[4] à laquelle s'agrippe la main gantée de laine, tandis que tout le corps, lancé par la vitesse acquise, opère un tour complet autour de cet appui, les pieds ne touchant le sol qu'autant qu'il est nécessaire, l'enfant se retrouvant aussitôt dans sa position primitive, tout au bord du trottoir où il reprend sa course en avant, en direction du soldat.

Il peut n'avoir pas tout de suite remarqué celui-ci,[5] qui se confond peut-être en partie avec la colonne de fonte contre laquelle sa hanche et son bras droit s'appuient. Mais, pour mieux observer le gamin, sa progression coupée de boucles et les tourbillons qui agitent la pèlerine à chacune d'elles,[6] l'homme s'est avancé un peu, et l'enfant, parvenu à mi-chemin entre les deux derniers lampadaires, s'arrête d'un seul coup, les pieds joints, les mains ramenant autour du corps raidi la pèlerine retombée, la figure attentive aux yeux grands ouverts tournés vers le soldat.

—Bonjour, dit celui-ci.

L'enfant le considère sans surprise, mais aussi sans la moindre marque de bienveillance, comme s'il trouvait à la fois naturel et ennuyeux de le rencontrer à nouveau.

—Où tu as dormi? dit-il, à la fin.

Le soldat fait un signe vague, avec son menton, sans prendre la peine de sortir une main de sa poche:

[3] *celui-ci:* i.e., "le lampadaire" (street-lamp)
[4] *la colonne de fonte:* the cast-iron shaft.
[5] *celui-ci:* i.e., le soldat.
[6] *sa progression . . . d'elles:* whose movement forward is interrupted by pivots and the gusts which make his cape billow out each time.

—Par là.

—A la caserne?

—Oui, si tu veux, à la caserne.

L'enfant détaille son costume,[7] de la tête aux pieds. La capote verdâtre n'est ni plus ni moins fripée, les molletières sont enroulées avec autant de négligence, les souliers ont à peu près les mêmes taches de boue. Mais la barbe, peut-être, est encore plus noire.

—Où elle est, ta caserne?

—Par là, dit le soldat.

Et il répète le même signe du menton, indiquant vaguement l'arrière, ou son épaule droite.

—Tu sais pas rouler tes molletières?[8] dit l'enfant.

L'homme abaisse les yeux, et se courbe un peu en avant, vers ses chaussures:

—Maintenant, tu sais, ça n'a plus d'importance.

ALAIN ROBBE-GRILLET
Dans le Labyrinthe
(Editions de Minuit)

QUESTIONS SUR *Dans le Labyrinthe*

1. A quel moment du jour se place cette scène et pourquoi est-ce important?
2. Comment est la neige tout autour du soldat?
3. Comment l'arrivée de l'enfant nous est-elle décrite?
4. Pourquoi l'auteur note-t-il avec minutie l'état de la neige, les gestes de l'enfant, la tenue du soldat?
5. D'où vient ce que ce simple passage a de prenant?

[7] *détaille son costume:* examines the soldier's clothes.
[8] *Tu sais . . . molletières?:* Don't you know how to wrap leggings?

Le Vin perdu

PAUL VALÉRY *(For biographical sketch,* *see p. 237**).* LE VIN PERDU, *a delicate quasi-allegorical sonnet, suggests, through the image of the wine poured into the ocean, the mysterious cycle of transmutations from which emerge the enigmatic creations of the mind, whether in science or the arts.*

J'ai, quelque[1] jour, dans l'Océan
(Mais je ne sais plus sous quels cieux)
Jeté, comme offrande au néant,
Tout un peu de vin précieux[2] . . .

Qui voulut ta perte, ô liqueur?
J'obéis peut-être au devin?
Peut-être au souci de mon cœur,
Songeant au sang, versant le vin?

Sa transparence accoutumée
Après une rose fumée
Reprit aussi pure la mer[3] . . .

Perdu ce vin, ivres les ondes![4] . . .
J'ai vu bondir dans l'air amer
Les figures[5] les plus profondes[6] . . .

PAUL VALÉRY
Charmes
(Gallimard)

[1] *quelque:* un certain.
[2] *J'ai . . . précieux:* sentence structure: J'ai jeté . . . un peu de vin . . . dans l'Océan.
[3] *Sa . . . mer:* sentence structure: Après une fumée rose, la mer reprit sa transparence accoutumée, aussi pure . . .
[4] *Perdu . . . ondes:* i.e., the wine appeared to have been lost but the waves were intoxicated.
[5] *figures:* forms or designs.
[6] *profondes:* mysterious.

18

CONCLUSION

La civilisation française est assez complexe et les éléments qui la constituent assez variés. C'est pour cela que l'on peut dire des Français qu'ils sont, d'une part, conservateurs, prudents, mesurés, raisonnables, sceptiques et d'autre part révolutionnaires, aventuriers, imaginatifs, sensibles et enthousiastes. De même, les provinces sont très différentes les unes des autres, offrent toutes sortes d'aspects, sont habitées par des groupes ethniques souvent compacts; mais aucune n'est déshéritée, et il existe, comme pour les individus, une volonté d'union, un désir d'institutions communes, un certain art de vivre qui font de la France une seule nation bien homogène.

Cette civilisation repose sur des bases évidentes imposées par la géographie et l'histoire; mais «chaque peuple», écrit Georges Duhamel, «présente des goûts, des passions qui lui sont propres et qu'il sert . . . sans même savoir, parfois, qu'il assouvit ainsi les vœux les plus secrets de sa nature».[1] Cela s'applique aussi bien à la politesse ou à la mode qu'à la famille ou à la littérature. Ces goûts, souvent à peine conscients, créent dans chaque nation tout un système de conventions ou, pour reprendre l'expression de Saint Exupéry, «un certain arrangement des choses.» L'édifice d'une civilisation repose beaucoup sur ces «mystères» que l'étranger a d'abord quelque peine à pénétrer. Il faut du temps, de l'attention,

[1] Dans «Civilisation» (*La France immortelle,* Volume II, Hachette, éditeur).

de la sympathie pour comprendre ce domaine commun à tout un peuple et qui constitue l'ambiance particulière à sa vie.

Cependant la civilisation française fait partie d'une plus vaste entité, la civilisation du monde occidental dont les sources furent la Grèce, Rome et la tradition chrétienne. Sans doute la France change-t-elle sans cesse, à un rythme assez rapide aujourd'hui, mais elle garde ses caractéristiques essentielles. Toujours liée à la société bourgeoise et paysanne, elle a fini par assimiler les éléments nouveaux apportés par la révolution industrielle. Les conditions changeantes du monde l'obligent à une révision constante de son rôle politique. Mais cette civilisation reste fidèle à certaines valeurs. Ce qui la définit peut-être le mieux est son goût des proportions, de la mesure ou plutôt de ce qui a stature humaine. Elle tend à créer un certain visage idéal de l'homme que tout Français reconnaît sans d'ailleurs nécessairement lui ressembler. La pensée française se préoccupe de tout ce qui touche à la justice, à la liberté, à la dignité et au bonheur de l'individu. C'est par ce souci très ancien de la condition humaine que cette civilisation, dépassant le cadre du pays, peut s'ouvrir à tous les hommes.

QUESTIONS

1. Quels éléments entrent dans la notion de civilisation?
2. Savez-vous sur quoi repose la distinction que l'on fait parfois entre la culture et la civilisation?
3. Comment s'expliquent les contradictions dans les traits caractéristiques des Français?
4. Qu'est-ce qui constitue la manière de vivre des Américains (the American way of life)?
5. Comment peut-on apprendre à bien connaître un pays?
6. Quels sont les artisans les plus importants d'une civilisation?
7. Que pensez-vous que la France puisse apprendre des Etats-Unis? Et les Etats-Unis de la France?

Lettre d'Adieu

THIS LETTER *was written by Jacques Decour, a young teacher of German in one of the Paris "lycées," who was condemned to death for his action in the "Résistance." He was executed on May 30, 1942, the day the letter was written.*

Samedi 30 mai 1942, 6h. 45.

Mes chers parents,

Vous attendez depuis longtemps une lettre de moi. Vous ne pensiez pas recevoir celle-ci. Moi aussi j'espérais bien ne pas vous faire de chagrin. Dites-vous bien[1] que je suis resté jusqu'au bout digne de vous, de notre pays que nous aimons.

Voyez-vous, j'aurais très bien pu mourir à la guerre, ou bien même dans le bombardement de cette nuit.[2] Aussi je ne regrette pas d'avoir donné un sens à cette fin.[3] Vous savez bien que je n'ai commis aucun crime, vous n'avez pas à rougir de moi,[4] j'ai su faire mon devoir de Français. Je ne pense pas que ma mort soit une catastrophe; songez qu'en ce moment des milliers de soldats de tous les pays meurent chaque jour, entraînés dans un grand vent qui m'emporte aussi.

Vous savez que je m'attendais depuis deux mois à ce qui m'arrive ce matin, aussi ai-je eu le temps de m'y préparer,[5] mais comme je

[1] *dites-vous bien:* rest assured.
[2] *de cette nuit:* Allied raid on Renault factories in Paris, May 29, 1942.
[3] *d'avoir donné . . . fin:* that I gave my death a significance. By openly resisting the Germans, Decour gave his death a positive value: the value of a free act of refusal. He is not dying by accident, but by choice.
[4] *vous n'avez pas . . . moi:* you will not be ashamed of me; literally: you will not have to blush because of me.
[5] *aussi . . . m'y préparer:* and so I've had plenty of time to get ready for it; *y* refers to: *ce qui m'attend,* i.e., his execution.

n'ai pas de religion je n'ai pas sombré dans la méditation de la mort; je me considère un peu comme une feuille qui tombe de l'arbre pour faire du terreau.

La qualité du terreau dépendra de celle des feuilles. Je veux parler de la jeunesse française, en qui je mets tout mon espoir.

Mes parents chéris, je serai sans doute à Suresnes,[6] vous pouvez si vous désirez demander mon transfert à Montmartre.[7]

Il faut me pardonner de vous faire ce chagrin. Mon seul souci depuis trois mois a été votre inquiétude. En ce moment c'est[8] de vous laisser ainsi sans votre fils qui vous a causé plus de peines que de joies. Voyez-vous, il est content tout de même de la vie qu'il a vécue, qui a été bien belle. . . .

J'ai pu mettre un mot[9] à celle que j'aime. Si vous la voyez, bientôt j'espère, donnez-lui votre affection, c'est mon vœu le plus cher. Je voudrais bien aussi que vous puissiez vous occuper de ses parents qui sont bien en peine.[10] Excusez-moi auprès d'eux de les abandonner ainsi; je me console en pensant que vous tiendrez à[11] remplacer un peu leur «ange gardien». . . .

J'ai beaucoup imaginé, ces derniers temps, les bons repas que nous ferions quand je serais libéré—vous les ferez sans moi, en famille, mais pas tristement, je vous en prie. Je ne veux pas que votre pensée s'arrête aux belles choses qui auraient pu m'arriver mais à toutes celles que nous avons réellement vécues. J'ai refait pendant ces deux mois d'isolement, sans lecture, tous mes voyages, toutes mes expériences, tous mes repas, j'ai même fait un plan de roman. Votre pensée ne m'a pas quitté, et je souhaite que vous ayez, s'il le fallait, beaucoup de patience et de courage, surtout pas de rancœur. . . .

[6] *Suresnes:* small town near Paris, where Decour thinks he will be buried.

[7] *vous pouvez . . . Montmartre:* if you so desire, you can ask to have me transferred to Montmartre (the cemetery of Montmartre in Paris).

[8] *c'est:* i.e., *mon seul souci est.*

[9] *mettre un mot:* i.e., *envoyer une courte lettre.*

[10] *qui sont . . . peine:* who are in great difficulties.

[11] *que vous tiendrez à remplacer un peu leur "ange gardien":* that you will want to take the place, to some extent, of their "guardian angel" (i.e., Decour). The idiomatic expression *tenir à* means to want to, to be anxious to, to insist on.

J'ai fait un excellent repas avec Sylvain le 17, j'y ai souvent pensé avec plaisir, aussi bien qu'au fameux repas de réveillon[12] chez Pierre et Renée. C'est que les questions alimentaires avaient pris de l'importance. Dites à Sylvain et Pierre toute mon affection et aussi à Jean, mon meilleur camarade, que je le remercie bien de tous les bons moments que j'aurai passés[13] avec lui.

Si j'étais allé chez lui le soir du 17, j'aurais fini tout de même par arriver ici, il n'y a donc pas de regret!

Je vais écrire un mot pour Brigitte à la fin de cette lettre, vous le lui recopierez. Dieu sait si j'ai pensé à elle! Elle n'a pas vu son papa depuis deux ans.

Si vous en avez l'occasion, faites dire à mes élèves de première,[14] par mon remplaçant, que j'ai bien pensé à la dernière scène d'Egmont,[15] sous toutes réserve de modestie.[16]

Toutes mes amitiés à mes collègues et à l'ami pour qui j'ai traduit Goethe sans trahir.

Il est huit heures, il va être temps de partir.

J'ai mangé, fumé, bu du café. Je ne vois plus d'affaire à régler.

Mes parents chéris, je vous embrasse de tout cœur. Je suis tout près de vous et votre pensée ne me quitte pas.

Votre DANIEL

DANIEL DECOURDEMANCHE
[Jacques Decour]
in JEAN PAULHAN et DOMINIQUE AURY
La Patrie se fait tous les Jours
(publié avec l'autorisation des
Editions de Minuit)

[12] *réveillon:* the New Year's Eve celebration which includes a midnight meal. Decour, like all people who are hungry, remembers past meals.

[13] Normally, one would use: *que j'ai passés.* Bending over backwards, the author uses the future anterior to indicate a time which will have been ended when he dies.

[14] *première:* the next to highest class in the French lycée where Decour taught.

[15] *la dernière scène d'Egmont:* Count Egmont, in the last scene of Goethe's play, is beheaded by order of the Spanish Duke of Alba because he had led an insurrection against Spain. Before his execution he sees, in a vision, the result of his action: the future freedom of the Netherlands.

[16] *sous . . . modestie:* with all due modesty.

QUESTIONS SUR *Lettre d'Adieu*

1. Quelles raisons donnent un tel courage à Jacques Decour devant la mort?
2. Quel sens donne-t-il à sa mort prochaine?
3. Pourquoi les questions alimentaires avaient-elles pris de l'importance?
4. Que pensez-vous de ce condamné à mort faisant un plan de roman?
5. Pourquoi Jacques Decour fait-il allusion à la dernière scène d'Egmont?
6. Pouvez-vous imaginer quelle sorte de vie menaient les membres de la Résistance?

La Patrie

JEAN PAULHAN *(see page 192 for biographical sketch).*

Il n'est pas un homme normal, rentrât-il[1] le soir dans le plus petit appartement du troisième étage de la maison numéro cinq de la Cité-Modèle,[2] qui se retienne[3] au passage de caresser distraitement la rampe; de regarder par la fenêtre de l'escalier les fumées du voisinage; de se demander quelle main a bien pu écrire[4] son nom près du bouton de la sonnette, Bombilac, par exemple, avec une faute d'orthographe (puisque son vrai nom est Bombillac); . . . de

[1] *Il n'est pas un homme normal, rentrât-il:* There is not a single normal man, should he return (i.e., even if he should return); *rentrât-il* is imperfect subjunctive. Note the inversion of the subject and verb, indicating that this is a conjecture.

[2] *Cité-Modèle:* modern housing development in which all the houses are exactly alike.

[3] *qui se retienne au passage . . . de se demander quelle main a bien pu écrire:* who, as he passes, controls his impulse . . . to wonder what hand could possibly have written; *se retienne* is present subjunctive in a dependent clause, the nature of which is hypothetical by reason of the negative nature of the antecedent.

[4] *de se demander . . . écrire:* to wonder what hand could possibly have written.

se promettre d'effacer l'inscription à la gomme, ce qu'il ne fait d'ailleurs jamais. Après tout, que voit-on d'attachant dans une fumée—[5] et dans ces fumées anonymes de Paris, où l'on serait embarrassé de distinguer la sienne?[6] C'est parce qu'un proverbe nous fait chaque fois songer au feu?[7] Eh bien, drôle de feu, en général. Quand on a la chance, pas très souvent, d'avoir oublié sa clef, il semble, à peine a-t-on sonné,[8] qu'on va s'avancer tout à l'heure entre des meubles et des personnages inconnus, dangereux qui sait. Pourtant, on songe aussi qu'il y a là une femme et des enfants qui vous attendent: on se sent drôlement[9] précieux. . . .

On n'est pas encore au bout de ses petites joies.

Sitôt entré, il reste à aller voir[10] les plats sur le feu et la cage des tourterelles. Elles sont toujours là. Lucette a beau dire[11] que d'enfermer les oiseaux, c'est immoral, et qu'elle les rendra un jour ou l'autre à la liberté. Mais elle le pense moins qu'elle ne le dit. . . .

J'oubliais. Il y a cette ombre légère un peu voûtée, notre grand'mère, qui se détache du mur quand nous entrons. Elle nous accompagne quelques pas. Ainsi le prisonnier,[12] dans les nuits d'hiver interminables de la Prusse d'Orient, songe aux nuits mesurées[13] de son pays, à l'éclat du jour qui se glisse entre les rideaux roses, au réveille-matin—pourquoi le réveille-matin?—et se dit:

[5] *que voit-on . . . fumée:* what is there in a wisp of smoke that can seem so endearing . . .

[6] *la sienne:* sa fumée à soi: one's own smoke.

[7] *C'est . . . au feu:* Is it because a certain proverb always makes us think of fire. The proverb alluded to is, *Pas de fumée sans feu,* i.e., No smoke without fire.

[8] *à peine . . . sonné:* scarcely has one rung. Inversion of the subject after *à peine.*

[9] *drôlement: extremely.* The adverb is used here as a superlative.

[10] *Sitôt entré* . . . As soon as one is inside one must go and see; *il reste à:* literally: there remains to; one still must.

[11] *Lucette . . . dire:* Though Lucette insists that; *avoir beau dire,* etc., is an idiomatic expression sometimes translated: to say in vain, sometimes by a clause introduced by: though.

[12] *le prisonnier:* the prisoner of war; perhaps the author interned in a camp in East Prussia.

[13] *nuits mesurées:* moderate nights. The winter nights are much longer in East Prussia than they are in France.

«Puisque c'est ça la patrie, qu'est-ce qu'ils ont besoin[14] de tant de complications?» (Mais justement l'on n'évite guère[15] les complications.) Il cherche encore, et trouve une petite maison (assez mal tenue), un coucher de soleil, une douceur de l'air (qu'il partagerait volontiers), une femme (qu'il ne voudrait pas du tout partager). Là-dessus, il va se sentir bête, il s'en tient là.[16]. . .

* * *

Ce soir-là, Bombillac rentrait chez lui, plus fatigué qu'à l'ordinaire. Etant fatigué, il s'arrêta plusieurs fois en route. S'étant arrêté, il but divers apéritifs. Ayant bu, il se trouva particulièrement sensible.[17] De sorte que l'escalier lui parut plus émouvant que jamais, les fumées plus mystérieuses et la clef plus magique. Cependant il tournait et retournait cette clef dans la serrure, sans grand résultat. Lorsqu'un personnage âgé, claudicant et de tout point étranger[18] (bien que poli) eut de l'intérieur ouvert la porte,[19] Bombillac dut reconnaître à sa honte, d'abord qu'il s'était trompé d'étage, puis qu'il s'était trompé de maison-modèle.

Il ne devint pas insensible pour autant.[20] Mais, afin d'éviter à l'avenir toute erreur, il imagina de peindre[21] sa porte en rouge-sang, et sa serrure en vert-pomme. Il plaça même devant l'entrée de sa maison un poteau qu'il avait taillé dans un tronc d'arbre, et qui figurait à ses yeux avec audace[22] (mais avec fidélité) l'élan d'un oiseau qui s'envole. Les passants, à dire vrai, n'étaient pas tous de

[14] *qu'est-ce qu'ils ont besoin:* colloquial: *quel besoin ont-ils.*
[15] *l'on n'évite guère:* one can hardly avoid.
[16] *il s'en tient là:* he doesn't think any further; *s'en tenir là:* to stop at the point one has reached in a discussion, an argument, a train of thought.
[17] *il se trouva . . . sensible:* he felt particularly prone to emotion; *sensible:* sensitive, easily moved.
[18] *claudicant . . . étranger:* limping and a stranger in every respect.
[19] *eut . . . porte:* inversion: *eut ouvert la porte de l'intérieur;* had opened the door from inside.
[20] *pour autant:* for so little.
[21] *il imagina de peindre:* he conceived the idea of painting.
[22] *et qui figurait . . . audace:* and that, in his eyes, audaciously depicted.

cet avis. Mais Bombillac s'en inquiétait peu.[23] Je dois dire qu'il regardait même les passants de haut,[24] dans un sentiment de juste fierté que j'appellerais volontiers—car il ne faut pas hésiter à rendre aux mots leur sens le plus noble—que j'appellerais volontiers nationalisme.

JEAN PAULHAN
Introduction to *La Patrie se fait tous les Jours*
(publié avec l'autorisation des
Editions de Minuit)

QUESTIONS SUR *La Patrie*

1. Pourquoi Jean Paulhan dit-il que c'est une chance d'avoir oublié sa clef?
2. Quels sont les sentiments de l'homme près de rentrer chez lui?
3. Comment Bombillac a-t-il pu se tromper de maison et d'étage?
4. Qu'a-t-il fait pour éviter ensuite une pareille méprise?
5. D'après cette histoire, quel sens l'auteur donne-t-il au mot «nationalisme»?

Ma Demeure

CHARLES DE GAULLE *(b. 1890) was a brilliant officer in the French army who, in 1940, became a general. He refused to accept the defeat of France and went to London to organize the scattered French forces which, under his leadership, became the Free French Army participating in the war on the side of the Allies. On August 26, 1944, de Gaulle entered Paris in triumph and was acclaimed as President of the Provisional Government of France, a position from which he withdrew voluntarily in 1946. He lived in seclusion until he was called back to power in 1958 at the time of a grave political crisis and became President of*

[23] *s'en inquiétait peu:* was hardly troubled by them; *s'inquiéter de:* to be concerned about.
[24] *qu'il regardait . . . de haut:* he looked down upon them.

the fifth French Republic. Before World War II he had written three technical books concerning modern warfare. During the years of his temporary retirement, he wrote the three-volume Memoirs *in which one of the recurrent and moving theme is that of his love for France and of his dedication to the service of his country.*

Au moment d'achever ce livre,[1] je sens, autant que jamais, d'innombrables sollicitudes se tourner vers une simple maison.

C'est ma demeure. Dans le tumulte des hommes et des événements, la solitude était ma tentation. Maintenant, elle est mon amie. De quelle autre[2] se contenter quand on a rencontré l'Histoire? D'ailleurs, cette partie de la Champagne est toute imprégnée de calme: vastes, frustes et tristes horizons; bois, prés, cultures et friches mélancoliques; relief d'anciennes montagnes très usées et résignées; villages tranquilles et peu fortunés, dont rien, depuis des millénaires, n'a changé l'âme, ni la place. Ainsi, du mien.[3] Situé haut sur le plateau, marqué d'une colline boisée, il passe les siècles au centre des terres que cultivent ses habitants. Ceux-ci,[4] bien que je me garde de m'imposer au milieu d'eux,[5] m'entourent d'une amitié discrète. Leurs familles, je les connais, je les estime et je les aime.

Le silence emplit ma maison. De la pièce d'angle[6] où je passe la plupart des heures du jour, je découvre les lointains dans la direction du couchant. Au long de quinze kilomètres,[7] aucune construction n'apparaît. Par-dessus la plaine et les bois, ma vue suit les longues pentes descendant vers la vallée de l'Aube, puis les hauteurs du versant opposé. D'un point élevé du jardin, j'embrasse les fonds sauvages[8] où la forêt enveloppe le site, comme la mer bat le promontoire. Je vois la nuit couvrir le paysage. Ensuite, regardant les étoiles, je me pénètre de l'insignifiance des choses. . . .

[1] *Au moment . . . livre:* As I end this book.
[2] *De quelle autre:* i.e., de quelle autre amie.
[3] *Ainsi, du mien:* Such is my village.
[4] *Ceux-ci:* i.e., ses habitants.
[5] *bien que . . . eux:* even though I am careful not to intrude upon them.
[6] *De la pièce d'angle:* From the corner room.
[7] *Au long . . . kilomètres:* for a distance of fifteen kilometers (about ten miles).
[8] *j'embrasse . . . sauvages:* I look over the uncultivated lands.

Pourtant, dans le petit parc,—j'en ai fait quinze mille fois le tour!— les arbres que le froid dépouille manquent rarement de reverdir et les fleurs plantées par ma femme renaissent après s'être fanées. Les maisons du bourg sont vétustes; mais il en sort, tout à coup, nombre de filles et de garçons rieurs. Quand je dirige ma promenade vers l'une des forêts voisines: Les Dhuits, Clairvaux, Le Heu, Blinfeix, La Chapelle,[9] leur sombre profondeur me submerge de nostalgie; mais, soudain, le chant d'un oiseau, le soleil sur le feuillage ou les bourgeons d'un taillis me rappellent que la vie, depuis qu'elle parut sur la terre, livre un combat qu'elle n'a jamais perdu. Alors, je me sens traversé par un réconfort secret. Puisque tout recommence toujours, ce que j'ai fait sera, tôt ou tard, une source d'ardeurs nouvelles après que j'aurai disparu.

A mesure que l'âge m'envahit, la nature me devient plus proche. Chaque année, en quatre saisons qui sont autant de leçons, sa sagesse vient me consoler. . . .

Vieille Terre, rongée par les âges,[10] rabotée de pluies et de tempêtes,[11] épuisée de végétation, mais prête, indéfiniment, à produire ce qu'il faut pour que se succèdent les vivants!

Vieille France, accablée d'Histoire, meurtrie de guerres et de révolutions, allant et venant sans relâche[12] de la grandeur au déclin, mais redressée, de siècle en siècle, par le génie du renouveau!

Vieil homme,[13] recru d'épreuves,[14] détaché des entreprises, sentant venir le froid éternel, mais jamais las de guetter dans l'ombre la lueur de l'espérance!

CHARLES DE GAULLE
Mémoires de guerre
«Le Salut»

[9] *Les Dhuits . . . La Chapelle:* names of the woods.
[10] *rongée par les âges:* eaten away by the centuries.
[11] *rabotée . . . tempêtes:* worn down by rains and storms.
[12] *allant . . . relâche:* swinging back and forth without pause.
[13] *Vieil homme:* de Gaulle himself.
[14] *recru d'épreuves:* exhausted by trials.

QUESTIONS SUR *Ma demeure*

1. Est-il commun, pour les grands hommes, de finir par souhaiter la solitude et le silence?
2. Quel sentiment l'auteur éprouve-t-il en contemplant le paysage autour de sa maison?
3. Pourquoi la nuit le pénètre-t-elle de l'insignifiance des choses?
4. Quel réconfort trouve-t-il dans son village? dans la nature?
5. Que représente de Gaulle dans l'histoire de la France?

Hommage à la Vie

JULES SUPERVIELLE *(1884–1960), who was born in Montevideo of French parents, spent most of his life in Uruguay and France where he finally settled in 1946. The vast stretches of pampa, sky and sea to which he was accustomed haunt his poetry, giving it a cosmic dimension. But Supervielle placed at the center of the world the human heart through which we discover both the beauty of the earth and our own destiny as mortal beings. "Hommage à la vie" combines these two themes. Its deceptively simple vocabulary and rhythms are characteristic of the poet as is also the subdued, dream-like atmosphere of the poem.*

C'est beau d'avoir élu
Domicile vivant
Et de loger le temps
Dans un cœur continu,
Et d'avoir vu ses mains
Se poser sur le monde
Comme sur une pomme
Dans un petit jardin,
D'avoir aimé la terre,
La lune et le soleil,

Comme des familiers
Qui n'ont pas leurs pareils,
Et d'avoir confié
Le monde à sa mémoire
Comme un clair cavalier
A sa monture noire,
D'avoir donné visage
A ces mots: femme, enfants,
Et servi de rivage
A d'errants continents,
Et d'avoir atteint l'âme
A petits coups de rame
Pour ne l'effaroucher[1]
D'une brusque approchée.
C'est beau d'avoir connu
L'ombre sous le feuillage
Et d'avoir senti l'âge
Ramper sur le corps nu,
Accompagné la peine
Du sang noir dans nos veines
Et doré son silence
De l'étoile Patience,
Et d'avoir tous ces mots
Qui bougent dans la tête,
De choisir les moins beaux
Pour leur faire un peu fête,
D'avoir senti la vie
Hâtive et mal aimée,
De l'avoir enfermée
Dans cette poésie.

JULES SUPERVIELLE
Poèmes
(Gallimard)

[1] *Pour ne l'effaroucher:* pour ne pas l'effaroucher.

Épilogue

La Crise de l'Esprit[1]

PAUL VALÉRY *(see page 237 for biographical sketch).*

Nous autres, civilisations, nous savons maintenant que nous sommes mortelles; nous avions entendu parler de[2] mondes disparus tout entiers, d'empires coulés à pic[3] avec tous leurs hommes et tous leurs engins[4] descendus au fond inexorable des siècles, avec leurs dieux et leurs lois, leurs académies et leurs dictionnaires, leurs classiques, leurs romantiques et leurs symbolistes, leurs critiques et les critiques de leurs critiques. . . .

Mais ces naufrages, après tout, n'étaient pas notre affaire; Ninive, Babylone,[5] étaient de beaux noms vagues, et la ruine totale de ces mondes avait aussi peu de signification pour nous que leur existence même.

Nous voyons maintenant que l'abîme de l'Histoire est assez grand pour tout le monde. Nous sentons qu'une civilisation a la même fragilité qu'une vie. Les circonstances qui enverraient les œuvres de Keats et celles de Baudelaire rejoindre les œuvres de Ménandre[6] ne sont plus du tout inconcevables: elles sont dans les journaux.

[1] This now famous passage was written by Valéry after World War I. According to him, World War I taught Europe that its civilization might well disappear.

[2] *nous . . . entendu parler de:* we had heard of.

[3] *empires coulés à pic:* (we had heard of) . . . empires which sank to the bottom (as a ship sinks).

[4] *engins:* machines.

[5] *Ninive, Babylone:* Nineveh: the capital of Assyria, one of the greatest cities of antiquity of which nothing is left but ruins. Babylon: an older city even than Nineveh, the capital first of Babylonia then of the Chaldean empire; also now in ruins.

[6] *Keats* (1795–1821): nineteenth-century English romantic poet. *Baudelaire* (1821–67): one of the greatest nineteenth-century French poets. *Menander* (342–292 B.C.): the comedies of the Greek poet Menander are almost all lost.

Ce n'est pas tout. La brûlante leçon est plus complète encore: il n'a pas suffi à notre génération d'apprendre par sa propre expérience[7] comment les plus belles choses et les plus antiques, et les plus formidables, et les mieux ordonnées, sont périssables par accident: elle a vu, dans l'ordre de la pensée, du sens commun et du sentiment, se reproduire[8] des phénomènes extraordinaires, des réalisations brusques de paradoxes, des déceptions brutales de l'évidence.

Ainsi, la Persépolis[9] spirituelle n'est pas moins ravagée que la Suse[10] matérielle. Tout ne s'est pas perdu, mais tout s'est senti périr. Un frisson extraordinaire a couru la moelle de l'Europe,[11] elle a senti par tous ses noyaux pensants[12] qu'elle ne se reconnaissait plus, qu'elle cessait de se ressembler, qu'elle allait perdre conscience, une conscience acquise par des siècles de malheurs supportables par des milliers d'hommes de premier ordre, par des chances géographiques, ethniques, historiques innombrables. . . .

La crise militaire est peut-être finie. . . .

Mais la crise intellectuelle, plus subtile et qui, par sa nature même, prend les apparences les plus trompeuses, cette crise laisse difficilement saisir son véritable point, sa *phase.*

Personne ne peut dire ce qui, demain, sera mort ou vivant, en littérature, en philosophie, en esthétique; nul ne sait encore quelles idées et quels modes d'expression seront inscrits sur la liste des pertes, quelles nouveautés seront proclamées.

L'espoir, certes, demeure, mais l'espoir n'est que la méfiance de l'être à l'égard des prévisions précises de son esprit.[13] Il[14] suggère

[7] *il n'a pas suffit . . . expérience:* it was not enough that our generation should learn through its own experience . . .

[8] *se reproduire:* inversion of the subjects and verbs. The subjects are: des phénomènes . . . , des réalisations . . . , des déceptions . . .

[9] *Persépolis:* in southern Persia was once the capital of Persia and was known as an intellectual and religious center.

[10] *Suse:* very ancient city, capital of the ancient kingdom of Elam which is now a part of Persia.

[11] *Un frisson . . . la moelle de l'Europe:* An ominous shudder has seized Europe in the marrow of its bones; *extraordinaire:* in the sense of prodigious.

[12] *ses noyaux pensants:* thinking cells.

[13] *l'espoir . . . esprit:* hope is only the distrust that human beings feel with regard to the exact prognostications of their minds.

[14] *Il:* i.e., l'espoir.

que toute conclusion défavorable à l'être *doit être* une erreur de son esprit. Les faits pourtant sont clairs et impitoyables: il y a des milliers de jeunes écrivains et de jeunes artistes qui sont morts; il y a l'illusion perdue d'une culture européenne et la démonstration de l'impuissance de la connaissance à sauver quoi que ce soit;[15] il y a la science atteinte mortellement[16] dans ses ambitions morales et comme déshonorée par la cruauté de ses applications; il y a l'idéalisme difficilement vainqueur, profondément meurtri, responsables de ses rêves; le réalisme déçu, battu, accablé de crimes et de fautes; la convoitise et le renoncement également bafoués, les croyances confondues dans les temps, croix contre croix, croissant contre croissant; il y a les sceptiques eux-mêmes désarçonnés[17] par des événements si soudains, si violents, si émouvants et qui jouent avec nos pensées comme le chat avec la souris: les sceptiques perdent leur doutes, les retrouvent, les reperdent, et ne savent plus se servir des mouvements de leurs esprits.

L'oscillation du navire a été si forte que les lampes les mieux suspendues se sont à la fin renversées. . . .

Il devient de plus en plus vain, et même de plus en plus dangereux, de prévoir à partir de données empruntées à la veille ou à l'avant-veille;[18] mais il demeure sage,[19] et ce sera ma dernière parole, de se tenir prêt à tout, ou à presque tout. Il faut conserver dans nos esprits et dans nos cœurs, la volonté de lucidité, la netteté de l'intellect, le sentiment de la grandeur et du risque, de l'aventure extraordinaire dans laquelle le genre humain, s'éloignant peut-être démesurément des conditions premières et naturelles de l'espèce, s'est engagé, allant je ne sais où!

PAUL VALÉRY
Regards sur le Monde Actuel
(Gallimard)

[15] *quoi que ce soit:* anything at all.
[16] *atteinte mortellement:* mortally wounded.
[17] *désarçonnés* baffled; literally: unhorsed.
[18] *de prévoir . . . l'avant-veille:* to prognosticate on the basis of data borrowed from yesterday and the day before.
[19] *il demeure sage:* it is still wise.

BIBLIOGRAPHIE

Nous donnons ici une bibliographie sommaire. Nous n'indiquons que dans certains cas les œuvres d'où sont tirés les textes de ce livre et dont la référence suit chaque passage. Beaucoup des ouvrages indiqués comportent eux-mêmes une bibliographie.

I. *Bibliographie générale.*

A. *Ouvrages généraux*

Barthes, A. *Mythologies* (Seuil, 1957)

Blancpain, M. *France actuelle* (Textes contemporains) (En cours) (Hatier, 1960); *La France d'aujourd'hui* (Hatier, 1960)

Brogan, D. *France* (Time Inc., 1960)

Cinquante années de découvertes (1900–1950) (Seuil, 1950)

Crouzet, M. *L'Epoque contemporaine* (Presses Universitaires, 1957)

Curtius, E. *Essai sur la France* (Grasset, 1932)

Daninos, P. *Les Carnets du Major Thompson* (Hachette, 1954)

Demorest, D-L. et Shaw E. *French Civilization through Fiction* (Ginn, 1956)

Earle, E. *Modern France* (Princeton University Press, 1951)

France (Documentation Française, 1960)

France aux belles mains (Pierre Tisné, 1950)

Huyghe R. et Cali F., *Merveilles de France* (Arthaud, 1960)

Lacour-Gayet, R. *La France au XXième siècle* (Dryden, 1954)

La France à livre ouvert (Pierre Seghers, 1954)

Luethy, H. *France against herself (Part I)* (Praeger, 1955)

Mauger, C. *Cours de langue et de civilisation françaises* (Tomes III et IV) (Hachette, 1959 et 1957)

Park, J. *The Culture of France in Our Time* (Cornell University Press, 1954)

Reboussin, M. *Les Grandes Époques Culturelles de la France* (Ronald Press, 1951)

Roe, F. *Modern France* (Longmans, Green and Co., 1956)

Romains, J. *Les Hommes de Bonne Volonté* (Flammarion, 1932–1947)
Schoenbrunn, D. *Ainsi va la France* (Julliard, 1957)

B. *Revues, encyclopédies et autre sources.*

Brochures, bulletins et autres publications de l'Ambassade de France *(French News, French Education,* etc.) Aux Relations Culturelles, 972 Fifth Avenue, New York, N. Y. (à la requête des professeurs)
Collection «Que sais-je» (sur tous les sujets) (Presses Universitaires de France)
Documentation Française (sur tous les sujets) (Secrétariat Général du Gouvernement, 16 rue Lord-Byron, Paris)
Encyclopédies de la Pléiade (Gallimard)
Encyclopédie Française (13 rue du Four, Paris)
Encyclopédies Larousse (Larousse, 13-21 rue Montparnasse, Paris)
Encyclopédie par l'image (sur tous les sujets) (Hachette)
Encyclopédie Sonore (Hachette, 79 boulevard Saint-Germain, Paris)
France Actuelle (221 Southern Building, Washington, D. C.)
French-American Cultural Services and Educational Aids (FACSEA) (Aux Relations Culturelles)
French Civilization as Reflected in the Arts (Trente conférences sur bandes, illustrées de projections) (Cultural History Research, Inc., Harrison 1, New York)
French Review (Léon S. Roudiez, Editor-in-Chief, Columbia University)
Informations et Documents (Ambassade des Etats-Unis, avenue Gabriel, Paris)
Journaux ou sélections hebdomadaires *(L'Express, Le Figaro, France-Amérique, Le Monde,* etc.)
Langlois, P. et Mareuil A., *Guide bibliographique des études littéraires* (Hachette, dernière édition)
Magazines et revues (*Paris-Match, Pensée française, Plaisir de France, Réalités* et *Top-Réalités* [pour la jeunesse], *Revue de Paris,* revues spécialisées, etc.)
National Information Bureau (of the American Association of Teachers of French, Armand Bégué, Director, Brooklyn College)
Sonorama (Les nouvelles du mois sur disque; et *Sonorama-Théâtre,* extraits de pièces) (117 rue Réaumur, Paris)
Yale French Studies (sur tous les sujets) (Yale University)

C. *Ouvrages de référence historique.*

Bainville, J. *Histoire de France* (Fayard, 1924)
Brogan, D. *The French Nation from Napoleon to Pétain* (Harper, 1957)
Duby, G. et Mandrou, R. *Histoire de la Civilisation Française* (Armand Colin, 1958)
Duché, J. *L'Histoire de France racontée à Juliette* (Amiot-Dumont, 1954)
Gaxotte, P. *Histoire des Français* (Flammarion, 1957)
Guérard, A. *France, a modern history* (University of Michigan Press, 1959)
Lévêque, A. *Histoire de la Civilisation Française* (Holt, 1949)
May, L-P. *Esquisse d'un tableau des apports de la France à la Civilisation* (Albin Michel, 1951)
Seignobos, C. *Histoire sincère de la Nation Française* (Rieder, 1937)
Trente ans d'histoire (1918–1948) (Nouvelle Librairie de France, 1949)

II. *Bibliographie sommaire par chapitre.*

1. Aspects Géographiques
   Albums des Guides Bleus (Hachette)
   Demangeon, A. *France économique et humaine* (Armand Colin, 1948)
2. Famille
   Métraux, R. et Mead. M. *Thèmes de «culture» de la France* (avec les observations de sociologues français) (Institut Havrais de sociologie économique et de psychologie des peuples, 1957)
3. Table
   Collection «*La France à Table*»
   La Gastronomie en France (Lumen Publishers, New York)
4. Sports et Loisirs
   Caillois, R. *Les jeux et les hommes* (Gallimard, 1958)
   Encyclopédie Française (Tome XIV, 1954)
5. Industrie
   Brochures de la Documentation Française
   Fourastié, J. *La Civilisation de 1975* (Presses Universitaires, 1957) et *Pourquoi travaillons-nous?* (Presses Universitaires, 1959)
   Hamel, E. *Les Atouts français* (Plon, 1958)

6. Campagne et Agriculture
Terres et Villages de France (Documentation Française, sans date)
7. Société
Calvet, H. *La Société Française Contemporaine* (Nathan, 1956)
Giroud, F. *La Nouvelle Vague* (Gallimard, 1958)
La Française d'aujourd'hui (Julliard, 1960)
Sauvy, A. *La Montée des Jeunes* (Calmann-Lévy, 1959)
Siegfried, A. *Aspects de la Société Française* (Librairie Générale de Droit et de Jurisprudence, 1954)
Wylie, L. et Bégué, A. *Village en Vaucluse* (Houghton Mifflin, 1960)
8. Politique
Aron, R. *Immuable et changeante* (Calmann-Lévy, 1959)
Cattaui, G. *Charles de Gaulle* (Editions Universitaires, 1956)
Collections «L'Air du Temps» (Gallimard); «Questions d'actualité» (Calmann-Lévy); «Tribune Libre» (Plon)
Morazé, C. *Les Français et la République* (Armand Colin, 1956)
Retournand, F. *Les Institutions de la France* (Bloud et Gay, 1959)
Siegfried, A. *De la IVième à la Vième République* (Grasset, 1958)
9. Paris
Almanach de Paris An 2000 (Gescofé, 1949)
Bidermanas, I. et Brassaï *Paris des Rêves* (Clairefontaine, Lausanne, 1950)
Cali, F. *Sortilèges de Paris* (Arthaud, 1952)
Clébert, J-P. *Paris que j'aime* (Sun, 1956)
Doisneau, R. *Instantanés de Paris* (Arthaud, 1955)
Guide vert Michelin (dernière édition)
Paris mon Cœur (Pierre Tisné, 1952)
10. Education
French Education (Relations Culturelles) (n° 5 sur les réformes)
Yale French Studies n° 22 (1959)
11. Science
Broglie, L. de *Savants et Découvertes* (Albin Michel, 1951)
Caullery, M. *La Science Française depuis le XVIIIième siècle* (Colin, 1948)
Durtain, L. *Les Grandes Figures de la Science Française* (Hachette, 1952)
Histoire de la science (Encyclopédie de la Pléiade) (Gallimard, 1955)

12. Philosophie
Picon, G. *Panorama des Idées Contemporaines* (Gallimard, 1957)
Wahl, J. *Tableau de la philosophie française* (Fontaine, 1946)

13. Religion
Collection «Maîtres Spirituels» (Seuil)
Dansette, A. *Destin du Catholicisme Français* (Flammarion, 1957)
Le Bras, G. *Etudes de Sociologie religieuse* (Presses Universitaires, 1956)
Léonard, E. *Le Protestant Français* (Presses Universitaires, 1953)

14. Arts
Damaz, P. *Art in European Architecture (Synthèse des Arts)* (Reinhold, New York, 1956)
Dorival, B. *Histoire Universelle de la Peinture* et *Maîtres du XXième siècle* (Pierre Tisné, 1957)
Malraux, A. *Les Voix du Silence* et *La Métamorphose des Dieux* (Gallimard, 1951 et 1957)
Ponente, N. *Contemporary Trends* (Skira, 1960)
Raynal, M. *History of Modern Painting* (Tome III, Skira, 1950)

15. Musique et Cinéma
Collection «Classiques du Cinéma» (Editions Universitaires)
Dufourcq, N. *La musique française* (Larousse, 1949)
Gavoty, B. *Les Français sont-ils musiciens?* (Conquistador, 1950)
Yale French Studies n° 17 (1956)

16. Théâtre
Anders, F. *Jacques Copeau et le Cartel des Quatre* (Nizet, 1959)
Encyclopédie du Théâtre Contemporain (Tome II) (Plaisir de de France, 1959)
Fowlie, W. *Dionysus in Paris* (Meridian, 1960)
Guicharnaud, J. et Beckelman, J. *Contemporary French Theater* (Yale University Press, 1961)
Pucciani, O. *The French Theater since 1930* (Ginn, 1954)
Simon, P-H. *Théâtre et Destin* (Armand Colin, 1959)

17. Littérature
Albérès, R-M. *La Révolte des Écrivains d'aujourd'hui* (Corréa, 1949); *L'Aventure intellectuelle du XXième siècle* (La Nouvelle Edition, 1950); *Bilan Littéraire du XXième siècle* (Aubier, 1956)
Boisdeffre, P. de *Une Histoire vivante de la Littérature d'aujourd'hui* (1939–1959) (Le Livre Contemporain, 1959)
Brée, G. et Guiton, M. *An Age of Fiction* (Rutgers University Press, 1957)

Castex, P. *XXième siècle* (Hachette, 1953)

Collections: «Classiques du XXième siècle» (Editions Universitaires); «Ecrivains de toujours» (Seuil) «La Bibliothèque idéale» (Gallimard); «Poètes d'aujourd'hui» (Pierre Seghers), etc.

Fowlie, W. *Mid-Century French Poets* (Meridian, 1955); *A Guide to Contemporary French Literature, from Valéry to Sartre* (Meridian, 1957)

Hackett, C. A. *An Anthology of Modern French Poetry* (Blackwell, 1953)

Histoire des Littératures (Tome III) (Encyclopédie de la Pléiade) (Gallimard, 1959)

La Sélection des libraires de France (mensuel) (sur requête au libraire ou 117 Boulevard Saint Germain, Paris)

Mauriac, C. *L'allitérature contemporaine* (Albin Michel, 1958)

Peyre, H. *The Contemporary French Novel* (Oxford University Press, 1955)

Picon, G. *Panorama de la Littérature Française contemporaine* (Gallimard, 1960)

Pingaud, B. *Ecrivains d'aujourd'hui* (Grasset, 1960)

18. Conclusion

Camus, A. *Actuelles* (Gallimard, 1950–1958)

Duhamel, G. *Civilisation* (Hachette, 1944)

Guéhenno, J. *Sur le chemin des Hommes* (Grasset, 1959)

Liebling, A. et Scheffer, E. *La République du Silence* (Harcourt Brace, 1946)

Rémy, *Mémoires d'un Agent secret de la France Libre* (Aux Trois Couleurs, 1946)

Saint Exupéry, A. de *Terre des Hommes* (Gallimard, 1941)

Vocabulary

ABBREVIATIONS

adj.	adjective
adv.	adverb
colloq.	colloquial
cond.	conditional
conj.	conjunction
f.	feminine
imp.	imperfect
m.	masculine
n.	noun
pl.	plural
p.p.	past participle
prep.	preposition
pres.p.	present participle
pres.	present
simple p.	simple past
subj.	subjunctive
v.	verb

VOCABULARY

This vocabulary contains the words which are found in the introductions, questions and texts, excepting cognates or near cognates and very common words. For difficult or irregular forms of verbs the reader is referred to the infinitive of the verbs. The meanings given are those which apply to the content.

a, *pres. of* **avoir**; **il y a un mois**, a month ago
à, to, with; **à la —**, in the style of
abaissement, *m.* humiliation, fall
abaisser, to lower
abandon, *m.* forlorness, nonchalance; **à l' —**, neglected, unrestrained; **prier avec —**, to pray with complete surrender
s'abattre, to crash, to break over
abattu, crushed
abeille, *f.* bee
abîme, *m.* abyss
abîmer, to damage; **s' —**, to sink
abonné, *m.* subscriber
abord, *m.* **au premier —**, at first glance; **d' —**, first, at first
aborder, to land, to arrive at; to begin the study of
aboutir, to come to; to result
aboutissant, *m.* result, conclusion
abri, *m.* shelter; cover; **à l' — du besoin**, free from the most pressing needs
abricot, *m.* apricot
abriter, to shelter, to protect; **— des naissances**, to foster births
abrupt, steep
absolu, absolute
abstrait, abstract
abus, *m.* abuse
acajou, *m.* mahogany
accabler, to overwhelm
accentuer, to accentuate, to stress
accès, *m.* access
accessoire, *m.* accessory
s'accommoder, to adapt oneself
accompagner, to accompany
accomplir, to accomplish, to achieve
accord, *m.* harmony, chord; agreement; **être d' —**, to agree
accorder, to grant
accotoir, *m.* support
accourir, to flock, to rush up
accoutumé, usual
accoutumer, to accustom
accrocher, to hook, to catch; **s' —**, to cling to
accroissement, *m.* increase
accroître, to develop, to build up, to increase
accru, *p.p. of* **accroître**
accueillant, welcoming, pleasant, hospitable
accueillir, to receive

acharné, dead set; **— à la défense,** stubborn in the defense
achat, *m.* purchase
acheter, to buy
achever, to achieve; to end
acier, *m.* steel
acquérir, to acquire; **vitesse acquise**, gathered speed
acquis, *p.p. of* **acquérir**
acquittement, *m.* acquittal
acte, *m.* act, action
acteur, *m.* actor
actif, active
action, *f.;* **une bonne —**, a good deed
actrice, *f.* actress
actualités, *f.pl.* news
actuel, present
addition, *f.* bill, check (restaurant)
adieu, *m.* farewell
admettre, to admit; **s' —**, to admit, to acknowledge oneself
administrer, to govern, to administrate
s'adonner, to devote oneself
adossé, leaning
adoucir, to soften
adoucissement, *m.* softening
adresse, *f.* address, skill
adresser, to direct, to address
adroit, dexterous, skillful
adultère, adulterous
advenir, to befall; to happen
adversaire, *m.* adversary, opponent
aérien, light, airy; **ligne aérienne,** air line
aéroport, *m.* airport
affaire, *f.* business, event; **aller à ses —**, to go about one's business; **avoir —**, to deal with; **toutes affaires cessantes**, everything being temporarily halted
affairé, busy
affairement, *m.* hurry, bustle
s'affaisser, to sink into; to stop
affamer, to starve
affectueux, affectionate
affiche, *f.* handbill, poster
affilié, *m.* affiliate
affirmer, to affirm, to assert
affluent, *m.* tributary
affoler, to madden; to drive crazy
s'affranchir, to set oneself free, to shake off
affreux, frightful
affronter, to face
affubler, to dress up ridiculously
afin, **— que**, so that, in order that; **— de**, so as to, in order to
a fortiori, even more so
agacer, to irritate
âge, *m.* **quel — avez-vous?** how old are you?
âgé, aged; old
s'agenouiller, to kneel down
agilité, *f.* agility, nimbleness
agir, to act; **s' — de**, to be a question of
agissant, acting, stirring, active
agisse, *subj. of* **s'agir; qu'il s' — de,** whether it is a question of
agrégation, *f.* very competitive examination for highest teaching positions
agrément, *m.* pleasure, amusement
agreste, rustic
agricole, agricultural
agriculteur, *m.* farmer
agripper, to grab, to grip
ahuri, bewildered
aide, *f.* help
aient, *subj. of* avoir

aïeul, *m.* grandfather
aïeux, *m.pl.* grandparents, ancestors
aigu, sharp
aiguille, *f.* needle
ail, *m.* garlic
aile, *f.* wing
aille, *subj. of* **aller**
ailleurs, elsewhere; **d'** —, besides; **par** —, otherwise
aimable, gracious, amiable
aimant, *m.* magnet
aimanter, to magnetize, to attract
aimer, to like, to love
aîné, *m.* eldest
ainsi, thus, so; — **de suite**, and so on; — **que**, as well as; **c'est** — **que**, it is thus that; **pour** — **dire**, so to say
aïoli, *m.* a mayonnaise made with garlic
air, *m.* atmosphere, tune; **en plein** —, in the open
aisance, *f.* ease, affluence
aise, *f.* ease, comfort; **être** —, to be glad; **être à son** —, to be comfortable
aisé, easy, at ease, convenient; well to do
ait, *subj. of* **avoir**
ajouter, to add
à la dérobée, by stealth
à la légère, lightly
aléatoire, uncertain
alentours, *m.pl.* surroundings
alerter, to warn, to send an alarm
aliment, food; — **congelé**, frozen food
allée, *f.* walk, tree-lined avenue
allègre, light-hearted
allemand, German
aller, to go; — **à ses affaires**, to go about one's business; — **de pair**, to go hand in hand; — **de soi**, to go without saying; **ça ne va pas si mal que ça**, you are not doing so badly; **s'en** —, to go away
alliage, *m.* blending
allié, *m.* ally; relative (by marriage)
allocation, *f.* allowance, benefit; state grant
s'allonger, to stretch
allumer, to light; **s'** —, to go on, to become lighted
allusion, *f.* hint, allusion
alors, then; — **que**, when, inasmuch as; **c'est** — **que**, it is thus that
alouette, *f.* lark
alpinisme, *m.* mountain climbing
Alpins, *n.m.* people of the Alps
altercation, *f.* dispute
altérer, to change; to corrupt
alternance, *f.* alternation
altier, haughty
amadouer, to coax
amande, *f.* almond
amandier, *m.* almond tree
amant, *m.* lover, admirer
ambiance, *f.* surroundings, atmosphere
âme, *f.* soul
améliorer, to improve
aménager, to arrange, to fit out
amender, to improve
amener, to bring, to lead
amer, bitter
amerrissage, *m.* landing (on the sea)
amertume, *f.* bitterness
à mesure, successively, accordingly; — **que**, as

ameublement, *m.* furniture
ami, *m.* friend
amibe, *f.* amoeba
amicale, *f.* association
amitié, *f.* friendship
amorcer, to start
amour, *m.* love
amoureux, in love, loving
ample, wide, full
ampleur, *f.* amplitude, range
amuser, to amuse, to entertain
an, *m.* year
ancien, *n.m.* elder
ancien, *adj.* former, old
Andrinople, a city in Turkey
âne, *m.* donkey
anémone, *f.* wind-flower
ange, *m.* angel
anglais, English
angle, *m.* corner
angoisse, *f.* anguish, agony
animer, to animate, to endow with life
anis, *m.* aniseed, licorice
Anjou, *m.* province in the Loire valley
année, *f.* year; **mettre de longues années**, to take many years
anniversaire, *m.* anniversary; birthday
annonce, *f.* announcement, advertisement
annuler, to cancel
anonyme, anonymous
anormal, abnormal
antichambre, *f.* anteroom
anticlérical, against the interference of the church in government
antique, ancient
anxiété, *f.* anxiety
anxieux, anxious, uneasy, worried
apaiser, to calm, to pacify
apanage, *m.* attribute
apercevoir, to detect, to see; **s' —**, to notice, to realize
apéritif, *m.* light alcoholic drink taken before a meal
apéro, *m.* *(colloq.)* for **apéritif**
à pic, vertically, straight down
apothéose, *f.* apotheosis (yes!)
apparaître, to appear
appareil, *m.* apparatus; camera
apparence, *f.* appearance
apparenter, to ally, to connect
appartenir, to belong
appauvrir, to impoverish
appel, *m.* call, appeal; **faire —**, to appeal
appeler, to call; **s' —**, to be called
appellation, *f.* name
appendicite, *f.* appendicitis
appesantir, to make heavy; **s' —**, to stress
appliqué, diligent, attentive
appliquer, to apply
apport, *m.* contribution
apporter, to bring
apprécier, to appreciate
apprendre, to learn
approbation, *f.* approval
approchée, *f.* approach
approcher, to approach
approfondir, to go deeper into
appui, *m.* support, prop; **point d' —**, base
appuyer, to support; to emphasize; **s' —**, to rest, to lean
âpre, rough, harsh
après, after; **peu —**, shortly afterwards
après-midi, *m.* or *f.* afternoon

araignée, *f.* spider
arbitraire, arbitrary
arbre, *m.* tree
arbuste, *m.* shrub
s'arc-bouter, to lean firmly against
ardemment, ardently
ardu, hard
arène, *f.* arena
arête, *f.* ridge
argent, *m.* money
argenté, silvery
argile, *f.* clay
argot, *m.* slang
argument, *m.* reason
armature, *f.* framework
arme, *f.* weapon; **les armes**, *pl.* coat of arms
armé, armed
armée, *f.* army
armorier, to put a coat of arms on
arpenteur, *m.* surveyor
arracher, to pull out
arrangement, *m.* harmony
s'arranger, to manage, to get along with, to accommodate oneself
arrêt, *m.* stop, halt; **faire un —**, to make a stop, to come to a stop
arrêté, fixed, planned
arrêter, to stop
arrière, *m.* back
arrière-neveu, *m.* great-nephew
arrivée, *f.* arrival, coming
arriver, to happen, to arrive; **— à**, to succeed, to manage
arrondi, rounded; circular
arrondir, to round
s'arrondir, to round oneself out
arrondissement, *m.* rounding out; district, ward
arroser, to water; to wash down
artère, *f.* artery, branch
article, **— de fond**, editorial
artisan, *m.* craftsman
as, *m.* ace
ascenseur, *m.* elevator
ascension, *f.* rise
asile, *m.* refuge
asphodèle, *f.* wild daffodil
aspirer, to aspirate
assaillant, *m.* assailant, besieger
assainissement, *m.* desalting; reclaiming (through drainage)
assaisonner, to season
assassinat, *m.* assassination
s'asseoir, to sit
assez, enough; rather
assiette, *f.* plate, dish
assimiler, to compare
assis, *p.p. of* **asseoir**
assister, to help, to assist; **— à**, to attend
associer, to associate
s'assombrir, to darken
assortir, to sort out
assouplir, to make flexible
assouvir, to satisfy
assurance, *f.* assurance; insurance
assurément, assuredly
assurer, to insure, to provide
astral, stellar
atelier, *m.* workshop, studio
athée, atheist
atout, *m.* trump
âtre, *m.* hearth
atroce, atrocious
attachant, fascinating, engaging, endearing
attaque, *f.* attack
attarder, to make someone tardy; **s' — à**, to linger over
atteindre, to reach
atteint, hurt, wounded

attendre, to wait for; **s' — à**, to expect
atténuer, to lessen, to diminish
attirail, *m.* paraphernalia, implements
attirer, to attract, to draw toward
attitré, regular, professional; **fonctionnaire —**, career official
attrait, *m.* attraction, lure
attraper, to catch; to grab
aube, *f.* dawn
Aube, *f.* river in Champagne
auberge, *f.* inn; **— de la jeunesse**, youth hostel
aucun, no one, none; any, anyone
audace, *f.* audacity, daring
au delà de, beyond
au demeurant, after all, besides
au-dessous, below
au-dessus, above
auditoire, *m.* audience
au fur et à mesure, in proportion, gradually
augmenter, to increase
au hasard, by chance
aujourd'hui, today
auparavant, before
auprès de, close to
aurais, *cond. of* **avoir**
auréole, *f.* halo
aurore, *f.* dawn
aussi, also; therefore; as; but then; **— . . . que**, as . . . as
aussitôt, immediately; **— après**, forthwith; **— que**, as soon as
austérité, *f.* severity
autant, as much; **— dire**, you might as well say; **— vaudrait**, one might as well; **d' — plus**, all the more; **pour —**, for so little; **— que jamais**, as much as ever
auteur, *m.* author
authentiquement, authentically, truly
autobus, *m.* motor bus
autodétermination, *f.* self-determination
automne, *m.* autumn
autoriser, to give permission
autorité, *f.* authority
auto-stop, *m.* hitchhiking
autour, around
autre, other, else; **ce n'est — que**, it is none other than; **d' — part**, on the other hand; **l'un de l' —**, from one another
autrefois, *n.m.* bygone times
autrefois, *adv.* formerly
autrement, otherwise
autrui, others
auxquelles, *f. pl. of* **auquel**, to which
avaler, to swallow
avance, **f. d' —**, beforehand
avancé, liberal, progressive; smart
s'avancer, to enter, to go in
avant, before; **aller de l' —**, to keep on going, to move forward; **en —**, ahead, forward
avant-garde, *f.* forerunners
avantage, *m.* advantage
avant-veille, *f.* day before yesterday, formerly
avatar, *m.* vicissitude
avenir, *m.* future
aventure, *f.* adventure
averse, *f.* shower
avertir, to warn, to inform
aveu, *m.* admission; consent
aveuglant, blinding
aveugle, blind
avide, eager

avion, *m.* airplane
aviron, *m.* oar; rowing
avis, *m.* opinion
aviser, to come to a decision
avocat, *m.* lawyer, advocate
avoir, to have; — **beau**, to do something in vain; — **besoin**, to need; — **envie de**, to feel like, to want to; — **faim**, to be hungry; — **tort**, to be wrong; **il y a**, there is, there are
avorter, to miscarry
avouer, to confess
axe, *m.* axis; spindle
azur, blue
azuré, azure

baba au rhum, *m.* small cake with rum
babine, *f.* chop
bâché, covered
bafouer, to scoff at
bagne, *m.* penitentiary
bague, *f.* ring
baie, *f.* bay
baigner, to bathe, to soak
bâiller, to yawn
baiser, to kiss
baisser, to lower; **les lumières baissées**, the lights dimmed; **se** —, to stoop
bajoue, *f.* jowl
bal, *m.* ball, dance
balafre, *f.* scar
balancer, to swing
balayer, to sweep
balbutier, to stammer, to mumble
balcon, *m.* balcony
balle, *f.* bullet
ballon, *m.* ball
ballotter, to toss about, to swing
banc, *m.* bench
bande, *f.* strip; reel; band, gang; tape; — **dessinée** (ou **illustrée**), comic strip
banlieue, *f.* suburbs, outskirts
banquier, *m.* banker
baptême, *m.* baptism, christening
barbaque, *f.* meat *(colloq.)*
barbe, *f.* beard
barque, *f.* boat; **mener la** —, to steer the ship
barrage, *m.* dam
barre, *f.* bar, rod, tiller
barreau, *m.* bar (of the cage)
barrer, to bar, to obstruct
barrière, *f.* barrier
bas, *adj.* low; **à** — **de**, off, from; **en** —, down, below
bas, *n.m.* bottom
basculer, to tip
bas-fonds, *m.pl.* lower classes; rabble
bassin, *m.* basin, bowl
bataillon, *m.* battalion
bateau, *m.* boat
bath, swell *(colloq.)*
bâtiment, *m.* building
bâtir, to build
battant, *m.* leaf of a door
battre, to beat; to roam through; to tread down; **se** —, to fight
bavarder, to chatter, to tell stories
baveux, runny; dripping
beau, beautiful; **beaux-arts**, *m.pl.* fine arts; **beaux-parents**, *m.pl.* in-laws; **avoir** — *followed by verb*, to do something in vain
beaucoup, much, a great deal
beauté, *f.* beauty
bébé, *m.* baby
bécane, *f.* bicycle, bike *(colloq.)*

bénédicité, *m.* grace before meal
bénéfice, *m.* benefit
bénir, to bless
béotien, Beotian
berceau, *m.* cradle
bercer, to rock
berger, *m.* shepherd
besogne, *f.* task, work
besoin, *m.* need; poverty; **à l'abri du —**, free from the most pressing needs
bestiaux, *m.pl.* cattle
bestiole, *f.* little animal
bête, *n.f.* animal
bête, *adj.* foolish, silly
bêtise, *f.* stupidity, silliness
béton, *m.* concrete
betterave, *f.* beet
beurre, *m.* butter
biais, *m.* **de —**, sideways
bibliothèque, *f.* library
biblique, Biblical
bicyclette, *f.* bicycle
bien, *n.m.* good; gift; welfare
bien, *adv.* much; very; well; many; **aussi — que**, as well as; **— autre chose**, many other things; quite another thing; **— que**, although; **des gens —**, respectable people; **mais —**, rather, on the contrary; **quand — même**, even if; **être —**, to be comfortable; **si — que**, so that
bienfaisant, beneficent, charitable
bienfait, *m.* benefit
bienfaiteur, *m.* benefactor
bienheureux, blissful; blessed
bienséance, *f.* manners
bientôt, soon, before long
bienveillance, *f.* friendliness, kindliness
bière, *f.* beer
bijou, *m.* jewel, treasure
billet, m. ticket; note; **— de banque**, banknote
biologique, biological
bis, *adj. (pronounced: bi)* brown
biscuit, *m.* cookie
bise, *f.* dry and cold north wind
bistro, m. sort of café, bar; **— d'angle**, corner café
bivouaquer, to be camped
blanc, white
blé, *m.* wheat
blesser, to wound
bleuâtre, bluish
blotti, cuddled
blouse, *f.* coat, smock
bluffeur, *m.* deceptive
bobine, *f.* spool
bœuf, *m.* ox, beef
boire, to drink
bois, *m.* wood; **travail sur —**, woodworking
boisson, *f.* drink
bois-taillis, *m.* thicket
boit, *pres. of* **boire**
boîte, *f.* box; joint; can; **— de conserve**, canned food; **— à loyers**, cheap house made only to rent
bombe, **— à eau**, water-bomb
bon, good; **— gré**, willingly; **— marché**, cheap, inexpensive
bond, *m.* leap; **faire faux —**, to miss an appointment
bondir, to leap
bonheur, *m.* happiness
bonhomie, *f.* good-heartedness, good fellowship
bonhomme, *m.* fellow; **petit —**, little man, boy

bonne, *f.* maid
bonté, *f.* kindness
bord, m. bank, edge; **du — de**, from the edge of; **tout au —**, at the very edge
bordelais, of Bordeaux
border, to border
borne, *f.* boundary
borner, to restrain, to limit
bot, *m.* **pied- —**, club foot
botanique, *f.* botany
botte, *f.* boot
botté, *m.* man with boots
bottine, *f.* boot, ankle-boot
bouche, *f.* mouth
bouché, plugged; **vin —**, sparkling wine
bouchée, *f.* mouthful
boucher, *m.* butcher
boucle, *f.* pivot, loop
boucler, to curl
bouddhiste, *m.* Buddhist
boue, *f.* mud
bouffée, *f.* puff, gust
bouffi, chubby, bloated
bouger, to move, to move about
bougre, *m.* fellow *(colloq.)*
bouillabaisse, *f.* fish soup
bouillie, *f.* mush, porridge
bouillir, to boil
bouillon, m. broth; bubble; **à gros —**, intensely
boulanger, *m.* baker
boule, *f.* bowl; **jouer aux boules**, to bowl (on the green); **une — d'ombre**, a round shadow
boulevard, *m.* **théâtre du —**, light theater or commercial theater
bouleverser, to upset
bouquin, *m.* book, old book
bouquiniste, *m.* bookstall keeper
bourdonnement, *m.* buzz
bourg, *m.* market town
bourgeois, *m.* middle-class person; **drame —**, play portraying bourgeois manners
bourgeoisie, *f.* the middle class; **haute —**, upper middle class; **petite —**, lower middle class
bourgeon, *m.* bud
bousculer, to jostle
bout, m. piece, end; **à — de souffle**, out of breath; **au — de**, at the end of; **d'un — à l'autre**, from one end to the other; **jusqu'au —**, to the very end
bouteille, *f.* bottle
boutique, *f.* shop
bouton, *m.* button
boxe, *f.* boxing
branchage, *m.* branches
branche, *f.* twig
brandir, to brandish
braquer, to aim, to point
bras, *m.* arm
brasier, *m.* brazier, fire
bravement, bravely
braver, to defy
brebis, *f.* sheep
brèche, *f.* gap
bref, *adj.* short; *adv.* briefly
breton, of Brittany
breuvage, *m.* drink
brevet, *m.* high-school diploma
bric-à-brac, *m.* odds and ends
bride, *f.* bridle; **à — abattue**, at full speed
brillant, brilliant
briller, to shine
brindille, *f.* twig
brise, *f.* breeze
briser, to break

britannique, British
broder, to embroider
broncher, to flinch
brosse, *f.* brush
brouhaha, *m.* hubbub
brouillé, hazy
broussailleux, bushy
bruiner, to drizzle
bruissant, rustling
bruit, *m.* noise; **faire du —**, to cause a great deal of comment
brûler, to burn
brume, *f.* fog
brun, brown, dark
brusque, sudden, abrupt
brut, brutal; raw; extra dry
brute, *f.* ruffian
bruyère, *f.* heather, briar
bu, *p.p. of* **boire**
bureau, *m.* office, board; desk
but, *m.* goal; **dans ce —**, to this end
butte, *f.* **être en — à**, to be exposed to
buveur, *m.* drinker
buvons, *pres. of* **boire**

ça, it; they (contemptuous); **— ne va pas si mal que ça**, you are not doing so badly; **— se voit**, it's obvious
cabine, *f.* dressing-room
cabinet, *m.* study
caboulot, *m.* small, unpretentious restaurant
caché, secluded
cache-cache, *m.* hide-and-seek
cacher, to hide
cachet, *m.* seal, signet
cachette, *f.* hiding-place
cadavre, *m.* corpse
cadeau, *m.* gift
cadet, *m.* youngest
cadre, *m.* frame; **les cadres**, key personnel; ranks
ça et là, here and there
cafard, *m.* "the blues"
café, *m.* coffee; coffee-house
cafetier, *m.* tavern-keeper, café owner
cahier, *m.* notebook
caillou, *m.* pebble
caissier, *m.* cashier
calamaio, *m.* Neapolitan dish with squid
calcaire, *m.* limestone
calcul, *m.* arithmetic; calculation
cale, *f.* hold (of a ship)
calotte, *f.* skull-cap
calvaire, *m.* calvary, suffering
camarade, *m.* friend, companion
camaraderie, *f.* friendship, comradeship
caméra, *f.* movie camera
campagnard, rural
campagne, *f.* country; countryside; field; **à la —**, in the country
camper, to camp
canard, *m.* duck
canaux, *m.pl. of* **canal**
candide, frank, artless
canevas, *m.* canvas
cantatrice, *f.* singer
caoutchouc, *m.* rubber; raincoat
cap, *m.* headland, cape
capote, *f.* soldier's overcoat
capter, to catch
car, because
carabine, *f.* rifle
caractère, *m.* character, characteristic; disposition
carafe, *f.* water-bottle, decanter

carne, *f.* meat *(colloq.)*
carnet, *m.* notebook
carré, *m.* square
carreau, *m.* ground, tile
carrefour, *m.* crossroads
se carrer, to settle down importantly
carrière, *f.* career; quarry
carte, *f.* map; card; menu; **— routière**, road map; **jouer aux cartes**, to play cards
carton, *m.* cardboard; **la géométrie en cartons**, geometry with cardboard blocks
cas, *m.* case; **en —**, in case; **suivant le —**, as the case may be
caserne, *f.* barracks
casque, *m.* helmet
casquette, *f.* cap
casse-croûte, *m.* snack
catalan, Catalonian
cause, *f.* cause; **à — de**, because of, owing to
causer, to chat, to talk; to cause
causerie, *f.* talk
causeur, *m.* talker
cavalier, *m.* horseman
cave, *f.* cellar
caverne, *f.* cave
ceci, this
cédant, *m.* transfering agent
céder, to yield
ceinture, *f.* belt; girdle
ceinturer, to surround
cela, that
célèbre, renowned
célébrer, to celebrate
céleste, heavenly, celestial
celle, *f. of* **celui**, the one
cellule, *f.* cell
celui, **celui-ci**, the latter; **celui-là**, that one
cendre, *f.* ashes
cendrier, *m.* ashtray
Cendrillon, Cinderella
censé, supposed
censure, *f.* censorship; blame; **motion de —**, motion of nonconfidence
centaine, *f.* about a hundred
centaines, *f.pl.* hundreds
centre, *m.* center
cependant, however, yet
ce que tu peux être laid, how ugly you are
cercle, *m.* circle, club
cérémonie, *f.* ritual, ceremony
cérémonieux, ceremonious, formal
cerfeuil, *m.* chervil
cerise, *f.* cherry
certain, some
certainement, certainly
certes, certainly
cerveau, *m.* brain, mind
cesser, to cease
cessionnaire, *m.* transferee
c'est-à-dire, that is to say
chacun, each, each one
chagrin, *n.m.* grief
chagrin, *adj.* melancholy; bitter
chaîne, *f.* chain, network
chair, *f.* flesh; **avoir des lien de —**, to be bound together
chaise, *f.* chair
chaleur, *f.* heat, warmth
chaleureux, warming
chambre, *f.* room; bedroom; **— de débarras**, closet, storeroom; **— meublée**, furnished room
chameau, *m.* camel
champ, *m.* field, perspective; **— de foire**, fairgrounds
champêtre, rustic

champignon, *m.* mushroom
chance, *f.* fortune, luck
chandelle, *f.* candle
changement, *m.* change, changing
changer, to change
chanoine, *m.* canon
chant, *m.* singing; song
chanter, to sing
chantonner, to hum
chantre, *m.* poet, bard
chanvre, *m.* hemp
chapeau, *m.* hat
chapelle, *f.* chapel
chapitre, *m.* chapter
chapon, *m.* capon
chaque, each, every
charbon, *m.* coal
charbonnier, *m.* coalman
charcutier, *m.* pork butcher
chargé, heavy
charger, to load; **se —**, to take upon oneself
chariot, *m.* wagon
charmant, charming
charmille, *f.* arbor
charrue, *f.* plow
chartreuse, *f.* a liquor
chasse, *f.* hunting
chasser, to chase away
chat, *m.* cat; **mon —**, my dear
châtaigne, *f.* chestnut
château, *m.* castle; **— fort**, fortress
châtelain, *m.* owner of the castle
châtiment, *m.* punishment
chatouilleux, ticklish
chaud, warm, hot
chaudron, *m.* cauldron
chaudronnier, *m.* brazier, coppersmith
chauffage, *m.* heating
chauffer, to warm, to heat
chaussée, *f.* street, pavement
chaussette, *f.* sock
chaussure, *f.* shoe, footwear
chauve, bald
chef, *m.* leader, chief
chef-d'oeuvre, *m.* masterpiece
chemin, *m.* way, road; **— de croix**, Stations of the Cross; **— de fer**, railroad; **mi- —**, half-way
cheminée, *f.* chimney
chêne-vert, *m.* evergreen oak
chenille, *f.* caterpillar
cher, expensive
chercher, to look for; **— à**, to try; **— fortune**, to seek one's fortune
chercheur, *m.* pioneer; researcher; scholar
chérir, to cherish
cheval, *m.* horse; **à —**, on horseback; astride
chevaucher, to be astride, to overlap
cheveux, *m.pl.* hair; **— au vent**, bareheaded, with one's hair in the wind
chèvre, *f.* goat
chevreau, *m.* kidskin
chevreuil, *m.* roe, roe-deer
chez, at the house of; **— nous**, among us, in our country
chic, fashionable, stylish, swell
chien, *m.* dog
chiffon, *m.* rag
chimère, *f.* illusion, figment, creation
chiffre, *m.* figure
chimique, chemical
chinois, Chinese
chirurgie, surgery
chlorure, *m.* chloride
choc, *m.* shock, blow

chœur, *m.* choir
choisir, to choose
choix, *m.* choice; **faire le —**, to make a choice
chômeur, *m.* unemployed man
chose, *f.* thing, object; **bien autre —**, quite another thing; **pas grand —**, very little
chou, *m.* cabbage; **planter ses choux**, to retire *(colloq.)*
chouette, *f.* owl
chrétien, Christian
chuchotement, *m.* whispering
chute, *f.* fall; **— d'eau**, waterfall
ciboulette, *f.* chive
cidre, *m.* cider
ciel, *m.* sky, heaven
cierge, *m.* church candle, taper
cieux, *m.pl.* skies
cigale, *f.* locust
cil, *m.* eyelash
cimetière, *m.* cemetery
cinéaste, *m.* movie producer
cinéma, *m.* movie theater; **faire du —**, to be in the movies
cinématographe, m. movie (obsolete)
cinq, five
cinquantaine, *f.* about fifty
cinquante, fifty
circonscrire, to limit
circonspection, *f.* caution
circonstance, *f.* circumstance, condition
circuler, to circulate
cirer, to wax
cirque, *m.* circus
citadin, *m.* city dweller; **les citadins**, city people
cité, *f.* city; **— modèle**, housing development; **— Universitaire**, student housing
citer, to cite, to mention
citron, *m.* lemon
civière, *f.* litter
civiliser, to civilize
clair, clear, light
clair de lune, *m.* moonlight
clairement, clearly
clameur, *f.* clamour, noise
claquer, to click
clarté, *f.* light, brightness
classique, *n.m.* classicist
classique, *adj.* classical
claudicant, limping
clavier, *m.* keyboard
clef, *f.* key
clément, pleasant, mild
clergé, *m.* clergy
cloche, *f.* bell; **— des morts**, death knell
clocher, *m.* belfry, steeple
cloison, *f.* partition, division
clore, to close; **se —**, to end
clos, *p.p. of* **clore**
cocarde, *f.* cockade, badge
cochonnet, *m.* small ball used in bowling (on the green)
cocon, *m.* cocoon
cœur, *m.* heart; **à — joie**, to one's heart's content; **avoir le — sur la main**, to wear one's heart on one's sleeve
coffre, *m.* chest, box
cognée, *f.* ax
se cogner, to bump into
cohue, *f.* crowd; crush
coiffé, dressed in; **— d'un chapeau**, sporting a hat
coiffeur, hairdresser
coiffure, *f.* hairdo

coin, *m.* corner
coing, *m.* quince
col, *m.* pass; collar
collège, *m.* sort of secondary school
coller, to stick
collier, *m.* necklace, collar; **reprendre le —**, to go back into harness, to resume work
colline, *f.* hill
colonne, *f.* column; pole
colorer, to color
coloris, *m.* coloring
combat, *m.* fight
combe, *f.* valley
combinaison, *f.* combination; slip
combine, *f.* scheme
comble, *m.* height, peak, climax
comblé, completely satisfied
combler, to fill
comédien, *m.* actor
commandant, *m.* captain
commande, *f.* order
commandement, *m.* command
commander, to motivate
comme, as, like
commencer, to begin
comment, how
commenter, to comment upon, to criticize
commerçant, *m.* businessman; **petit —**, small businessman
commettre, to commit
commis, *p.p. of* **commettre**
commission, *f.* request; errand
commode, *n.f.* chest of drawers
commode, *adj.* easy, practical
commodément, easily
commun, common
communauté, *f.* community
communément, commonly
communier, to be in intellectual communion
communiquer, to communicate
compagnie, *f.* company
compagnon, *f.* companion
comparer, to compare; **se —**, to be compared
compatriote, *m.* countryman
compenser, to compensate
complaisance, *f.* complacency
complémentaire, complementary
compliments, *m.pl.* greetings
compliqué, complex, complicated
comporter, to include; to require
composé, compound, composed, planned
se composer, to be made of
compositeur, *m.* composer
composition, *f.* theme, piece
compotier, *m.* fruit dish
comprendre, to understand, to include
compris, understood; **y —**, including
compromis, *m.* compromise
compte, *m.* count; **en fin de —**, after all; **se rendre —**, to realize
compter, to count
comptoir, *m.* counter, bar
concevoir, to conceive, to imagine
concierge, *m. or f.* janitor
concourir, to converge, to combine, to contribute
concours, *m.* contest
conçu, *p.p. of* **concevoir**
concurremment, concurrently
concurrence, *f.* rivalry, competition
condamner, to condemn
condition, *f.* lot, fate; circumstance
conductrice, *f.* of **conducteur**
conduire, to drive, to show the way; **se —**, to behave
conduite, *f.* behavior; conduct

confection, *f.* making
conférence, *f.* lecture; discussion
confessionnal, *m.* confession-box
confiance, *f.* confidence
confier, to entrust, to confide; **se — à**, to confide in, to put one's trust in
confit, candied
confiture, *f.* jam, preserve
conflit, *m.* conflict, struggle
confluer, to meet
confondre, to mix up, to confuse; **se — avec**, to blend with
confort, *m.* comfort, ease
confronter, to compare
confus, vague, mysterious
congé, *m.* leave, vacation
congédier, to discharge
congeler, to freeze
congénère, *m.* peer
conjuré, *m.* conspirator
conjurer, to conjure up
connaissance, *f.* knowledge; **lier —**, to strike an acquaintance
connaître, to know; **faire —**, to make familiar with; **se faire —**, to become known
connu, *p.p. of* **connaître**
conquérir, to conquer
conquête, *f.* conquest
conquis, *p.p. of* **conquérir**
consacrer, to consecrate, to devote
conscience, prendre — de, to perceive; to be made conscious of
conscient, conscious
conseil, *m.* council, advice
conseiller, to advise
conservateur, conservative
conservatoire, *m.* conservatory
conserve, *f.* **boîte de —**, canned food
conserver, to hold, to maintain
considérer, to look over; **à tout —**, taking all things into consideration
consommation, *f.* drink; consumption
consommé, perfect
consommer, to accomplish; to consume
consonne, *f.* consonant
constamment, constantly
construction, *f.* building; **— navale**, shipbuilding
construire, to build
consultatif, advisory
conte, *m.* tale
contemporain, contemporary
contenir, to contain
se contenter, to be content; **se — de**, to be satisfied with
contenu, *adj.* restrained
contenu, *n.m.* contents
conter, to tell
conteur, *m.* storyteller, narrator
continent, *m.* mainland
contingent, *m.* quota
continu, continuous
contourné, distorted, bizarre
contraindre, to constrain, to compel
contrainte, *m.* constraint, effort
contraire, *m.* contrary; **au —**, on the contrary
contre, against
contrecarrer, to thwart
contrée, *f.* land
contre-pied, *m.* opposite; **prendre le —**, to go contrary to
contre-temps, à —, out of time, with syncopation
contrevenir, to infringe
contribuer, to contribute

contrôle, *m.* list, checking
convaincre, to convince
convenir, to be convenient, to be proper, to be suitable for; to agree
conventionnel, arbitrary
conviendra, *future of* **convenir**
convoitise, *f.* lust
coopérative, *f.* cooperative organization
copain, *m.* pal, friend
coq, *m.* cock, rooster
coquillage, *m.* shell-fish
coquille, *f.* shell
corbeille, *f.* basket
cor de chasse, *m.* French horn
cordon, *m.* cord
cordonnier, *m.* shoemaker
corne, *f.* horn
corneille, *f.* crow, raven
cornichon, *m.* pickle
corollaire, *m.* corollary
corps, *m.* body
corriger, to correct
corrompre, to corrupt
corsage, *m.* blouse; bodice
corse, Corsican
cortège, *m.* procession
cosse, *f.* hull, shell
costaud, husky
côte, *f.* coast
côté, *m.* side; **à —**, next door; **à — de**, beside; **du — de,** from the side; toward
coteau, *m.* hill
côtelette, *f.* chop, cutlet
coterie, *f.* circle
coton, *m.* cotton
côtoyer, to come near
couchant, *m.* sunset
couche, *f.* layer, level; bed
coucher, to spend the night; **se —**, to go to bed; **soleil couchant**, setting sun
coude, *m.* elbow; **— à —**, side by side
coudoyer, to rub shoulders with
coudre, to sew
couler, to flow; to sink; **— à pic**, to sink to the bottom
couleur, *f.* color
coulisse, *f.* side scene, wing; **en —**, behind the scenes
couloir, *m.* corridor
coup, *m.* blow; stroke; beat; **à — de**, by means of; **— d'oeil**, glance; alertness; **— de feu**, shot; **— de frein**, sudden applying of brakes; **— de tête**, jerk of the head; **— de vitesse**, burst of speed; **d'un seul —**, suddenly; **faire le — de feu**, to get into the battle, to fire a shot; **faire les 400 coups**, to raise Cain *(colloq.);* **frapper dix-sept coups**, to strike seventeen; **se donner un — de brosse**, to brush one's hair quickly; **tout à —**, suddenly; all of a sudden; **tout d'un —**, suddenly
coupable, guilty
couper, to cut, to cut off
coupole, *f.* cupola
coupure, *f.* gap
cour, *f.* yard, courtyard; court
courant, *n.m.* current, stream; course
courant, *adj.* running; ordinary; present-day
se courber, to bend
courette, *f.* a little yard
coureur, *m.* racer, runner

courir, to run; to pass through; **— un danger**, to run into danger
couronne, *f.* crown
courrier, *m.* mail, correspondence
cours, *m.* course; route; **donner libre —**, to give free rein; **au — de**, during; at the rate of exchange
course, *f.* excursion, trip; race; errand; **— de taureaux**, bullfight; **prendre sa —**, to start running
court, short; **si courts aient-ils été**, short though they were
courtier, *m.* broker, agent
couse, *subj. of* **coudre**
couseuse, *f.* sewing girl
couteau, *m.* knife
coûter, to cost
coutume, *f.* custom, habit
coutumier, customary
couture, *f.* seam; sewing; needlework; **sur toutes les coutures**, from every angle
couturier, *m.* high-fashion designer
couvé, protected
couvercle, *m.* lid
couvert, *m.* cover, place setting
couvert, *p.p. of* **couvrir**
couverture, *f.* roofing, covering
couvrir, to cover
cracher, to spit
craignait, *imp. of* **craindre**
craindre, to fear
crampon, *m.* climbing spur
se cramponner à, to cling to
crâne, *m.* skull
craquant, crunchy
craquer, to crack, to break, to snap
crasseux, dirty, filthy
créateur, creative
créer, to create
crème, *f.* cream; **— renversée**, a type of custard
crépuscule, *m.* twilight
creuser, to hollow out; to develop; to study in depth
creuset, *m.* melting pot
creux, *m.* hollow
crevasse, *f.* abyss
crevassé, cracked
crever, to die like a dog
cri, *m.* cry; **dernier —**, latest style
criard, squawking
crier, to cry out, to shout
crinière, *f.* horse's mane
crissement, *m.* crunching, grating
critique, *n.m.* critic
critique, *n.f.* criticism
critique, *adj.* critical
critiquer, to criticize
crochet, *m.* hook
crocodilien, crocodile-like
croire, to believe
croisade, *f.* crusade
croisée, *f.* crossing; **— des chemins**, crossroads
croiser, to cross, to fold
croissance, *f.* growth
croissant, *n.m.* crescent
croissant, *adj.* growing, increasing
croître, to grow
croix, *m.* cross; **chemin de —**, Stations of the Cross
croquer, to nibble
croquis, *m.* sketch
croulant, m. decrepit old man (*colloq.)*
crouler, to give way, to totter
croustillant, crusty; delicious
croûte, *f.* crust
croyance, *f.* belief
croyant, *m.* believer

cru, *p.p. of* **croire**
cru, *adj.* raw; **à —**, naked
cruauté, *f.* cruelty
crûment, bluntly, frankly
crus, *simple p.* of croire
cueillette, *f.* harvest
cueillir, to gather
cuir, *m.* skin, leather
cuire, to cook
cuisine, *f.* kitchen; cooking; **faire la —**, to cook; **grande —**, special, de luxe cooking
cuisinière, *f.* cook
cuisson, *m.* baking, cooking
cuit, *p.p. of* **cuire**; to be done for *(colloq.)*
cuivre, *m.* copper
culotte, *f.* breeches
culotté, *m.* man with breeches
culte, *m.* **avoir le —**, to worship
cultivateur, *m.* farmer
cultivé, cultured
cultiver, to cultivate
culture, *f.* planted fields
cumuler, to hold more than one
curé, *m.* priest
curieux, curious
cycliste, *m.* bicycle rider
cynique, cynical

dalle, *f.* flagstone
danse, *f.* dance
danseur, *m.* dancer
dard, *m.* dart
davantage, more
dé, *m.* thimble; die; **jouer aux dés**, to play dice; **les dés sont jetés**, the die is cast
débarrasser, to relieve, to take away; to rid
débat, *m.* dispute, discussion, exchange; transaction
débattre, to debate, to discuss
déblayer, to clear away
débonnaire, good-natured
déborder, to overflow
déboucher, to open, to clear; to emerge
débouler, to roll down, to rush down
débourser, to spend
debout, upright, standing up
débrouillard, ingenious, clever at getting out of a fix
début, *m.* outset, beginning; **dès ses débuts**, from the very first
débuter, to begin
déceler, to reveal, to detect
décevoir, to deceive; to disappoint
déchaîner, to let loose
déchéance, *f.* fall
déchiffrer, to decipher, to unravel
déchirant, heartbreaking
déchirer, to tear, to tear apart
déchirure, *f.* rip, break
décider, to decide; **se —**, to make up one's mind
déclencher, to start
déclarer, to make known
déclouer, to unnail
décocher, to let fly; **— un coup d'oeil**, to throw a glance
déçoit, *pres. of* **décevoir**
décollation, *m.* beheading
décomposer, to decompose; **se —**, to decay
déconcertant, disconcerting
décontenancé, abashed, disconcerted
décontraction, *f.* relaxation
décor, *m.* scenery, setting; ornamentation

découpage, *m.* cutting out, division; splicing, editing
découper, to cut, to carve; **se —**, to stand out
découpure, *f.* over-all aspect, silhouette
décourager, to discourage
découverte, *f.* discovery
découvrir, to discover; to discern; to unearth
décréter, to decree
décrire, to describe
décrocher, to unhook
déçu, *p.p. of* **décevoir**
dédaigner, to scorn
dédain, *m.* disdain
dedans, inside, within
dédier, to dedicate
déduire, to infer
défaire, to undo, to untie
défaite, *f.* defeat
défaut, *m.* defect, absence
défavorable, unfavorable
défendre, to forbid, to protect; **se —**, to get along; **se — de**, to deny having done, to refrain from
défense, *f.* prohibition
défi, *m.* challenge
défier, to defy; **se — de**, to distrust, to be wary of
défiguré, disfigured
défiler, to file off, to march past
définir, to determine, to define
définitivement, finally; for good
déformer, to twist, to distort
défricher, to clear
défroisser, to uncurl; **se —**, to uncrumple
dégager, to bring out, to let out; to form; **se —**, to break away, to grow out of
dégeler, to throw out; **se —**, to begin to relax
dégoût, *m.* disgust
dégradation, *f.* decadence
degré, *m.* degree; grade, level
dégringoler, to stagger down
dégriser, to sober up
se déhancher, to sway one's hips
dehors, m. outside; **au —**, outside; **en — de**, in addition to
déité, *f.* deity
déjà, already
déjeuner, *m.* lunch
délabré, ruined, dilapidated
délaissé, forsaken, forlorn
délectation, *f.* delight
déléguer, to delegate
délester, to relieve
délibérer, to deliberate
délicat, refined, scrupulous
délice, *m.* delight
délicieux, delicious
délimiter, to restrict, to define
délirant, delirious
délire, *m.* frenzy
délit, *m.* delinquency, misdemeanor
délivrer, to free
demain, tomorrow
demander, to ask; **se —**, to wonder
se démaquiller, to take off one's makeup
démarche, *f.* gail; step
dément, insane, wild
démérite, *m.* demerit, fault
démesurément, excessively
demeure, *f.* home
demeurer, to stay, to remain
demi, *adj.* half

demi, *n.m.* large glass of beer
démocratie, *f.* democracy
démodé, out of style
démontrer, to demonstrate
dénoncer, to denounce; to indicate
dénouement, *m.* ending
dent, *f.* tooth
dénuer, to leave destitute
dépanner, to rescue
départ, *m.* departure; **point de —**, starting point
département, *m.* administrative district
dépasser, to exceed, to go beyond, to pass
dépêcher, to dispatch; **se —**, to hurry
dépeindre, to describe
dépense, *f.* expense, expenditure
dépenser, to spend, to expend; **se —**, to give of oneself
dépit, *m.* spite; **en — de**, in spite of
déplacer, to displace, to move
déployer, to unfold
dépoli, unpolished
dépôt, *m.* deposit in trust
dépouille, *f.* spoil, remains
dépouillé, stripped, sober; freed
dépouiller, to take away; to go through; to lay bare
déprécier, to underrate
se déprendre, to free oneself
déprimer, to depress
depuis, since; from
député, *m.* delegate, representative
déraciné, uprooted
dérailler, to leave the tracks
déraison, *f.* irrationality
déranger, to disturb, to bother
dérisoire, ridiculous
dernier, last; latest; **du — grotesque,** extremely grotesque
dérober, to steal
dérouté, bewildered
derrière, *prep.* behind
derrière, *n.m.* rear
dès, from, since, as early as
désapprouver, to object to
désarçonner, to unhorse; to baffle
désarroi, *m.* distress
désaxé, unbalanced
descendance, *f.* descent
descendre, to lower; to get down; to go down
descente, *f.* down slope
désert, deserted
déserteur, *m.* deserter
désespérer, to despair
désespoir, *m.* despair
déshérité, disinherited
désigner, to designate
désintéressé, disinterested; pure
désinvolture, *f.* ease, casualness
désir, *m.* desire, wish
désordonné, disorganized
désordre, *m.* disorder
désormais, henceforth
désséché, dried-up; arid
dessein, *m.* plan
desservir, to handicap; to clear the table
dessin, *m.* design, pattern, drawing; **— animé**, cartoon
dessinateur, *m.* draftsman; designer
dessiné, **bande dessinée**, comic strip
dessiner, to draw; to design
dessous, below; **au- —**, underneath
dessus, *n.m.* top; advantage; **avoir le —**, to win out
dessus, *prep.* above, over
destin, *m.* destiny

détaché, indifferent
se détacher, to stand out; to come away
détailler, to examine
déteindre, to permeate, to influence
détendre, to slacken; **se —**, to relax
détenir, to hold
détente, *f.* relaxation, slackening, leisure
détour, *m.* devious means
détracteur, *m.* slanderer
détremper, to soak
détresse, *f.* distress
détrôner, to dethrone, to supersede
détruire, to destroy
deuil, *m.* mourning
deux, two; **le —**, the second act
dévaler, to descend
devant, before; **responsable —**, responsible to
devanture, *f.* shop window
dévaster, to lay waste
développer, to develop; **se —**, to be developed, to spread out
devenir, to become; **que va-t-elle —**, what will become of her
déverser, to pour
devin, *m.* enchanter; inspiration
deviner, to guess
devise, *f.* motto
dévoiler, to unveil
devoir, *n.m.* homework; duty; **se mettre en —**, to set out (to do something)
devoir, *v.* to owe; to have to; **devait connaître le succès**, was to be successful
dévorer, to devour
dévot, devout, religious
dévouement, *m.* devotion; self-sacrifice
dévouer, to devote
dévoyer, to mislead
devrais, *cond. of* **devoir**
diable, *m.* devil; darn it
diamant, *m.* diamond
diantre, what the devil
dictionnaire, *m.* dictionary
diction, *m.* saying
Dieu, *m.* God; **bon —**, darn it, by God
différer, to differ
difficile, difficult
difforme, deformed, shapeless
digérer, to digest
digne, worthy
dimanche, *m.* Sunday
diminuer, to diminish
dinde, *f.* turkey
dîner, *n.m.* dinner
dîner, *v.* to eat, to dine
dirait, *cond. of* **dire**; **on —**, it seems
dire, to say; **à vrai —**, to tell the truth; **c'est-à- —**, that is to say; **ça ne me dit rien**, that means nothing to me; **pour ainsi —**, so to speak; **pour mieux —**, rather; **pour ne rien —**, to say nothing; **se —**, to tell one's own story
directement, directly
directeur, dominating
diriger, to direct, to manage; to lead
diront, *future of* **dire**
discours, *m.* discourse, speech
discrètement, discreetly
discuter, to discuss
discuteur, *m.* argumentative person
disgracieux, ungraceful, awkward
disparaître, to disappear
disparition, *f.* disappearance
disparu, *p.p. of* **disparaître**

dispenser, to distribute; to excuse
disponible, available
disposer, to have at one's disposal; to arrange; to put in the right frame of mind
disposition, *f.* arrangement; measure
disputer, to dispute, to discuss
disque, *m.* record
dissemblable, different
disséminé, dispersed, scattered
dissimuler, to cover up; **se —**, to deny
dissoudre, to dissolve
distinguer, to distinguish
distraction, *f.* diversion, amusement
distraire, to distract, to entertain
distraitement, absentmindedly
dit, said to be; so-called
divers, different
divertissement, *m.* diversion, recreation
diviser, to divide
divorcé, *m.* divorced person
divulguer, to divulge
dixième, *m.* tenth
dizaine, *f.* about ten
docilement, obediently
documentaire, *m.* documentary
doigt, *m.* finger
doit, *pres. of* **devoir**; **comme il se —**, as is fitting
domicile, *m.* abode
dominer, to dominate; to control
dompter, to tame
don, *m.* gift, power within oneself
donc, therefore
données, *f.pl.* data
donner, to give; to assign; **— à penser**, to give (someone) something to think about; **— sur**, to overlook; **— un jour**, to name a day; **se — un coup de brosse**, to brush one's hair quickly; **s'en — à cœur joie**, to have a field day
doré, gilded, golden
d'ores et déjà, from now on, already
dorien, Doric
dormir, to sleep
dortoir, *m.* dormitory
dos, *m.* back
dot, *f.* dowry *(prononc: dote)*
doter, to endow, to give
douane, *f.* customs
douce, *f.* of **doux**, sweet
douceur, *f.* sweetness, softness
doué, gifted, talented; possessing
douleur, *f.* suffering, pain
douloureux, painful, sad
doute, *m.* doubt; **sans —**, probably
douter, to doubt; **se —**, to suspect
douteux, doubtful
doux, pleasant, sweet; **un feu —**, a slow fire
douze, twelve
dramatique, dramatic, tragic
dramaturge, *m.* dramatist
drame, *m.* drama
drap, *m.* cloth, sheet
dresser, to draw up; **— les oreilles**, to prick up one's ears; **se —**, to stand out; **se — à part**, to have a place by oneself
droit, *n.m.* right; tax; law; duty; fee; **avoir —à**, to be entitled to
droit, *adj.* straight
droiture, *f.* uprightness
drôle, funny, strange; **— de**, *followed by noun*, strange
drôlement, very; darn

dû, *p.p. of* **devoir**
dur, strong, hard, harsh
durant, during
durcir, to harden
durée, *f.* duration
durement, hard, rigorously
durer, to endure, to last
dureté, *f.* hardness
dussé-je, if I had to; if I have to

eau, *f.* water; **— de vie**, brandy; **— douce**, fresh water; **prendre l' —**, to take in water, to leak; **faire monter l' — à la bouche**, to make your mouth water
ébénier, *m.* ebony tree
ébéniste, *m.* cabinet-maker
éberlué, taken aback; amazed
éblouir, to dazzle, to fascinate; to bewilder
ébranler, to shake
ébullition, *f.* **en —**, boiling
écaille, *f.* scale
écart, *m.* difference; **à l' —**, apart
écarter, to separate, to draw aside, to open
échange, *m.* exchange, trade
échantillon, *m.* sample
échapper, to escape
écharpe, *f.* scarf, sash
échec, *m.* failure
échecs, *m.pl.* chess
échelle, *f.* scale; ladder; **carte à grande —**, large-scale map
échelon, *m.* step
échoir, to fall to
échoppe, *f.* stall, booth
échouer, to fail
échu, *p.p. of* **échoir**
éclair, *m.* flash, lightning
éclairage, *m.* lighting
éclairé, lighted; educated
éclairer, to light
éclaireur, *m.*, scout
éclat, *m.* brightness; burst
éclatant, bright, gorgeous; obvious
éclater, to burst; **— de rire**, to burst out laughing; **faire —**, to defeat
écœurer, to dishearten; to disgust
école, *f.* school; **grande —**, professional school
écolier, *m.* schoolboy
économe, economical; thrifty
économie, *f.* economy, good management
écorce, *f.* bark
Ecosse, Scotland
écot, *m.* share
écouter, to listen to
écran, *m.* screen; filter
écraser, to crush
écrire, to write
écriture, *f.* writing
écrivain, *m.* writer
écroulé, crumbled
s'effondrer, to collapse
écuellée, bowlful
écuyer, *m.* squire; groom
édifice, *m.* building
éducation, *f.* **— mixte**, coeducation
éduquer, to educate
effacer, to erase, to rub out; **s' —**, to draw aside, to make way
effarer, to scare; to bewilder
effaroucher, to frighten
effectivement, indeed
effet, *m.* effect; **en —**, in fact, indeed
efficace, effective, efficient
effluve, *m.* emanation
s'effondrer, to collapse

s'efforcer, to try hard
effrayant, frightening
effréné, frantic
s'effriter, to crumble
effroi, *m.* fright
effroyable, horrible, frightful
égal, equal; **cela vous est bien —**, that is all the same to you
également, equally
égaler, to equal
égaliser, to equalize
égalité, *f.* equality
égard, *m.* consideration; respect; **à cet —**, in this respect; **à l' — de**, concerning, toward
égaré, *m.* waif; **le petit —**, the stray lamb
égarement, *m.* frenzy, excess of emotion
égarer, to mislead, to lose
égayer, to enliven
église, *f.* church
égoïsme, *m.* selfishness
élan, *m.* start, impulse, flight
élargir, to enlarge, to widen
électrophone, *m.* phonograph
élément, *m.* component
élémentaire, elementary
élevage, *m.* breeding of cattle
élève, *m. or f.* pupil
élevé, high
élever, to raise; to erect, to elevate; **s' —**, to rise
élire, to elect, to single out
éloge, *m.* praise; **faire l' —**, to speak highly
éloigné, removed
s'éloigner, to move away
élu, chosen, elected
embarrassé, embarrassed; **être —**, to have trouble
embaumer, to perfume
embellir, to embellish, to beautify
d'emblée, at the very outset
embrasé, lighted by sunset, ablaze
embrasser, to kiss; to encompass
s'émerveiller, to marvel
émettre, to emit
émincer, to mince
éminemment, very
émission, *f.* uttering; broadcast
emmener, to take away
émoi, *m.* emotion, anxiety
émouvoir, to touch, to move
s'emparer, to seize, to grab
empêcher, to prevent
emplir, to fill
emploi, *m.* use
employé, *m.* clerk, worker
employer, to use; **s' —**, to be used; **s' — à**, to aim at; to work at
emplumé, plumed
empois, *m.* starch, glue
empoisonner, to poison
emporter, to carry with; **l' —**, to get the upper hand
empreinte, *f.* mark, imprint
empressé, rushed; eager
emprunté, awkward
emprunter, to borrow
ému, *p.p of* **émouvoir**
en, in; in the shape of
encadrer, to frame, to enclose
encensoir, *m.* incense burner
enchaînement, *m.* chain, series, succession
enchanter, to delight
enclos, *n.m.* enclosure
enclos, *adj.* closed
enclume, *f.* anvil
encombrer, to crowd, to obstruct
encore, still, yet, again

en-deçà, here, on this side
en-dehors, outside of, except
en délire, in a frenzy
s'endormir, to go to sleep
endosser, to put on
endroit, *m.* place; **à l' —**, on the right side
énergie, *f.* power
énerver, to annoy; **s'énerver**, to get irritated
enfance, *f.* childhood
enfant, *m. or f.* child; **bon —**, good-natured
enfantement, *m.* childbirth
enfantin, childish
enfer, *m.* hell
enfermer, to shut in
enfin, finally, at last
enflammer, to set fire to, to incite, to excite
enfler, to swell out
enfoncer, to bury, to thrust into
s'enfouir, to bury oneself
enfourner, to put in the furnace
enfumé, smoky
engagement, *m.* participation
s'engager, to start into, to enter into
engendrer, to produce
engin, *m.* gadget, machinery
engluer, to hold fast, to glue
engourdir, to numb
engrais, *m.* fertilizer
engraisser, to fatten
s'enivrer, to get intoxicated
enlever, to take away;**— le morceau**, to carry off the prize
s'enliser, to bog down
ennui, *m.* boredom, trouble; annoyance
s'ennuyer, to be bored
ennuyeux, bothersome, annoying; boring
énoncer, to state
enquête, *f.* examination, inquiry
enracinement, *m.* putting down of roots
enregistrer, to record
enrichir, to make rich; **s' —**, to get rich
enrichissant, enriching
enrouler, to roll up
enseignement, *m.* teaching, education
enseigner, to teach
ensemble, *adv.* together
ensemble, *n.m.* whole, general effect; **dans l' —**, in general
ensemencer, to sow
enserrer, to encompass; to include; to hug
ensoleillé, sunny
ensuite, then
s'ensuivre, to follow
entamer, to make the first stroke, to begin
entasser, to pile up, to accumulate; to crowd together
entendement, *m.* understanding
entendre, to hear, to understand; to mean; **— parler**, to hear about; **ils ne l'entendent pas ainsi**, they don't intend it to be that way; **laisser —**, to suggest
entente, *f.* agreement; union
enterrer, to bury
enterrement, *m.* burial, funeral
entier, whole, complete
entourer, to surround
entournure, *f.* seam under the arms of a coat; **gêné aux entournures**, ill at ease

entraînement, *m.* training, physical exercise
entraîner, to involve, to carry away, to drag along; to train; to draw
entraîneur, *m.* trainer, coach
entrave, *f.* obstacle, impediment
entre, between, among
entrée, *f.* second course
entremets, *m.* a type of light dessert
entreprendre, to undertake
entrepreneur, *m.* contractor
entreprise, *f.* undertaking; **— privée**, private enterprise
entrer, to enter, to go in
entretenir, to maintain, to support
entretien, *m.* upkeep, maintenance
entrevoir, to catch a glimpse of
énumérer, enumerate
envahir, to invade
envelopper, to surround; to wrap
enverraient, *cond. of* **envoyer**
envers, *m.* wrong side; **à l' —**, upside down
envers, *prep.* toward
envie, *f.* envy, desire; **avoir — de**, to feel like
environ, *adv.* around
environs, *n.m.pl.* vicinity
envisager, to consider, to imagine
s'envoler, to fly away, to vanish
envoyer, to send
épais, thick
épanoui, in full bloom
épanouir, to develop fully
épargne, *f.* savings
épargner, to save; to spare
éparpiller, to scatter
épars, scattered
épaule, *f.* shoulder
épée, *f.* sword
éperdu, wild
éperon, *m.* spur; boulder
épicier, *m.* grocer
épinard, *m.* spinach
épine, *f.* thorn
épingle, *f.* pin
éploré, disconsolate
éplucher, to peel
éponge, *f.* sponge
épopée, *f.* epic
époque, *f.* period, time, age
épouser, to marry; to follow closely
épreuve, *f.* trial, test
épris, in love
éprouver, to experience; **s' —**, to feel
épuiser, to exhaust
épurer, to refine, to purify
équilibre, *m.* balance
équipage, *m.* crew
équipe, *f.* team
équitation, *f.* horseback riding
ère, *f.* era
errer, to wander
erreur, *f.* error, wrongdoing
erroné, wrong
érudit, *m.* scholar
escalade, *f.* climbing
escalier, *m.* staircase
escargot, *m.* snail
s'esclaffer, to guffaw
esclave, *m. or f.* slave
escompteur, *m.* small banker
escrime, *f.* fencing
espace, *m.* space
espacer, to space, to space out
espadrille, *f.* canvas sandal
Espagnol, *n.m.* Spaniard
espagnol, *adj.* Spanish
espèce, *f.* type, species

espérance, *f.* hope
espérer, to hope
espoir, *m.* hope
esprit, *m.* spirit, mind; **— de mesure,** spirit of moderation
essai, *m.* trial, attempt
essayer, to try
essence, *f.* gasoline; essential quality
essouflé, out of breath
essuyer, to wipe
est, *m.* east
estampe, *f.* print
estimer, to appraise
estomac, *m.* stomach
s'estomper, to become blurry
estropié, *m.* cripple
étable, *f.* stable
établir, to establish
étage, *m.* floor; **troisième —,** fourth floor
étager, to terrace; **s' —,** to range in tiers
étagère, *f.* shelf
étalage, *m.* display; assortment
étaler, to spread out
étanche, staunch, tight
étancher, to quench
étang, *m.* pond
étant, *pres.p. of* **être**
étape, *f.* step, stage of a journey
état, *m.* state
étatisation, *f.* state control
été, *n.m.* summer
été, *v., p.p. of* **être**
s'éteindre, to go out; to die; **éteint,** softened; turned off
étendre, to spread; to extend; **s' —,** to stretch out; to be extended
étendu, wide, spread out
étendue, *f.* space
étiquette, *f.* label
étirer, to stretch out
étoffe, *f.* cloth, fabric
étoffer, to stuff
étoile, *f.* star; **à la belle —,** in the open air
étoilé, star-shaped
étonner, to surprise
étouffer, to choke, to suffocate
étrange, strange
étranger, *n.m.* foreigner; foreign countries; **à l' —,** abroad
étranger, *adj.* foreign
être, *n.m.* being
être, *v.* to be; **c'est-à-dire,** that is to say; **— de,** to partake of the nature of; **en — à,** to have reached the point where; **— d'accord,** to agree; **— à l'heure,** to be on time; **— en retard,** to be late; **il en est ainsi,** such is the case; **n' — plus,** to be dead; **que je sois,** whether I be; **où en sommes-nous,** where are we
étreindre, to overwhelm
étreinte, *f.* grasp, embrace
étroit, narrow
étude, *f.* study
étudier, to study
eu, *p.p. of* **avoir**
eucalyptus, *m.* eucalyptus, gum tree
eusse, *imp. subj. of* **avoir**
eût, *imp. subj. of* **avoir**
eux, them, they
Evangile, *m.* Gospel
s'évanouir, to faint; to disappear
éveiller, to wake up
événement, *m.* event
éventail, *m.* fan
éventré, disemboweled
évêque, *m.* bishop
évidemment, evidently

évidence, *f.* **à l' —**, clearly
évident, obvious
évier, *m.* sink
éviter, to avoid
évocateur, evocative
évoluer, to move about, to evolve
évoquer, to evoke, to bring to mind
exactement, exactly, precisely
exaltant, exalting
examen, *m.* examination
examiner, to examine
excès, *m.* excess, outrage
excessivement, excessively
excitant, *m.* stimulus
exclu, *p.p. of* **exclure**, to exclude
exécuter, to execute, to carry out
exécution, *f.* execution, performance
exemplaire, *n.m.* specimen; copy
exemplaire, *adj.* exemplary
exemple, *m.* example; **par —**, for example
s'exercer, to exert; to exercise; to be directed
exercice, *m.* practice
s'exhaler, to be emitted
exhiber, to exhibit
exhorter, to exhort, to encourage
exigence, *f.* demand, requirement
exiger, to demand, to require
expérience, *f.* experiment
explication, *f.* explanation
expliquer, to explain
explorateur, *m.* explorer
exprès, on purpose, expressly
expressément, expressly
expression, *f.* phrase; **selon l' — de**, in the words of
exprimer, to express
expulser, to expel
exquis, exquisite
extérieur, exterior, external
externe, *m.* day-student
extra-scolaire, extracurriculum
extraordinaire, ominous; prodigious
extraordinairement, extraordinarily

fabriquer, to manufacture; to do *(colloq.)*
face, *f.* face, front; **de —**, full face; **en — de**, opposite; **— à**, facing; **faire — à**, to face
fâché, angry; sorry
fâcheux, bad, annoying
facile, easy
facilité, *f.* ease
faciliter, to make easier
façon, *f.* manner, way
façonner, to fashion, to mold, to shape
facteur, *m.* agent, factor
factice, artificial
faculté, *f.* college (within a university)
fade, insipid, dull
faible, weak
faiblesse, *f.* weakness
faille, *subj. of* **falloir**
faillir, *followed by verb*, to be on the point of; almost
faillite, *f.* bankruptcy; **faire —**, to go bankrupt
faim, *f.* hunger; **avoir —**, to be hungry
fainéant, idle
faire, to do; to make; to shape; to perform; **— connaître**, to make (someone) familiar with; **comment ça se fait**, how come; **comment —**, how to go about; **comment se fait-il**, why is it; **— dire**, to make (someone) say;

to inform; — **du cinéma**, to be in the movies; — **faillite**, to go bankrupt; — **faux bond**, to miss an appointment; — **fête**, to treat, to welcome; — **le tableau**, to give a picture; — **le tour**, to go around; — **mal**, to hurt; — **visite**, to pay a visit; — **le malin**, to act smart; — **occasion**, to take advantage; **ne — qu'un**, to be but one; **qu'est-ce que cela peut te —**, what does it matter to you; **se —**, to be done; to take place; to make oneself; **se — une idée**, to formulate an opinion; **se — des politesses**, to exchange courtesies
faisan, *m.* pheasant
faisant, *pres. p. of* **faire**
fait, *n.m.* fact; **au —**, in fact, by the way; **du — de**, owing to; **en —**, in fact; **par le —**, in fact
fait, *adj.* mature
falaise, *f.* cliff
falloir, to be necessary; **il faut**, it is necessary, one must; **il faut une heure**, it takes one hour
falot, *n.m.* lantern
falot, *adj.* insignificant, dull
fameux, well-known; wonderful
se **familiariser**, to familiarize oneself
familier, *n.m.* friend
familier, *adj.* familiar, friendly
famille, *f.* family; **en —**, as a family party
se faner, to die out, to wilt
fantaisie, *f.* fancy
fantôme, *m.* ghost
farcir, to stuff
faribole, *f.* idle story
farine, *f.* flour
farouche, wild, fierce
fasciner, to fascinate
fasse, *subj. of* **faire**, to do; **qu'est-ce que vous voulez que cela me —**, what difference do you think that makes to me
fatigue, soulier de —, work shoe
fatiguer, to tire
faubourg, *m.* suburb
faucon, *m.* falcon
faudra, *future of* **falloir**
se faufiler, to infiltrate, to sneak
faut, *pres. of* **falloir**; **ce qu'il —**, what is right; what is necessary
faute, *f.* flaw, error; **— de**, for want of
fauteuil, *m.* armchair
fauve, *n.m.* wild animal
fauve, *adj.* tawny
faux, false, wrong; **faire — bond**, to miss an appointment; **jouer —**, to act out of character
faux-monnayeur, *m.* forger
faveur, *f.* favor; **à la — de**, by means of
favoriser, to favor, to prefer
fécond, prolific
fécondateur, fertilizing
féconder, to enrich
fée, *f.* fairy
féerie, *f.* enchantment
feindre, to pretend
féliciter, to congratulate; **se —**, to be pleased
femelle, *f.* female
femme, *f.* wife; woman
fendre, to split
fenêtre, *f.* window
fenouil, *m.* fennel (aromatic herb)
féodal, feudal

fer, *m.* iron; — **forgé**, wrought iron
ferions, *cond. of* **faire**
ferme, *n.f.* farm
ferme, *adj.* firm
fermé, closed; exclusive
fermier, *m.* farmer
ferraille, *f.* old iron
férule, *f.* discipline
fervent, *m.* enthusiast, fan
fête, *f.* feast, holiday; **faire —**, to make welcome
fétu, *m.* straw
feu, *m.* fire, light; **donner du —**, to give a light; **les arts du —**, kiln arts; — **d'artifice**, fireworks
feuillage, *m.* foliage
feuille, *f.* leaf
feuilleton, *m.* serial story
feuillu, leafy
feutre, *m.* felt
fiançailles, *f.pl.* bethrothal, engagement
fibre, *f.* fiber
ficelle, *f.* string
se ficher de, not to give a darn about *(colloq.)*
fidèle, faithful
fier, proud
fierté, *f.* pride
figer, to freeze
figurant, *m.* extra
figure, *f.* face, form
figuré, figured, illustrated
file, *f.;* **tête de —**, leader; head of the family
filer, to speed, to plunge toward; — **à fond de train**, to run off at top speed
filet, *m.* net
fileuse, *f.* spinner
fille, *f.* girl, daughter
film, *m.* movie
fils, *m.* son
fin, *n.f.* end; **en — de compte**, finally; **mettre — à**, to put an end to; **prendre —**, to come to an end
fin, *adj.* fine
finalement, finally
financier, financial
finir, to end; **à n'en plus —**, endless; **en —**, to put an end to; — **par** *followed by verb*, to end by
fis, *simple past of* **faire**
fixer, to fix, to set; to stare at; **être fixé**, to be straightened out, to be enlightened
flair, *m.* intuition, perspicacity
flamand, Flemish
flamber, to set aflame; to put over a flame, to sear
flamme, *f.* flame
flan, *m.* custard
flanc, *m.* side; **à — de coteau**, on the hillside
flâneur, *m.* idler
flanquer, to fling, to toss
flaque, *f.* pool
flasque, shapeless
fléau, *m.* scourge, plaque
flèche, *f.* arrow; steeple
flétri, faded
fleur, *f.* flower
fleuret, *m.* fencing foil
fleurir, to bloom; to decorate with flowers
fleuron, *m.* flowerwork
fleuve, *m.* river
flot, *m.* wave
flottant, wind-blown
flottement, *m.* hesitation

flotter, to float
flou, vague
foi, *f.* faith; **sans — ni loi**, who has regard for neither law nor gospel
foie, *m.* liver
foire, *f.* fair
fois, *f.* time; **à la —**, at the same time; **si des —**, if by chance
foisonnement, *m.* swarming
folle, *f. of* **fou**
foncer, to charge, to speed
foncier, fundamental
fonction, *f.* function, office
fonctionnaire, *m.* civil servant, official
fond, *m.* end; ground; background; rear; bottom; theme; **article de —**, editorial; **au —**, at heart; deep in; **dans le —**, in reality
fonder, to found; **se —**, to base oneself
fondre, to melt; to cast; **fondant**, which melts in one's mouth
fondu, *m.* fade-out
fonte, *f.* thawing; cast-iron
force, *f.* strength; **à — de**, by dint of
forcément, by force, necessarily
forêt, *f.* forest
forger, to create
forme, *f.* form, shape
formel, formal
formuler, to formulate
fort, *adj.* strong
fort, *adv.* very, quite, very much
fortuit, fortuitous
fortune, *f.* **chercher —**, to seek one's fortune
fortuné, rich; fortunate, lucky
fou, crazy, foolish
foudroyer, to strike with lightning; **— du regard**, to look murderously at
fouiller, to search
foule, *f.* crowd, mob
fouler, to tread
four, *m.* furnace, oven, kiln
fourchu, forked
fourneau, *m.* oven
fourni, filled
fournir, to supply, to furnish
foutre le camp, to run away *(colloq.)*
foyer, *m.* home; hearth, center of fire
fraîche, *f. of* **frais**, fresh
frâicheur, *f.* freshness
frais, fresh; chilled
fraise, *f.* strawberry
framboise, *f.* raspberry
français, French
franchir, to cross over
franc-maçonnerie, *f.* freemasonry; comradeship
franc-parler, *m.* frankness of speech
frapper, to strike; **— de droits**, to impose taxes
fraternellement, fraternally
frayer, to associate, to mix
frein, *m.* brake; **donner un coup de —**, to apply the brake suddenly
frémir, to shudder
frénétique, overexcited
frénétiquement, with frenzy
fréquenter, to be familiar with, to haunt
frère, *m.* brother
friche, *f.* fallow land
fringale, *f.* hunger pang *(colloq.)*
friper, to wrinkle
frire, to fry
frisé, curled

friser, to touch lightly, to run close to
frisson, *m.* shivering, thrill
frissonner, to quiver
frivole, frivolous
froid, *m.* cold
froideur, *f.* coldness
fromage, *m.* cheese; **— de tête**, a pork product made from pig's head
froment, *m.* wheat
froncer, to wrinkle
frondeur, defiant
front, *m.* forehead; side, border; **de —**, simultaneously; **faire —**, to face squarely
frontière, *f.* border, confine
frusque, *f.pl.* wrap, "duds" *(colloq.)*
fruste, *adj.* rough; harsh; plain
fuir, to flee, to run away, to fade, to disappear
fumée, *f.* smoke; steam
fumer, to smoke
furent, *simple p. of* **être**
fusain, *m.* spindle-tree
fuser, to spurt out
fusionner, to blend
fussent, *imp. subj. of* **être**
fut, *simple p. of* **être**
fût, *imp. subj. of* **être**; **ne fût-ce que**, were it only
futaie, *f.* forest

gâcher, to spoil
gage, *m.* wages, pay
gageure, *f.* wager, challenge *(prononc: gajure)*
gagne-pain, *m.* livelihood
gagner, to earn, to gain
gaillard, *m.* big fellow
gainé, sheathed, covered
galant, amorous, polite; **— homme**, gentleman
galerie, *f.* picture gallery
gamin, *m.* kid, urchin
gamme, *f.* gamut, scale
gangue, *f.* vein-stone, ore
gant, *m.* glove
garantir, to guarantee
garçon, *m.* boy; waiter
garçonnier, tomboyish
garde, *f.* guard; **mettre en —**, to caution; **prendre —**, to be careful
garder, to preserve
se garder, to abstain
gardien, *m.* guardian
gare, *f.* station
garnement, *m.* good for nothing
garnir, to garnish, to line
garniture, *f.* trimmings, garnishing
garrigue, *f.* low limestone hill with Mediterranean vegetation
gars, *m.* fellow
gaspillage, *m.* waste
gâteau, *m.* cake
gâter, to spoil
gauche, left
gaz, *m.* gas
gazeux, gaseous
gazon, *m.* turf
géant, *m.* giant
gel, *m.* frost
gelée, *f.* frost bite
geler, to freeze
gémir, to groan, to complain
gendre, *m.* son-in-law
gêner, to disturb; to cramp
généralement, generally
genêt, *m.* furze (yellow field plant)
génial, ingenious; brilliant, inspired, endowed with genius

génie, *m.* genius, spirit; **coup de —**, stroke of genius
genou, *m.* knee; **se mettre à genoux**, to kneel
genre, *m.* type
gens, *usually m.pl.* people; **— du monde**, worldly people; distinguished people; **jeunes —**, young men; young people
gentil, kind, sweet, nice
gentillesse, *f.* graciousness; amiability
gentiment, nicely
gerbe, *f.* sheaf
gérer, to manage, to run
Germain, *n.m.* Teuton
germe, *m.* beginning
germer, to germinate
geste, *m.* gesture
gibier, *m.* game
gifle, *f.* slap
gigantesque, gigantic
gigot, *m.* leg of mutton
gisement, *m.* layer, bed (in a mine)
givre, *m.* frost
glace, *f.* ice
glacé, icy, glazed
glaçon, *m.* icicle
glauque, glaucous, seagreen
glisser, to glide, to slide; **se —**, to slip up, to creep
gloire, *f.* glory
glorieux, glorious
gomme, *f.* eraser
gondolé, warped
gorge, *f.* throat; **à pleine —**, at the top of one's voice
gosse, *m.* kid, lad
gouffre, *m.* gulf, abyss
goulûment, gluttonously
gourde, *f.* flask
gourmandise, *f.* gluttony
gourmé, stiff, snobbish
goût, *m.* taste, liking
goûter, *v.* to appreciate, to taste
goûter, *n.m.* snack (usually for children)
goutte, *f.* drop
gouttelette, *f.* small drop
gouvernail, *m.* helm, rudder
gouverner, to govern
grâce, *f.* divine grace, kindness; **faire la —**, to do the favor; **— à**, thanks to
gracieusement, graciously
gradin, *m.* step
graffiti, *m.pl.* writings, drawings on walls
grain, *m.* **— de plomb**, lead shot; **un — de boue**, a speck of mud
graine, *f.* seed
graisse, *f.* fat; grease; richness
grand, great; large; outstanding; important
grandeur, *f.* size; greatness, glory
grandir, to grow up, to enlarge; to take on a greater importance
grand-père, *m.* grandfather
grand'tante, *f.* great-aunt
grappe, *f.* cluster
gras, greasy; rich; fat; slimy; **matières grasses**, fats
gratte-ciel, *m.* skyscraper
gratuit, without cost, free
grave, deep, serious
graver, to engrave
gravir, to climb up
gravité, *f.* seriousness
gravure, *f.* engraving
gré, *m.* will, taste, liking; **de bon —**, willingly; **bon — mal —**, willy nilly; **savoir —**, to appreciate, to be grateful

grec, *m.* Greek
grêle, slender
grelotter, to shiver
grenier, *m.* attic
grenouille, *f.* frog
griffe, *f.* claw
griller, to grill; to broil
grimoire, *m.* obscure, hardly legible book
grimper, to climb
gris, gray; vague, misty
se griser, to get intoxicated
gros, large, fat; important; bulky; **en —**, in general; **— plan**, close-up
groseille, *f.* gooseberry
grossier, unpolished, coarse
grossir, to get fat
grotesque; **du dernier —**, extremely grotesque
grotte, *f.* grotto, cave
grouiller, to swarm
grouper, to group, to gather together
grue, *f.* crane
gruyère, *m.* Swiss cheese
guère, hardly, scarcely
guérir, to cure, to recover
guerre, *f.* war; **la Grande Guerre**, World War I; **la — de 39**, World War II
guerrier, *m.* warrior
guetter, to await, to spy; to watch for
gueule, *f.* snout of an animal; face, mouth, "mug"
gueuler, to yell *(colloq.)*
gueuleton, *m.* feast, feed
guignol, *m.* puppet show
guindé, stiff
de guingois, awry, out of alignment
guinguette, *f.* open air restaurant and dancing place in the suburbs
guise, *f.* **en — de**, in lieu of

habilement, cleverly
habiller, to clothe; **s' —, to dress** oneself
habileté, *f.* ability, skill
habitant, *m.* inhabitant
habitat, *m.* dwelling place
habiter, to live; to inhabit
habitude, *f.* habit; **avoir l' —**, to be in the habit; **comme d' —**, as usual
habitué, *m.* frequenter, customer
habituer, to accustom
hache, *f.* hatchet
hacher, to chop **up**
haie, *f.* hedge
haine, *f.* hate
haleine, *f.* breath
halle, *f.* market
hanche, *f.* hip
hanter, to haunt
hantise, *f.* preoccupation; obsession
happer, to seize, to grasp
hardi, bold
hardiesse,*f.* daring, audacity
haricot, *m.* bean
harmonieux, harmonious
harpon, *m.* harpoon
hasard, *m.* chance; **au —**, at random
hasardeux, hazardous
hâte, *f.* haste
hâter, to hasten
hâtif, fast paced, short
hausser, to raise
haut, *n.m.* upper part, top; **en —**, on the top; **par en —**, from the top

haut, *adj.* high, loud; **— les mains,** stick 'em up
hautain, haughty
hautbois, *m.* oboe
hauteur, *f.* height
hebdomadaire, weekly
hein, doesn't it; how about it
herbe, f. herb; grass; **le blé en —,** ripening seed
herbette, *f.* aromatic herb
hérisser, to bristle; to arm
hériter, to inherit
héritier, *m.* heir
hésiter, to hesitate
heur, *m.* luck (rather obsolete)
heure, *f.* hour; **de bonne —**, early; **tout à l' —**, in a while; **à la bonne —**, very good
heureux, happy
heurt, *m.* clash
heurter, to run against; to clash; **se — à**, to run into
hibou, *m.* owl
hideux, hideous
hier, yesterday
hiérarchique, hierarchical
hisser, to raise
histoire, *f.* story; history
hiver, *m.* winter
hommage, **rendre —**, to pay one's respects
homme, *m.* man; **galant —**, gentleman
honnête, honest; **— homme**, gentleman
honnêteté, *f.* honesty
honneur, *m.* honor
honte, *f.* shame; **avoir —**, to be ashamed
hoquet, *m.* hiccough
horaire, *m.* schedule; hours
horde, *f.* mob, crowd
hormis, except
hors, *prep.* outside
hors-d'œuvre, *m.* relish
hors-la-loi, *m.* outlaw
hôte, *m.* guest
hôtelier, *m.* innkeeper, hotel owner
houille, *f.* coal; **— blanche**, water power
houppelande, *f.* cape
huile, *f.* oil
à huis-clos, behind closed doors, privately
huître, *f.* oyster
humain, *m.* human
humanités, *f.pl.* humanities, classical studies
humer, to sniff, to inhale
humeur, *f.* mood, disposition
humide, moist
hurler, to yell
hutte, *f.* hut

ici, here
idée, *f.* idea
ignorer, to be ignorant of, not to know; not to be aware of
île, *f.* island
illimité, limitless
s'illuminer, to light up
illustre, illustrious
illustré, **bande illustrée**, comic strip
image, *f.* picture; **images d'Epinal**, illustrated children's stories
imaginaire, imaginary
imaginer, to conceive
imiter, to imitate
immerger, to immerse
immeuble, *m.* apartment house
immobile, motionless
immonde, impure, unclean

immuable, unalterable
imparfait, imperfect
impeccable, faultless
impérieusement, imperatively
impérieux, imperious
impersonnel, impersonal
impitoyable, unmerciful
implacable, pitiless
impliquer, to involve, to implicate
implorer, to beg
importer, to import; **n'importe quel**, no matter what; **qu'importe**, what is the difference
imposer, to lead to; **s' —**, to impose oneself; **se voir —**, to find oneself bound by
impôt, *m.* tax
imprégner, to fill
impressionner, to impress; to scare
imprévu, unforeseen
imprimer, to communicate, to imprint
imprudemment, imprudently
impuissance, *f.* powerlessness
impunément, with impunity
impureté, *f.* impurity
inamovible, fixed, permanent
inattendu, unexpected
incarner, to embody
incisive, *f.* incisor
incliner, to bend
inconcevable, incredible
inconnu, *adj.* unknown
inconnu, *n.m.* unknown person
inconsciemment, unconsciously
inconscience, *f.* unconsciousness
incontesté, undisputed
inconvénient, *m.* disadvantage, drawback
incrédule, unbelieving
incroyable, unbelievable, farfetched
incroyant, *m.* nonbeliever
incurie, *f.* carelessness
indéfiniment, indefinitely
indéniable, unquestionable
indescriptible, indescribable
indéterminé, undetermined
indifféremment, indifferently
indigène, native
indigne, unworthy
indiquer, to indicate, to suggest
indiscutablement, indisputably
individu, *m.* individual
indivis, undivided
industriel, *m.* industrialist
inégal, unequal
inéluctable, unavoidable
inépuisable, inexhaustible
inespéré, unhoped for
inexistant, *m.* nonexistent
inexorable, pitiless
infidèle, unfaithful
infime, least, minute
infini, infinite
infliger, to inflict
informe, shapeless
s'ingénier, to tax one's ingenuity
ingénieur, *m.* engineer
ingénieux, clever, ingenious
ingéniosité, *f.* ingenuity
inhabile, unskillful
inintelligible, irrational
ininterrompu, uninterrupted
initier, to initiate
injure, *f.* insult, harm
injuste, unjust
innombrable, innumerable
inonder, to flood; to wet; to throw water on; to drown
inouï, extraordinary, unheard of; never heard before

inquiéter, to worry; to disturb; **s' — de**, to be concerned with
inquiétude, *f.* anxiety, worry
insaisissable, impossible to grasp
inscription, *f.* writing
inscrire, to inscribe, to register
insensé, extraordinary, senseless
insensible, insensitive, indifferent; imperceptible
insinuer, to insinuate
insolite, unusual, out of this world
insouciance, *f.* heedlessness
insoucieux, carefree
inscription, *f.* registration
installer, to set up; **s' —**, to settle
instaurer, to establish
instinct, *m.* **d' —**, instinctively
instituteur, *m.* elementary school teacher
instruire, to instruct, to teach
instruit, learned, educated
insubordonné, *m.* insubordinate
insuffisance, *f.* lack
insuffisant, insufficient
insulaire, insular
insupportable, unbearable, provoking
intercaler, to interpolate
interdire, to prohibit
interdit, *n.m.* prohibition
s'intéresser à, to become interested in, to be interested in
intérêt, *m.* interest
intérieur, *n.m.* inside
intérieur, *adj.* internal
interlocuteur, *m.* speaker
intermédiaire, *m.* middleman; **par l' — de**, through
intervenir, to intervene
intime, close, intimate
intransmissible, not to be passed
intrigue, *f.* plot; **— amoureuse**, love affair
introduire, to introduce; to put in
inutile, useless
inventer, to invent, to fabricate
inventorier, to take account
inverse, inverse; **en sens —**, in the contrary direction
invincible, unconquerable
invite, *f.* request
invité, *m.* guest
invivable, uninhabitable
ionien, Ionic
ira, *future of* **aller**
irlandais, Irish
irrégulier, irregular
irremplaçable, unique
irrespect, *m.* disrespect
isolement, *m.* isolation
isoler, to isolate
issue, *f.* end, outcome
italien, Italian
ivoire, *m.* ivory
ivre, drunk
ivresse, *f.* rapture, intoxication

jadis, formerly
jaillir, to spring up
jaloux, jealous
jamais, never; ever; **à —**, forever
jambe, *f.* leg
jambon, *m.* ham
japonais, billard —, pinball machine
jardin, *m.* garden; **— d'enfants**, kindergarten
jaunâtre, yellowish
jaunir, to yellow
jeter, to throw; **— les yeux**, to look at; **les dés sont jetés**, the die is cast
jeton, *m.* token

jeu, *m.* game; sport; way of acting; play-acting; interplay; **— de société**, parlor game; **mettre en —**, to put into question, to involve, to stake
jeune, young; **— premier**, stage or screen hero
jeunesse, *f.* youth
joie, *f.* joy; **— de vivre**, zest for life; **à coeur —**, to one's heart's content
joindre, to join, to unite
joint, *p.p.* of **joindre; les pieds joints**, feet together
joli, pretty
jongler, to juggle
jouer, to play, to act; **— de**, to wield, to work with; **se faire —**, to be produced; **se —**, to be played; **se — de**, to deceive
jouet, *m.* plaything
joug, *m.* yoke
jouir, to enjoy
jour, *m.* day; **à ce —**, at the time; up to this day; **avoir —**, to have a view of; **donner un —**, to name a day; **il fait —**, it is light; **mettre à —**, to bring up to date
journal, *m.* newspaper
journée, *f.* day
joyeux, joyous
juger, to judge; **à en —**, judging from
Juif, *m.* Jew
jupe, *f.* skirt
jurer, to swear
jusqu'alors, until now
jusque, as far as, up to
juste, right, proper; **à — titre**, rightly so; **au —**, exactly
justement, deservedly, rightly
justesse, *f.* justness, rightness
justifier, to justify

kilomètre, *m.* kilometer (.624 mile)
klaxon, *m.* auto horn

là, there; **là-bas**, over there, yonder
labeur, *m.* toil, labor, work
laboratoire, *m.* laboratory
laborieux, laborious, painful
lac, *m.* lake
lâche, *m.* coward
lâcher, to let go of, to drop
lâcheté, *f.* cowardice
là-dedans, in there
laid, ugly; **ce que tu peux être —**, how ugly you are
laine, *f.* wool
laïque, lay, secular
laisser, to leave, to permit; **se — boire**, to go down easily
laisseriez, *cond. of* **laisser**
lait, *m.* milk
laitier, *m.* dairyman
laitier, *adj.* dairy
laitière, *f.* milkwoman
lame, *f.* strip; blade
laminoir, *m.* roller, rolling-mill
lampadaire, *m.* street lamp
lampe, *f.* **s'en mettre plein la —**, to guzzle it down
lancer, to throw, to launch, to give
lande, *f.* wasteland, moor
langue, *f.* tongue; language
lapin, *m.* rabbit
laqué, lacquered
lard, *m.* bacon
large, *n.m.* wide open sea
large, *adj.* wide
largeur, *f.* breadth, width; **— de vue**, broadness of mind

larme, *f.* tear
las, tired, weary
lascar, *m.* rascal
se lasser, to grow tired
laurier, *m.* laurel; **feuille de —**, bay leaf
lavande, *f.* lavender
laver, to wash
laveuse, *f.* washerwoman
lécher, to lick; **se — les babines**, to lick one's chops
leçon, *f.* lesson
lecteur, *m.* reader
lecture, *f.* reading
légende, *f.* caption
léger, light; **à la légère**, carelessly
légèreté, *f.* lightness; frivolity
légume, *m.* vegetable
lent, slow
lenteur, *f.* slowness
lépreux, leprous
lequel, which
lettré, *m.* scholar, literate man
levain, *m.* leaven
lever, *n.m.* rising
lever, *v.* to raise, to lift; **se —**, to rise, to get up
lèvre, *f.* lip
lexique, *m.* dictionary
libéré, free
libertin, free-thinking
librairie, *f.* bookstore
libre, free; **— -service**, self service
licence, *f.* university diploma *(like M.A. degree)*
licher, to eat up *(lit.* to mop up with a piece of bread)
lien, *m.* tie, bond; **— de chair**, kinship
lier, to tie, to link; **— connaissance**, to strike an acquaintance
lierre, *m.* ivy
lieu, *m.* place; **au — de**, instead of; **avoir —**, to take place
lieue, *f.* league
ligne, *f.* line
lignée, *f.* ancestral line, lineage
ligoter, to bind
lilas, *m.* lilac
limace, *f.* slug
limer, to file
limite, *f.* limitation, boundary
lin, *m.* flax
linceul, *m.* shroud
linéaire, linear
linge, *m.* linen
linteau, *m.* headpiece
se liquéfier, to become liquefied
lire, to read
liseré, *m.* edge, strip
lisible, readable
lisière, *f.* outskirt
lisse, smooth
lit, *m.* bed
litre, *m.* liter (approximately one quart)
littéraire, *adj.* literary
littéraire, *n.m.* a man of letters
livre, *n.m.* book
livre, *n.f.* pound
livrer, to give, to deliver; to wage; **se —**, to give oneself to
loge, *f.* dressing room
logement, *m.* lodging
loger, to lodge
logique, logical
loi, *f.* law; **sans foi ni —**, unbeliever, skeptic
loin, far; **au —**, at a great distance; **de —**, by far
lointain, *n.m.* distant horizon
lointain, *adj.* far away

loisir, *m.* leisure
long, au — de, for a distance of; **le — de**, along; **en savoir le plus —**, to know the most about it
longer, to go along
longtemps, a long time
longuement, at length
loquace, loquacious, talkative
loques, *f. pl.* **mettre en —**, to tear to shreds
loquet, *m.* latch
lors, depuis —, since then
lorsque, when
lot, *m.* share, portion
louable, laudable, praiseworthy
louche, *f.* soup ladle
louer, to rent; **chambre à —**, room for rent
loup, *m.* wolf; a type of seafish
lourd, heavy
loyer, *m.* rent
lu, *p.p. of* **lire**
lucarne, *f.* dormer window
lucide, clear
lueur, *f.* gleam, glow, glimmer
luire, to shine
lumière, *f.* light; enlightenment
lumineux, lighted
lundi, *m.* Monday
lune, *f.* moon
lunettes, *f. pl.* spectacles, glasses, goggles
lustre, *m.* chandelier
lutte, *f.* struggle
luxe, *m.* luxury
lycée, *m.* French high school
lycéen, *m.* high-school student
lyrisme, *m.* lyricism

mâcher, to chew
mâchoire, *f.* jaw
magasin, *m.* store; **grand —**, department store
magie, *f.* magic
magnanerie, *f.* cocoonery, silkworm breeding place
Magnificat, *m.* hymn of the Virgin Mary
magnifier, to magnify
magnifique, magnificent
mahométan, *m.* Mohammedan
maigre, meager; thin, lean
maillot, *m.* tights; **— de bain**, bathing suit
main, *f.* hand; **avoir le cœur sur la —**, to wear one's heart on one's sleeve; **haut les mains**, stick 'em up
main-d'œuvre, manpower
maint, many a
maintenant, now
maintenir, to maintain, to support
maire, *m.* mayor
mairie, *f.* town hall
mais, but
maison, *f.* house
maître, *m.* master; teacher
maîtresse, *f.* mistress; **— de maison**, lady of the house
maîtrise, *f.* control, mastery; boys' choir; **— de soi**, self-control
majestueux, majestic
majeur, major
mal, *n.m.* evil; pain; disease; **faire —**, to pain, to hurt
mal, *adv.* **pas —**, quite a bit; quite a few; many
mal, *adj.* bad, poor
malade, sick, ill
maladroit, awkward
malaise, *m.* discomfort
mâle, *m.* male

malédiction, *f.* curse
malfaisant, injurious
malgré, in spite of
malheur, *m.* unhappiness; misfortune
malheureux, unhappy, unfortunate
malin, sly, clever; **faire le —**, to act smart
malodorant, evil-smelling
malpropre, slovenly
malsain, unhealthy
manche, *f.* sleeve
manger, to eat
manier, to handle
manière, *f.* manner, way, method; **à ma —**, in my opinion
se manifester, to appear
manipuler, to handle
mannequin, *m.* mannikin; model
manque, *m.* lack
manquer, to lack; to fail, to miss; to be missing
manteau, *m.* cloak, coat
maquette *f.* model
maquillage, *m.* make-up
maraîcher, like a small market town
marbre, *m.* marble
marchand, *m.* merchant
marche, *f.* step, walking; **remettre en —**, to start again
marché, *m.* market; **bon —**, cheap, inexpensive
marcher, to walk; to run; to progress; **ça marche**, things are going all right
marée, *f.* seafood, tide
marge, *f.* margin; **en — de**, on the edge of, beyond
marguerite, *f.* daisy
mari, *m.* husband
marier, se — bien avec, to go well with
marin, *n.m.* sailor
marin, *adj.* pertaining to the sea
marmite, *f.* pot; **— de terre**, earthenware pot
marque, *f.* trade name
marquer, to mark, to indicate
marre, en avoir —, to be sick of it *(colloq.)*
marri, sorry *(rather obsolete)*
marron, brown
mars, *m.* March
marteau-pilon, *m.* mill-hammer
marteler, to hammer, to batter
martiniquais, from the island of Martinique
mas, *m.* house, farm (in Provence)
masque, *m.* mask
masse, *f.* sledge hammer
masser, to massage; to knead
massue, *f.* club
mastic, *m.* cement, putty
mât, *m.* mast
mater, to subdue
matériau, *m.* material
matériel, tangible
maternel, motherly
matière, *f.* material, matter; **matières grasses**, fats; **— première**, raw material
matin, *m.* morning
maudir, to curse
mauvais, bad
mauve, *mauve,* pale violet
maux, *m.pl. of* **mal**
méchant, *n.m.* bad man
méchant, *adj.* mean; vicious
méconnaître, to misjudge; to be unaware of
mécontent, dissatisfied

méditer, to meditate
Méditerranéens, *n.m. pl.* people of the Mediterranean area
méfait, *m.* crime, misdeed
méfiance, *f.* distrust
mégot, *m.* cigarette butt
meilleur, better; best
mélange, *m.* mixture
mêlée, *f.* struggle
mêler, to mix, to mingle; **se —**, to take part; **mêlez-vous de vos affaires**, mind your own business
membre, *m.* member; limb
même, even, very; **de —**, too, in the same way; **quand —**, just the same; **tout de —**, all the same; nevertheless
mémoire, *f.* memory
menacer, to threaten
ménage, *m.* housework
ménager, *v.* to spare; to manage
ménager, *adj.* domestic; **appareil —**, appliance
ménagère, *f.* housekeeper
mendiant, *m.* beggar
mendier, to beg
mener, to lead, to drive; **— de front**, to carry on simultaneously
mensonge, *m.* lie
mentir, to lie
menton, *m.* chin
menu, small
menuiserie, *f.* woodwork
menuisier, *m.* carpenter
mépris, *m.* scorn; **au — de**, in contempt of
mépriser, to despise
mer, *f.* sea
mère, *f.* mother
méridional, from the south
mériter, to deserve
merveille, *f.* wonder
merveilleux, *adj.* marvelous
merveilleux, *n.m.* fantasy, supernatural
mésentendre, to misunderstand
mesquinerie, *f.* pettiness
messager, *m.* messenger
mesure, *f.* measure; moderation; extent; **à —**, accordingly; **à — que**, as; **au fur et à —**, in proportion as; **le sens de la —**, sense of proportion; spirit of moderation
mesuré, moderate
mesurer, to measure
métamorphose, *f.* transformation
métier, *m.* job, trade; technique, skill
métis, *m.* half-breed
métrage, **un court —**, a short (film)
mètre, *m.* meter (3.28 feet)
métro, *m.* subway
métropole, *f.* metropolis; mother country
mets, *m.* dish
mettant, *pres.p. of* **mettre**
metteur en scène, *m.* director-producer
mettre, to put; **— à jour**, to bring up to date; **— de longues années**, to take many years; **— en commun**, to pool; **— en jeu**, to stake, to involve; **— en œuvre**, to put into action; **— en loques**, to tear to shreds; **— en scène**, to produce; to stage; **se — en devoir de**, to set out (to do something); **— en route**, to start out; **se — à**, to begin; **se — à**

l'œuvre, to start work; **s'en — plein la lampe**, to guzzle it down *(colloq.)*
meuble, *m.* piece of furniture
meubler, to furnish
meurent, *pres. of* **mourir**
meurtre, *m.* murder
meurtrir, to bruise badly
micacé, like mica
à mi-corps, up to the waist
microsillon, microgroove; long-playing record
midi, *m.* noon; **le —**, the southern part of France
miel, *m.* honey
mien, le —, *pron.* mine
mieux, better; **de — en —**, better and better; **pour — dire**, rather; **le —**, the best; **faire de son —**, to do one's best
mièvrerie, *f.* excessive sweetness
mijoter, to simmer
Milan, city in northern Italy
milieu, *m.* society, circle; environment; **au — de**, in the middle of
militaire, military
mille, thousand
millénaire, a thousand years old
millier, *m.* thousand
mimer, to mimic
mimosa, *m.* yellow flower (from the acacia)
mince, shallow, slender, thin
mine, *f.* appearance; **faire —**, to make a move to
minerai, *m.* minerals
minime, very small
ministère, *m.* ministry, department
ministre, *m.* minister, clergyman
minuit, *m.* midnight
minuscule, very small
minutieux, minute, thorough
mirent, *simple p. of* **mettre**
miroir, *m.* mirror
miroiter, to glisten
mis, *p.p. of* **mettre**
mise, *f.* placing; **la — à mort**, execution; **— au point**, clarification; **— en commun**, pooling; **— en scène**, production; **— en œuvre**, realization, actual work on
misère, *f.* misery
mistral, *m.* cold north wind in southeastern France
mitonner, to boil gently
mitrailleuse, *f.* machine gun
mixte, enseignement —, coeducation
mobilier, *m.* furniture
mode, *m.* type, means
mode, *f.* style, fashion
moderato cantabile, *(Italian musical expression)* slow and expressive
modéré, *m.* moderate
modeste, humble
modifier, modify
moelle, *f.* marrow
moelleux, pithy, mellow
mœurs, *f.pl.* manners, customs
moindre, least, less
moine, *m.* monk
moineau, *m.* sparrow
moins, less; **à —**, with less; unless; **du —**, at least
mois, *m.* month
moisi, musty, moldy
moitié, *f.* half
molle, *f. of* **mou**, soft
mollesse, *f.* softness, weakness
molletière, *f.* spiral puttee (legging made of strips of cloth)

moment, **à tout —**, frequently; continually
momentané, momentary
monacal, looking like a monastery
monarchie, *f.* monarchy
mondain, worldly; **le milieu —**, high society
monde, *m.* world; society; **tout le —**, everyone
mondial, world-wide
monotone, monotonous, drab
montage, *m.* composition; editing
montagnard, *m.* inhabitant of the mountains
montagne, *f.* mountain
montée, *f.* ascent, rise; slope
monter, to mount, to ascend; **faire — l'eau à la bouche**, to make your mouth water; **— une pièce**, to produce a play
montrer, to show; **se —**, to prove oneself
monture, *f.* steed
moquer, to ridicule; **se — de**, to make fun of
morale, *f.* lesson; morals, ethics
moralement, morally
morceau, *m.* piece, part, morsel
morceler, to divide, to parcel out
morcellement, *m.* division into small pieces, subdividing
mordre, to bite
mort, *n.f.* death
mort, *adj.* dead; *p.p. of* **mourir**
mortel, mortal
mortier, *m.* mortar
Moselle, *f.* river in north-eastern France
mot, *m.* word, note
motif, *m.* theme
motiver, to cause; to justify
motte, *f.* clod; **— de beurre**, bowl, chunk of butter
mou, soft, weak
mouche, *f.* fly
mouchoir, *m.* handkerchief
moule, *f.* clam
moulin, *m.* mill
mourant, *m.* dying person
mourir, to die
mousse, *f.* froth, foam; moss
moustique, *m.* mosquito
mouton, *m.* sheep
moutonner, to sway
mouvant, changing, shifting
mouvement, *m.* movement, motion; traffic
mouvementé, agitated
se mouvoir, to move
moyen, *n.m.* method, means; **au — de**, by means of; **y a-t-il —**, is it possible
moyen, *adj.* average
Moyen-âge, *m.* Middle Ages
moyenne, *f.* average
moyennement, fairly
muet, *n.m.* silent movie
muet, *adj.* silent, mute
muette, *f.* mute letter
muguet, *m.* lily of the valley
mulet, *m.* mule
mur, *m.* wall
mûr, ripe, mellow
murier, *m.* mulberry tree
mûrir, to ripen
musée, *m.* museum
mutisme, *m.* silence, speechlessness
mutuellement, mutually
myope, near-sighted
myosotis, *m.* forget-me-not
mystique, *f.* burning faith
mythe, *m.* myth, legend

nageoire, *f.* fin
nager, to swim
naguère, formerly
naissance, *f.* birth; **prendre —**, to be born, to arise
naître, to be born
nappe, *f.* tablecloth
napperon, *m.* small tablecloth
naquit, *simple p. of* **naître**
narine, *f.* nostril
nasse, *f.* fish trap
natation, *f.* swimming
Nations-Unies, *f.pl.* United Nations
naufrage, *m.* shipwreck
naviguer, to navigate
navire, *m.* ship, vessel
ne, not; **ne . . . jamais**, never; **ne . . . ni . . . ni**, neither . . . nor; **ne . . . personne**, no one; **ne . . . que**, only; **ne . . . rien**, nothing
né, *p.p. of* **naître**
néanmoins, nevertheless
néant, *m.* nothingness
nécessaire, necessary
ne fût-ce que, were it only
négligé, neglected, untapped
négliger, to neglect
négociant, *m.* merchant
neige, *f.* snow
neigeux, snowy
nerf, *m.* nerve
net, clear
netteté, clarity
nettoyer, to clean, to scour
neuf, new
neurasthénie, *f.* neurosis, depressed mood
nez, *m.* nose
ni . . . ni, neither . . . nor
niaiserie, *f.* silliness, nonsense
nid, *m.* nest
nier, to deny
niveau, *m.* level; **passage à —**, railroad crossing
noblesse, *f.* nobility
nocturne, nocturnal, nightly
Noël, *m.* Christmas
nœud, *m.* knot
noir, black
noircir, to blacken
noix, *f.* nut
nom, *m.* name
nombre, *m.* number; **— de**, some, many
nombreux, numerous
nommer, to name
non, — plus, neither
non-sens, *m.* absurdity
nord, north
normalement, normally
normalien, *m.* student of the "**Ecole normale**"
notaire, *m.* notary; lawyer
notamment, notably
noter, to note
nouer, to tie, to knot; **se —**, to be tied in a knot
nourrice, *f.* wet-nurse
nourricier, nutritious
nourrir, to nourish; to provide well for; **se —**, to subsist
nourriture, *f.* food
nouveau, new; **nouveau-né**, *m.* newborn; **de —**, **à —**, again, anew
nouveauté, *f.* novelty
Nouvel An, *m.* New Year
nouvellement, recently
nouvelles, *f.pl.* news
novateur, innovator
noyau, *m.* stone (in a fruit); core, cell

noyer, *m.* walnut tree
nu, bare
nuage, *m.* cloud
nuancer, to shade
nuée, *f.* cloud
nuire, to harm
nuit, *f.* night
nul, no one, no, not any; **nulle part**, nowhere
nullement, not at all
numéro, *m.* act

obéir, to obey
objectif, *m.* lens
objet, *m.* object
obligatoire, compulsory
obliger, to oblige; to compel
obscur, dark
obscurément, obscurely
observateur, *m.* observer
observer, to see; to observe
s'obstiner, to insist; to persist
obtempérer, to submit, to obey
obtenir, to obtain; to gain permission
obus, *m.* shell
occidental, western
occasion, *f.* opportunity; **à l' —**, occasionally; **d' —**, second hand; **faire —**, to take advantage
occire, to slay (rather obsolete)
s'occuper, to busy oneself; **— de**, to take care of
odeur, *f.* scent
odieux, odious
odorant, odorous, fragrant
œil, *m.* eye; **coup d' —**, view; glance; alertness
œuf, *m.* egg
œuvre, *f.* work; **chef d' —**, masterpiece; **main-d' —**, manpower; **mise en —**, realization; **se mettre à l' —**, to start work
office, *m.* service
office, *f.* pantry
offrande, *f.* offering
offrir, to offer
oignon, *m.* onion
oiseau, *m.* bird
oisif, idle
oisiveté, *f.* idleness
olivier, *m.* olive tree
ombilical, umbilical
ombre, *f.* shadow
oncle, *m.* uncle
onde, *f.* wave
ondulatoire, undulatory
onduler, to undulate
ongle, *m.* fingernail
opérateur, *m.* cameraman
opérer, to perform; to operate on
opprimer, to oppress
or, *n.m.* gold; **section d' —**, refers to a perfect relationship between numbers and forms
or, *conj.* but, now, well
orage, *m.* storm
d'ordinaire, ordinarily, usually
ordonnance, *f.* order
ordonné, organized
ordre, *m.* order; type
oreille, *f.* ear
organisateur, *adj.* organizing
orge, *m.* barley
orgueil, *m.* pride, arrogance
orgues, *f.pl.* organ
orphelin, *m.* orphan
orphelinat, *m.* orphanage
orthographe, *f.* spelling; **faute d' —**, spelling error
os, *m.* bone; **tirer ses os**, to save one's neck

oser, to dare
ôter, to take off
ou, *conj.* or; **ou . . . ou**, either . . . or
où, *adv.* where; **— en sommes nous**, where are we; **— que**, wherever
ouate, *f.* cotton-wool, wadding
ouaté, velvety
oublier, to forget
ouest, west
ouï, *p.p. of* **ouïr**, to hear (rather obsolete)
ouïe, *f.* hearing; gill
ourler, to hem
ours, *m.* bear
outre, beyond; **en —**, moreover; **— -mer**, overseas; **passer —**, to go on, to take no notice
outré, incensed
ouvert, *p.p. of* **ouvrir**; **grand —**, wide open
ouvrage, *m.* work; **la belle —**, *f.* fine piece of work
ouvrier, m. worker; **syndicat d'ouvriers**, workers' union
ouvrir, to open

pacage, *m.* pasture land
pacifique, peaceful
païen, *m.* pagan
paille, *f.* straw
pain, *m.* bread
pair, even; equal; **aller de —**, to go hand in hand
paisible, peaceful
paix, *f.* peace
palais, *m.* palace
palier, *m.* landing
palmarès, *m.* prize list
pan, bang
panache, *m.* plume; **— de fumée**, cloud of smoke
panier, *m.* basket
pantalon, *m.* trousers, pants
pantoufles, *f.* slippers
papetier, *m.* stationer
papier, *m.* paper
papillon, *m.* butterfly
Pâques, *m.* Easter
paquet, *m.* parcel, bundle
par, by, per; **— là**, that way; **— terre**, on the ground
paradis, *m.;* **— artificiels**, *pl.* drugs
paradoxal, paradoxical
paraître, to appear
parbleu, by Jove
par contre, on the other hand
parcourir, to go through, to go over
parcours, *m.* road; **libre —**, open road, freeway
par delà, beyond
pardessus, *n.m.* overcoat
par-dessus, *adv.* above
pareil, *adj.* similar
pareil, *n.m.* equal, such
parent, *m.* relative
parenté, *f.* relationship
parer, to guard against; to ward off
paresseux, lazy
parfait, perfect
parfois, sometimes
parfum, *m.* perfume
parler, *n.m.* way of talking
parler, *v.* to talk, to speak
Parme, a town in northern Italy
parmi, among
paroissial, parochial
parole, *f.* word; **tenir —**, to keep one's word
parquet, *m.* flooring
part, *f.* place; share, portion; **à —**,

aside; **d'une —**, **d'autre —**, on one hand, on the other hand; **nulle —**, nowhere; **prendre — à**, to participate in
partage, *m.* division; **ligne de —**, dividing line
partager, to share, to divide
parterre, *m.* flowerbed
parti, *m.* party; part; **prendre le —**, to decide; **prendre —**, to take the part of; **tirer —**, to take advantage
particule, *f.* particle
particulier, *m.* private individual
partie, *f.* part, section; game; **faire —**, to take part, to belong to; **mener la —**, to play the game
partiel, partial, incomplete
partir, to leave; **à — de**, from
partout, everywhere
parurent, *simple past* of **paraître**
parvenir, to come to, to succeed; to reach
parvenu, *m.* upstart
pas, *m.* step; speed; **faire un —**, to take a step
passade, *f.* short performance
passage, *m.* passage; **au —**, in passing; **— à niveau**, railroad crossing
passager, *m.* passenger
passant, *m.* passer-by
passé, *n.m.* past
passé, *adj.* faded
passer, to pass, to spend; to supersede; to hand over; to thread; **— pour**, to be considered as; **se —**, to happen; **se — de**, to do without; **— outre**, to go on; to take no notice
passe-temps, *m.* pastime
passionnant, fascinating
passionner, to interest deeply; **se —**, to become fascinated
pasteur, *m.* minister
pastis, *m.* alcoholic drink flavored with licorice *(pronunc: pastisse)*
patauger, to flounder
patienter, to have patience
pâtissier, *m.* owner of a pastry shop
pâtre, *m.* shepherd
patron, *m.* boss; master
patronne, *f.* mistress
patrouille, *f.* patrol
patte, *f.* paw, foot
pâturage, *m.* pasture
pâture, *f.* food, fodder
paupière, *f.* eyelid
pauvre, poor, helpless
pauvreté, *f.* poverty, indigence
se pavaner, to strut
pavé, *adj.* paved
pavé, *n.m.* paving stone
payer, to pay
pays, *m.* country; **du —**, local; **Pays-Bas**, *m.pl.* Low Countries
paysage, *m.* countryside, landscape
paysan, *m.* peasant
paysannat, *m.* peasant class
peau, *f.* skin
pêche, *f.* fishing; **la — sous-marine**, underwater fishing; skin diving
péché, *m.* sin
pêcher, to fish
pêcheur, *m.* fisherman
peigne, *f.* comb
peindre, to paint
peine, *f.* sorrow; trouble; work; **à —, hardly**; **à grand —**, with great difficulty; **valoir la —**, to be worthwhile
peiner, to work hard

peintre, *m.* painter; **— en bâtiment**, house painter
peinture, *f.* painting
péjoratif, derogative
pelage, *m.* hair
peler, to peel
pèlerin, *m.* pilgrim
pèlerinage, *m.* pilgrimage
pèlerine, *f.* cape
pelle, *f.* shovel
pellicule, *f.* roll of film
pelote basque, *f.* a ballgame (pelota or jai-lai)
peluche, *f.* plush
penchant, *m.* inclination
penché, bent down
pendant, during; **— que**, while
pendre, to hang
se pénétrer, to be convinced; to be permeated by
pénible, difficult, painful
pénombre, *f.* semidarkness
pensée, *f.* thought
penser, to think
pension, *f.* boarding house
pensionnaire, *m.* boarder
pensionnat, *m.* private boarding school
pensionné, *m.* a person who has retired on a pension
pensum, *m.* extra task imposed as punishment
pente, *f.* slope, inclination
percer, to pierce through; to show; to solve; to confront
percevoir, to perceive
perçoit, *pres. of* **percevoir**
perdre, to lose; **se —**, to disappear, to be lost
père, *m.* father
perfectionner, to perfect
péril, *m.* danger
périmé, obsolete
périodiquement, periodically
périr, to perish
périssable, perishable
perméable, porous, open
permettre, to permit
permis, *p.p. of* **permettre**
permission, *f.* leave; furlough
pérorer, to harangue, to hold forth
persan, Persian
personnage, *m.* character
personne, no one; anyone
perte, *f.* loss
pesant, heavy
peser, to weigh
peste, *f.* plague; nuisance
pétanque, *f.* **jouer à la —**, to bowl (on the green)
pétillant, sparkling
petit, *n.m.* boy
petit, *adj.* small, little
petitesse, *f.* smallness
pétrir, to knead, to mould
pétrole, *m.* oil
peu, *m.* little; **à — près**, nearly; **— à —**, little by little; **— après**, shortly afterwards; **pour — qu'on y songe**, if one really thinks about it
peuple, *m.* people; lower class; masses
peupler, to populate, to inhabit, to people
peur, *f.* fear
peureux, afraid; frightened
peut, *from* **pouvoir, il se —**, it is possible
peut-être, perhaps
peux, *pres. of* **pouvoir**; **je n'en — plus**, I cannot take it any longer

phare, *m.* lighthouse
pharisaïsme, *m.* hypocrisy
phénomène, *m.* phenomenon
philosophe, *m.* philosopher
phonème, *m.* phoneme (speech sound)
phrase, *f.* sentence
physicien, *m.* physicist
piaffer, to paw the ground
pic, *m.* mountain peak
à pic, vertically
pièce, *f.* room; piece; play; part; coin
pied, *m.* foot; **à —**, on foot; **— à —**, inch by inch; **pied-bot**, club foot; **prendre —**, to take hold
piège, *m.* trap
pierre, *f.* stone
pierrerie, *f.* gem, precious stone
piété, *f.* piety
piétiner, to trample
piéton, *m.* pedestrian
pieux, pious
pile, *f.* heap
pilier, pillar
piller, to plunder
piment, *m.* pimento
pin, *m.* pine tree
pince, *m.* claw; **— de crabe**, crab's claw
pinceau, *m.* paint brush
pincer, to pinch
piolet, *m.* ice axe
piquer, to sting; to stitch
pire, worse; worst
pirogue, *f.* canoe
pis, worst; **tant —**, so much the worse
pistolet, *m.* pistol, gun
pittoresque, picturesque
place, *f.* position, place; square; **à sa —**, in the right place; **sur —**, on the spot; **tenir une —**, to play a role; to be important
placier, *m.* salesman, agent
plafond, *m.* ceiling
plage, *f.* beach
plaider, to plead
plaidoyer, *m.* speech of defense
se plaindre, to complain
plainte, *f.* wail, complaint
plaire, to please; **se — à**, to delight in
plaisanterie, *f.* joke
plaisir, *m.* pleasure
plan, *n.m.* map; plane; perspective; **gros —**, close-up
plan, *adj.* flat, even
planche, *f.* board; narrow strip of land built up in terrace
se planquer, to hide for protection *(colloq.)*
planter, to plant; **— ses choux**, to retire *(colloq.)*
plantureux, ample; plump
plaque, *f.* plate
plat, *n.m.* dish
plat, *adj.* flat
plateau, *m.* stage; plateau
plein, full; **au — de**, at the height of; **en —**, in the very middle of; completely; **en — air**, in the open
pleurer, to cry
pli, *m.* fold
plier, to fold, to bend; to break; **se — à**, to yield to
plomb, *m.* lead; bullet
plombier, *m.* plumber
plongée, *f.* dive, penetration
plonger, to sink, to dip; **être plongé**, to be deep in

plu, *p.p. of* **plaire**, to please; *p.p. of* **pleuvoir**, to rain
pluie, *f.* rain
plume, *f.* feather
plupart, *f.* majority
plus, more; **à n'en — finir**, endless; **de — en —**, more and more; **au —**, at most; **non —**, neither; **tout au —**, at the very most
plusieurs, several
plût, *subj. of* **plaire**; **— à Dieu**, may it please God
plutôt, rather
pneu, *m.* tire
poche, *f.* pocket
pocher, to hit, to wound
pochette, *f.* pocket handkerchief
poésie, *f.* poetry
poids, *m.* weight
poignée, *f.* handful
à trois poils, staunch *(colloq.)*
point, *m.* point, position; stitch; **à tel —**, to the extent that; **bien au —**, well executed; **de tout —**, in every respect; **— d'appui**, base, point of support; **— de chaînette**, *m.* chainstitch; **— du tout**, not at all; **— de vue**, viewpoint; **ne . . . point**, not at all
pointe, *f.* point, tip
pointillé, *m.* dotted line
poire, *f.* pear
poireau, *m.* leek
petit pois, *m.* green pea
poisson, *m.* fish
poitrine, *f.* chest
poivre, *m.* pepper
polémique, *f.* controversy
policier, *m.* policeman; **roman —**, detective story
poliment, politely
polissage, *m.* polishing
politesse, *f.* courtesy, politeness; **se faire des politesses**, to exchange courtesies
politique, *n.f.* politics
politique, *adj.* political
Polytechnique, **Ecole —**, well-known engineering school
pomme, *f.* apple; **bifteck aux pommes**, beefsteak with French fries; **— de terre**, potato
pommé, **salade pommée**, well-rounded, crisp lettuce salad
pommette, *f.* cheekbone
pommier, *m.* apple tree
pont, *m.* bridge; **tête de —**, bridge-head
populaire, common
porcelaine, *f.* china
portail, *m.* portal, doorway
porte, *f.* door; gate
portée, *f.* scope, range; litter
porte-manteau, *m.* coatrack
porte-monnaie, *m.* pocketbook
porte-plume, *m.* pen holder, pen
porter, to carry, to bear; to wear; to bring; to draw; **— à**, to draw to; **— des fruits**, to bring results; **— envie**, to envy; **— sur**, to deal with; to be directed towards; **se —**, to be, to feel (of health)
porteur, carrying
portugais, Portuguese
posé, resting; thoughtful
poser, to place, to put; **— une question**, to ask a question; to state a problem; **se —**, to be raised
posséder, to possess
poste, *f.* post office
pot, *m.* pot; **— à eau**, water pitcher

potage, *m.* soup
potager, *m.* vegetable garden
potasse, *f.* potash
poteau, *m.* post
pou, *m.* louse
poudre, *f.* powder
poularde, *f.* fat pullet
poule, *f.* fowl; chicken
poulpe, *m.* octopus
poupée, *f.* doll
pourboire, *m.* tip
pourpre, purple
pourquoi, why
pourraient, **pourriez**, **pourrions**, *cond. of* **pouvoir**
pourrir, to rot
pourrons, *future of* **pouvoir**
poursuite, *f.* pursuit
poursuivre, to follow through; to resume
pourtant, however
pourvoir, to provide
pourvu, *p.p. of* **pourvoir**; **— que**, provided that
poussée, *f.* pressure; movement
pousser, to push; to grow; to cause
poussière, *f.* dust
poussin, *m.* chick
poutrelle, *f.* small beam
pouvoir, *v.* to be able; to have influence
pouvoir,*n.m.* power
prairie, *f.* meadow, grassland
praticien, *m.* practitioner
pratiquant, *m.* church goer; **un catholique —**, a fervent Catholic
pratiquer, to practice; to use
pré, *m.* meadow
précaire, precarious
prêcheur, *m.* preacher
précieux, precious
préciosité, *f.* preciosity, kind of affectation
se précipiter, to hurry, to rush up
précisément, precisely
préciser, to make clear
préconcevoir, to preconceive
préconiser, to preach for, to recommend
précurseur, *m.* forerunner
prédicant, *m.* preacher
prédire, to predict
préfecture, *f.* chief city and seat of government of a "**département**"
préféré, favorite
premier, first; **jeune —**, *m.* hero, leading man; **le — venu**, the first comer; any, the first available
première, *f.* senior class (class before last in high school); supervisor
prenant, grasping, touching
prendre, to take, to seize; **— conscience de**, to perceive, to be made conscious of; **se —**, to be taken; **s'y —**, to go about it
prenne, *subj. of* **prendre**
prénom, *m.* first name
se préoccuper, to be concerned with
près, near, close; **de —**, closely, carefully; **— de leurs sous**, thrifty, miserly
presque, almost
pressant, urgent, hurried
pressé, urgent; eager; hurried; pressured
pressentiment, *m.* intuition, forewarning
pressentir, to have a feeling of

presser, to hurry; to urge; **se — contre**, to push against
pression, *f.* pressure
prestigieux, enchanting
prestidigitateur, *m.* juggler, magician
prêt, ready
prétendre, to claim
prêter, to lend
prêtre, *m.* priest
preuve, *f.* proof
prévenir, to anticipate; to prevent
prévenu, warned, well informed; prejudiced
prévision, *f.* forecast, estimate
prévoir, to foresee; to have in mind ahead of time
prie-dieu, *m.* praying stool
prier, to pray; **— à dîner**, to ask to dinner
prière, *f.* prayer
primat, *m.* primary importance
primitif, primitive; early; original
primordial, fundamental
principe, *m.* principle; essence; beginning; **en —**, in theory, as a rule
printemps, *m.* spring
pris, *p.p. of* **prendre**
prise, *f.* high gear; **avoir —**, to have hold on
prisonnier, *m.* prisoner
privé, private
priver, to deprive
prix, *m.* price; prize; **à tout —**, at any cost; **— fixe**, meal at set prices, "special"
probablement, probably
procédé, *m.* conduct; process
procéder, to proceed
proche, near
proclamer, to proclaim
prodigalité, *f.* lavishness
prodige, *m.* prodigy, wonder
prodigieux, prodigious, extraordinary
prodiguer, to give abundantly
produire, to produce
produit, *m.* product; **— fabriqué**, finished product
profane, *m.* outsider
profession, *f.*; **les professions libérales**, the professions
professorat, *m.* teaching profession
profil, *m.* **de —**, in profile
profilé, outlined
profond, profound, deep; mysterious
profondeur, *f.* depth, extent
programme, *m.* program, agenda, syllabus, schedule
progrès, *m.* progress
progressif, progressive
proie, *f.* prey
projecteur, *m.* floodlight
projet, *m.* project
projeter, to project
prolétaire, *m.* proletarian
prolongement, *m.* extension, prolongation
promenade, *f.* walk
se promener, to take a walk, to walk; **— en auto**, to go for an automobile ride
promesse, *f.* promise
promontoire, *m.* promontory, cape
promptement, promptly
prononcer, to pronounce; to decree
propice, favorable
propos, *m.* talk, conversation; **à — de**, about

proposer, to propose, to suggest; **se —**, to resolve, to plan
propre, clean; own, particular; characteristic; suitable; **en —**, of oneself, original
proprement, appropriately; properly; characteristically; **— dit**, properly called
propriétaire, *m.* owner, landlord
propriété, *f.* characteristic; estate; piece of property
proscrire, to banish
prospère, favorable, prosperous
protéger, to protect
prouver, to prove
provenir, to proceed
provisoire, temporary
provoquer, to provoke, to call forth; to create; to produce
proximité, *f.* nearness
prudent, careful, cautious
prune, *f.* plum
prunelle, *f.* pupil of the eye
psaume, *m.* psalm
psychanalyse, *f.* psychoanalysis
pu, *p.p. of* **pouvoir**
public, *m.* people; audience; **le grand —**, the masses
publicité, *f.* advertising
publier, to publish
pudeur, *f.* modesty, shame; restraint
pudibond, bashful, prude
puer, to stink
puéril, childish; made of children
puis, since, then
puiser, to take from
puisque, since, inasmuch
puissamment, powerfully
puissance, *f.* power; **l'idée était en — dans son œuvre**, the germ of the idea was already in his work
puissant, powerful
puisse, *subj. of* **pouvoir**
puits, *m.* well; hole
pulpe, *f.* inside
punition, *f.* punishment
pupitre, *m.* schoolboy's desk
pur, pure
pureté, *f.* purity
purifier, to purify
put, *simple p. of* **pouvoir**
pythique, from Pythia, Greek priestess

quai, *m.* quay, bank
qualifier, to qualify; **travail qualifié**, skilled work
qualité, en — de, as
quand, when, while; **— bien même**, even if
quant, — à, as for
quarante, forty
quart, *m.* quarter
quartier, *m.* district
quatre, se mettre en —, to go out of one's way
quatrefeuille, *m.* four-leaf ornament
que, *conj.* whether; **— je les aime**, how I love them; **— ne suis-je**, why am I not
que de poètes . . . how many poets . . .
quel, what, which; **— que soit**, whatever be
quelque, some
quelque chose, something
quelquefois, sometimes
quelqu'un, someone
querelle, *f.* quarrel, dispute
quête, *f.* quest, research

queue, *f.* line
quiconque, anyone
quignon, *m.* crusty end of a loaf of bread
quille, *f.* bowling pin
qu'ils se rattachent, whether they belong
qu'ils sont heureux, how happy they are
quinze, fifteen
quitte à, even if
quitter, to leave
quoi, what; **avoir de —**, to have enough to live on; **il y a de —**, there is a good reason for it; **n'importe —**, no matter what; **— que ce soit**, anything, whatever it be; **— qu'il en soit**, whatever it may be
quoi, *(exclamation)* you know!
quoique, although
quotidien, daily, routine

raboter, to plane, to wear down
rabougri, scragged
rabrouer, to scold
raccommoder, to mend
raccourcir, to shorten
racine, *f.* root
raconter, to tell
radeau, *m.* raft
radical, *m.* member of the French Radical party (a moderate party)
radicalement, drastically
radieux, radiant, shining
raffiné, *m.* **faire le —**, to play the delicate
raffiner, to refine
ragripper, to grab again
raidir, to stiffen
raidissement, *m.* stiffening, tightening
raie, *f.* furrow; streak; crack
raison, *f.* reason; **avoir —**, to be right
raisonnable, sensible, moderate
raisonnement, *m.* reasoning, argument
raisonneur, argumentative
rajeunir, to rejuvenate, to make young again
râle, *m.* death rattle, gasp
ralenti, *m.* slow motion
ralentir, to slacken, to slow down
râler, to gasp
ramasser, to pick, to gather
rame, *f.* oar
rameau, *m.* branch
ramener, to bring back, to restore
rampe, *f.* railing
ramper, to creep
rance, rancid
rancœur, *f.* bitterness
rang, *m.* row, rank
rangé, dutiful; decorous
rangée, *f.* row
ranger, to arrange
rapidement, rapidly
rapiécé, patched
rappeler, to recall; **se —**, to remember
rapport, *m.* relation, report
rapprochement, *m.* bringing together, comparison
rapprocher, to bring near; **se —**, to draw near
raquette, *f.* racket
rarement, rarely
rareté, *f.* rarity
rasant, grazing
rassasier, to satisfy
rassembler, to reassemble, to gather together

se rasseoir, to sit down again
rassurer, to reassure
ratatiné, shriveled up
rater, to miss *(colloq.)*
se rattacher, to be connected
rattraper, to recapture; to catch up
rauque, hoarse
ravaler, to lower
ravauder, to mend
ravissant, ravishing, charming
ravissement, *m.* rapture
rayon, *m.* ray
rayonner, to radiate
réagir, to react
réalisateur, *m.* producer
rébarbatif, grim, grouchy
rebâtir, to rebuild
rebelle, rebellious
receler, to hide, to harbor
recette, *f.* recipe
recevoir, to receive
recherche, *f.* research
recherché, elaborate, sophisticated
rechercher, to search, to look for
récipient, *m.* container
récit, *m.* account, story
réclamer, to claim, to demand; to ask for
reçoivent, *pres. of* **recevoir**
récolte, *f.* crop, harvest
recommander, to recommend, to advise
recommencer, to begin again
récompense, *f.* reward
recomposer, to recreate
reconduire, to escort; to see home
réconfort, *m.* comfort, relief, encouragement
reconnaissance, *f.* recognition; gratitude
reconnaissant, grateful
reconnaître, to recognize, to admit; **se faire —**, to become known
reconquérir, to reconquer
reconstruire, to rebuild
recopier, to recopy, to imitate
recourber, to bend
recouvert, covered
recréer, to recreate
recru, exhausted
rectiligne, upright
reçu, *p.p. of* **recevoir**
recueillement, *m.* contemplation
recueilli, thoughtful
recueillir, to gather, to collect; to recollect; **se —**, to meditate
reculer, to withdraw; to back up; to postpone
redécouvir, to rediscover
redécrocher, to take down again
redescendre, to go back down
redevable, **être — de**, to be indebted for
redevenir, to become again
redingote, *f.* frockcoat
redire, to retell, to repeat
redonner, to give again
redoutable, dreadful
redresser, to straighten up; to restore, to revive
réduction, *f.* replica on a small scale
réduire, to reduce
réel, real
réellement, really
refaire, to remake; to rebuild; to do over again
se refermer, to get closed
réfléchir, to reflect; to think
reflet, *m.* reflection
refuse, *m.* refusal; denial
regagner, to regain; to return

regard, *m.* look, glance; sight; **du —**, with a glance
regarder, to look at; **— de haut**, to look down on
régate, *f.* regatta
régime, *m.* diet; **être ancien —**, to be of the old school
registre, *m.* register, range
règle, *f.* rule
règlement, *m.* rule
régler, to regulate; to solve
règne, *m.* reign, kingdom
régner, to reign; to prevail
regretter, to regret, to be sorry
regroupement, *m.* reunification
régulier, regular
rehaut, *m.* brightening retouch
rein, *m.* back; kidney
reine, *f.* queen
rejeter, to reject
rejoindre, to join
réjouir, to rejoice
relâche, *f.* **faire —**, to close temporarily (theater); **sans —**, constantly
relâcher, to slacken; to release
relancer, to make a comeback
relation, *f.* communication
relativement, rather, relatively
relégué, pushed back
relevé, high, noble
relever, to raise; **— de**, to be dependent on; **se —**, to get up again
relier, to bind
religieux, religious
reliure, *f.* bookbinding
remarque, *f.* remark
remarquer, to notice
rembourrage, *m.* stuffing
remédier, to remedy, to compensate
remembrement, *m.* unification
remettre, to give, to hand over; to put back, to place back; **—en jeu**, to put into question again; **— en marche**, to start again
remiser, to put back again; **le wagon remisé**, the side-tracked railroad coach car
rémission, *f.* forgiveness
remonte-pente, *m.* ski tow
remonter, to go up; to go back to; to come back up
remords, *m.* remorse
rempart, *m.* bulwark
remplaçant, *m.* substitute
remplacer, to replace
remplir, to fill
remporter, to win
remuer, to move; to stir up
renaître, to be born again
rencontre, *f.* meeting, encounter; **venir à la —**, to come and meet
rendement, *m.* return; output
rendez-vous, *m.* appointment
rendre, to render, to make; to return; **— hommage**, to pay one's respects; **se —**, to go; to make oneself; **se — compte**, to realize
rendu, reproduced, brought about
renfermer, to contain
renom, renown
renoncer à, to decide against; to give up
renouveau, *m.* renewal, springtime
renouveler, to revive, to transform, to renew; **se —**, to happen again
renouvellement, *m.* change, renovation
rénover, to revive

renseigner, to inform
rentier, *m.* a person that lives on income from investments
rentrer, to return; to re-enter
renversé, *adj.* upside down; **crème renversée**, a type of custard
renverser, to overthrow, to upset, to drop to the floor
renvoyer, to send back
répandre, to pour out; to shed; to develop, to spread; **se —**, to become more common
réparer, to repair
répartition, *f.* distribution
repas, *m.* meal; **— fin**, gourmet's meal
rependre, to hang again
répercuter, to echo; **se —**, to have repercussions
repère, *m.* reference point landmark
répertoire, *m.* repertory
repeuplé, repopulated
repli, *m.* fold, crease; turn
réplique, *f.* reply; cue; line; **sans —**, brooking no answer
répondre, to reply
réponse, *f.* response, answer
reportage, *m.* newspaper story, reporting
se reporter, to go back to
repos, *m.* rest
reposer, to rest; to stand
repoussant, repulsive
repousser, to push away, to thrust aside; to reject
reprendre, to resume; to hold forth; to take back; to take again; **— le collier**, to get back into the harness, to resume work
représentatif, representative
représentation, *f.* performance
se représenter, to portray
réprimer, to repress
repris, *p.p. of* **reprendre**
reprise, *f.* resumption; **à plusieurs reprises**, several times
réprobateur, reproving
reproche, *m.* reproach
reproduire, to reproduce
réprouver, to reprove, to disapprove of
répugnance, *f.* dislike
répugner, to repulse
réputé, esteemed, well known
requête, *f.* request
requin, *m.* shark
réquisitoire, *m.* indictment
réseau, *m.* net, network
réserve, *f.* reservation, reserve; **sous toute — de modestie**, with all due sense of modesty
réservé, reserved
réserver, to set aside
résider, to reside; to lie
résine, *f.* resin
Résistance, *f.* Underground
résistant, firm
résolu, *p.p. of* **résoudre**
résonnance, *f.* resonance
résonner, to resound
résoudre, to resolve; to solve
respirer, to breathe
responsable, responsible
ressemblance, *f.* likeness, resemblance
ressembler, to resemble; **se —**, to look alike
ressentiment, *m.* resentment
ressentir, to feel strongly
resserrer, to tighten
ressort, *m.* spring, motivating force

ressortir, to stand out; **faire —**, to show clearly
ressource, *f.* resource
restanque, *f.* strip of land built in terrace
restaurer, to restore
reste, *m.* remainder; **du —**, moreover; **un — de pudeur**, a last remnant of restraint
rester, to remain; **il ne reste plus qu'à**, there is nothing left to do but; **il n'en reste pas moins**, it is nonetheless true; **nous restera-t-il**, shall we have enough left
restreint, restricted, limited
résultat, *m.* result
résumer, to sum up; to reduce
rétablir, to reestablish
retard, m. delay, slowness; **être en —**, to be late
retenir, to hold back, to keep back; **se —**, to restrain oneself
retentir, to reecho, to sound
retirer, to withdraw
retomber, to fall back in place
retour, *m.* return; **sans —**, forever
retourner, to return; to turn again; **se —**, to turn, to turn around; **s'en —**, to go back to
retraite, *f.* retreat, seclusion; retirement; pension
retranché, far away
retranchement, *m.* defense, recess
retrancher, to cut off, to remove
retravailler, to work over
retrousser, to roll up
retrouver, to find again; to join
réunion, *f.* meeting
réunir, to unite; **se —**, to meet
réussi, successful
réussir, to succeed
réussite, *f.* success
en revanche, on the other hand
rêve, *m.* dream
réveille-matin, *m.* alarm clock
réveiller, to wake up
réveillon, *m.* Christmas or New Year's eve dinner
révéler, to reveal
revendication, *f.* claim, demand
revenir, to come back; to go back; **cela revient à dire**, it means only
revenu, *m.* income
rêver, to dream
réverbère, *m.* streetlamp
reverdir, to become green again
rêverie, *f.* dreaming
revêtir, to put on
rêveur, *m.* dreamer
revivre, to relive; to come back to life
revoir, to meet again, to encounter
révolu, finished
révolutionnaire, revolutionary
revue, *f.* review, magazine; show
rhénan, Rhenish
rhétorique, *f.* next to last grade in French high school
rhume, *m.* cold
riant, smiling, pleasant
richesse, *f.* wealth
rideau, *m.* curtain
ridicule, ridiculous
rien, *pronoun.* anything, nothing; **cela ne fait —**, it doesn't make any difference; **pour ne — dire de**, to say nothing of; **— . . . que**, nothing but
rien, *n.m.* trifle, bit
rieur, *adj.* laughing; gay
rigorisme, *m.* austerity
rigoureux, rigorous

rigueur, *f.* rigor, rigidness
rillette, minced pork
rincer, to rinse, to wash
rire, *m.* laugh
risque, *m.* risk
risquer, to risk
rivage, *m.* shore
rivalité, *f.* rivalry
rive, *f.* bank, shore
rivière, *f.* river, stream
riz, *m.* rice
rizière, *f.* rice field
robe, *f.* dress
robinet, *m.* faucet
roche, *f.* rock
rocher, *m.* rock
rocheux, rocky
roi, *m.* king
rôle, *m.* role
romain, Roman
roman, *m.* novel; **— à succès**, best seller; **— policier**, detective story
romancier, *m.* novelist
romanesque, romantic
romantique, *m.* romanticist
rompre, to break; **à tout —**, to the bursting point
ronce, *f.* bramble, thorn
rond, round
ronde, *f.* circle; **à la —**, around
rondement, promptly
rond-point, *m.* circle
ronfler, to snore
ronger, to corrode
rosaire, *m.* rosary
rose, pink
rosée, *f.* dew
rossignol, *m.* nightingale
rôtir, to roast
rotondité, *f.* roundness
rouage, *m.* wheels
roue, *f.* wheel
rouet, *m.* spinning-wheel
rouge, red; **passé au —**, red hot; **— -sang**, blood-red
rougir, to blush; to be ashamed
rouleau, *m.* roll
rouler, to roll
roumain, Rumanian
route, *f.* road, route; **en —**, on the way
rouvrir, to reopen
royaume, *m.* kingdom
royauté, *f.* royalty
ruban, *m.* ribbon
rude, rough, hard
rudement, very, awfully *(colloq.)*
rue, *f.* street
ruelle, *f.* lane, alley
se ruer, to rush upon
rugby, *m.* game similar to American football
rugosité, *f.* roughness
ruisseau, *m.* brook, stream
rusé, tricky, sly
ruser, to play with craftily
russe, Russian

sable, *m.* sand
sabot, *m.* wooden shoe
sabre, *m.* saber
sac, *m.* purse, bag; **— au dos**, with a knapsack on one's back
saccade, *f.* jolt
sacerdoce, *m.* priesthood
sachant, *pres. part. of* **savoir**
sache, *pres. subj. of* **savoir**
sacré, sacred
sacrifier, to sacrifice
sacristie, *f.* vestry
safrané, made with saffron
sage, *n.m.* wise man

sage, *adj.* reasonable, prudent
sagement, wisely
sagesse, *f.* wisdom
saigner, to bleed; to make bleed
saillant, outstanding
sais, *pres. of* **savoir**
saisir, to seize
saison, *f.* season
salaire, *m.* wages
saler, to salt
salir, to soil, to mess up
salle, *f.* hall; theater; room; house
salon, *m.* drawing room, parlor; art exhibition
salubre, healthy
saluer, to greet
salut, *m.* salvation; safety
sang, *m.* blood; **de — froid**, in cold blood; **— -froid**, cold bloodedness, calm
sanglant, bloody, cruel
sanglier, *m.* wild boar
sanglot, *m.* sob
sans, without; **— quoi**, otherwise
santé, *f.* health
se saouler, to get drunk
sapin, *m.* fir
sapinière, *f.* fir grove
sarrasin, Saracen
satisfaire, to satisfy
saucisse, *f.* sausage
saucisson, *m.* hard sausage
sauf, save; **— à**, except, on condition that
saugrenu, bizarre, absurd
saupoudrer, to sprinkle
saurait, *cond. of* **savoir**
sauter, to jump; to skip
sauvage, *n.m.* savage
sauvage, *adj.* wild, uncultivated
sauvegarder, to safeguard, to save
sauver, to save, **se —**, to flee; to be saved
savamment, artfully
savant, *n.m.* scientist
savant, *adj.* learned
savent, *pres. of* **savoir**
saveur, *f.* flavor, taste
savoir, to know; to learn; to be able to; **à —**, namely
savourer, to relish, to savor
savoureux, savory, tasty
scandale, *m.* scandal; **faire —**, to cause a scandal
scaphandre, *m.* diving apparatus
sceau, *m.* seal, mark
scélérat, *m.* scoundrel
scénario, *m.* script
scène, *f.* stage; **mettre en —**, to produce
sceptique, skeptical
scie, *f.* saw
scintiller, to sparkle
scolaire, pertaining to schools
scrupule, *m.* scruple
séance, *f.* meeting, session; **— tenante**, forthwith
sec, *m.* dry
sécheresse, *f.* dryness; vacuity
seconder, *(pronounced segonder)*, to assist
secours, *m.* help, aid
secousse, *f.* shock, jolt
sécréter, to secrete, to produce
section, *f.* **— d'or**, refers to a perfect relationship between numbers and forms
sectionné, cut up
séculaire, centuries old
séduire, to beguile
seiche, *f.* cuttlefish
seigle, *m.* rye

sein, *m.* bosom; middle
seize, sixteen
séjour, *m.* residence; sojourn
sel, *m.* salt
sellette, *f.* **se trouver sur la —**, to be on the spot
selon, according to
semaine, *f.* week
semblable, *n.m.* fellowman
semblable, *adj.* similar
sembler, to seem
semelle, *f.* sole
semer, to sow
semoir, *m.* sowing machine
sempiternel, everlasting
sens, *m.* direction; meaning; sense
sensibilité, *f.* sensibility, sensitiveness
sensible, sensitive, perceptible
sensuel, sensual
sentier, *m.* footpath
sentiment, *m.* feeling
sentir, to sense, to feel; to smell
séparer, to separate
séquestré, shut in
sera, *future of* **être**
serais, serait, *cond. of* **être**
serein, serene
série, *f.* **fabrication en —**, mass production
sérieux, *m.* seriousness
serions, *cond. of* **être**
serment, *m.* promise, oath
seront, *future of* **être**
serpent, *m.* snake
serpenter, to meander
serre, *f.* claw
serré, tight, compact; concise
serrer, to press, to tighten
serrure, *f.* lock
service, *m.* favor
servir, to serve; to revere; **— à**, to be useful for; **— de**, to serve as, to be used as; **se — de**, to make use of
seuil, *m.* threshold
seul, alone, only
seulement, only
sève, *f.* sap
sévère, stern
si, if; **si** *plus imperfect*, what if (suppose); **— bien que**, so that
sidérurgique, concerned with the iron and steel industry
siècle, *m.* century; **de — en —**, century after century
siéger, to sit
les siens, *m.pl.* one's family
sieste, *f.* afternoon nap
siffler, to whistle
signe, *m.* sign
signer, to sign
significatif, significant
signification, *f.* significance
signifier, to mean
silencieux, silent, tranquil
simuler, to simulate, to pretend
singe, *m.* monkey
singulier, singular, unique; odd
sinon, if not; **il n'est rien —**, he is nothing but
siroter, to sip
sitôt, once
situer, to locate; **se —**, to take place
sobre, sober, moderate
soc, *m.* ploughshare
soccer, *m.* European football
socialement, socially
socle, *m.* base, pedestal
sœur, *f.* sister; nun

soi, *pronoun*, one-self; **il va de soi**, it goes without saying
soi-disant, supposedly
soie, *f.* silk
soient, *subj. of* **être**
soif, *f.* thirst
soigner, to take care of
soigneusement, carefully
soin, *m.* care
soir, *m.* evening
soirée, *f.* evening, party
sois, *imperative and subj. of* **être**; **que je —**, whether I be; **— un homme**, be a man
soit, *subj. of* **être**; so be it; **que ce —**, *conj.* whether it be; **— . . . —**, either . . . or; **—**, that is
sol, *m.* soil, ground; earth; **— perdu**, unproductive soil
soldat, *m.* soldier
soleil, *m.* sun
solennel, solemn
solidaire, interdependent
solidité, *f.* stability
solipède, *m.* uncloven hoof (horse)
sollicitude, *f.* care; thought; anxious interrogation
sombre, gloomy; dark
sombrer, to sink
sommaire, brief
sommairement, summarily
somme, *f.* sum; **en —**, in short; **— toute**, all in all
sommeil, *m.* sleep
sommet, *m.* summit, peak
sommital, highest
son, *m.* sound
sondage, *m.* sounding
songer, to think
sonner, to sound; to ring
sonnette, *f.* bell; **coups de —**, rings of the bell
sonore, sonorous
sort, *m.* fate
sorte, *f.* kind, manner; **de — que**, so that
sortie, *f.* end; exit
sortir, to go out; to take out; **en —**, to get out of it
sot, foolish, stupid
sottise, *f.* foolishness
sou, *m.* (French money) cent; **près de leurs sous**, miserly; **sans un — vaillant**, without a red cent
souci, *m.* anxiety, care; preoccupation
se soucier, to worry
soucieux, anxious, concerned about
soucoupe, *f.* saucer
soudain, *adj.* sudden
soudain, *adv.* suddenly
souder, to solder
soudeur, *m.* welder
souffle, *m.* breath; gust, puff; **à bout de —**, out of breath
souffler, to breathe; to blow
souffrance, *f.* suffering
souffrir, to suffer
souhait, *m.* hope, wish
souhaitable, desirable
soulager, to relieve, to help
soulever, to raise, to lift; to revolt; **— le cœur**, to turn the stomach
soulier, m. shoe; **— de fatigue**, work shoe
souligner, to underline, to stress
soumettre, to submit, to subject
soumis, *p.p. of* **soumettre**
soupçon, *m.* a touch, a pinch
soupçonner, to suspect
soupière, *f.* soup tureen

souple, pliable, flexible
source, *f.* spring
souriant, smiling
sourire, to smile
souris, *f.* mouse
sournois, sly, cunning
sous, under; **— forme de**, in the form of; **— l'exemple**, following the example
souscrire, to agree to
sous-titre, *m.* subtitle
soutenir, to hold up, to support
soutenu, sustained
soutien, *m.* support
souvenir, *m.* memory
se souvenir, to remember; **à —**, if one remembers
souvent, often
soyez, *imperative and subj. of* **être**; **qui que vous —**, whoever you be
spécialement, especially
spécialité, *f.* specialty
spectacle, *m.* play, show
spéléologie, *f.* cave exploring
spirituel, spiritual; witty
spontané, spontaneous
sportif, *n.m.* athlete; sport fan
sportif, *adj.* athletic; interested in sport
squelette, *m.* skeleton
stade, *m.* stadium
station, *f.* resort
strass, *m.* paste for making jewelry
strictement, strictly
strident, shrill, grating
stupéfier, to stupify
su, *p.p. of* **savoir**
subdiviser, to subdivide
subir, to undergo, to suffer
subitement, suddenly
substituer, to substitute
subtil, subtle
subventionner, to subsidize
succéder, to follow
succomber, to succumb
sucer, to suck; to drink in
sucre, *m.* sugar
sud, *m.* south
suer, to sweat
sueur, *m.* sweat; *pl.* toil
suffire, to be enough, to suffice
suffisamment, sufficiently
suffisant, sufficient
suggérer, to suggest
suis, *pres. of* **être** *or* **suivre**
Suisse, *n.f.* Switzerland
suite, *f.* continuation; **ainsi de —**, and so on; **à la —**, following; **dans la —**, subsequently; **de —**, in succession
suivant, *part. pres. of* **suivre**; **— le cas**, as the case may be
suiveur, *m.* follower
suivre, to follow; **à ne pas —**, not to be followed; **— un cours**, to take a course
sujet, *m.* subject
superbe, superb; proud
superflu, superfluous, needless
supermarché, *m.* supermarket
suppléer, to make up for the deficiency, to supplement
supplice, *m.* punishment
support, *m.* stay, base
supportable, bearable
supporter, to stand, to bear
supposer, to imagine, to assume; to require
supprimer, to cut out, to suppress
sûr, *adj.* sure, safe
sur, *prep. on;* **neuf fois — dix**, nine

times out of ten; **— le point,** about to; **— le tard,** late
surabondance, *f.* superabundance
surchauffer, to overheat
surcroît, *m.* increase
sûrement, surely
surent, *simple p. of* **savoir**
surestimer, to overestimate
sûreté, *f.* certainty
surgir, to surge; to start up; to rush up
surhomme, *m.* superman
surimpression, *f.* superimpression
surmener, to overwork
surmonter, to overcome; to overlook
surprendre, to surprise; to catch
surtout, especially
survécu, *p.p. of* **survivre**
surveiller, to supervise, to tend
survivant, *m.* survivor
survivre, to survive
sus, *simple p. of* **savoir**
susciter, to raise up, to create
suspendre, to hang
suzeraineté, *f.* lordship
svelte, slender
sympathie, *f.* sympathy; understanding
syncope, *f.* syncopation
syndicat, *m.* federation, union

tableau, *m.* painting; **faire le —,** to give a picture
tablier, *m.* apron, register
tabouret, *m.* stool
tache, *f.* spot; dab; stroke
tâche, *f.* task
taillade, *f.* slice
taille, *f.* size; **de — à,** quite capable of
tailler, to cut out, to carve
tailleur, *m.* tailor; suit; **— de pierre,** stone cutter
taillis, *m.* thicket
taire, to suppress; **se —,** to be quiet
tambour, *m.* drum
tandis que, whereas, while
tanné, tanned
tant, so much, so many, as much; **en — que,** as; **— mieux,** so much the better; **— pis,** so much the worse; **— que,** as long as
tante, *f.* aunt
tantôt, sometimes; **— . . . —,** now . . . then
taper, to strike
tapis, *m.* rug
tapisserie, *f.* tapestry
tard, late; **sur le —,** late
tarder, — à, to be long in
tardigrade, *m.* conservative, behind the times
tarif, *m.* rate
tarte, *f.* tart, pie
tartine, *f.* bread with butter and jam
tas, *m.* heap, pile, mass; **un — de,** a lot of *(colloq.)*
tasse, *f.* cup
tasser, to heap up; to pack down
tâter, to feel
tâtonner, to grope
taudis, *m.* hovel; **les —,** slums
taureau, *m.* bull
teinter, to tint
tel, such; **à — point que,** to the extent that; **— que,** such as
téléphérique, *m.* cable car
tellement, so much
téméraire, rash, bold
témoigner, to witness; to show

témoin, *m.* witness
tempérament, *m.* mood
tempéré, tempered
tempête, *f.* tempest; whirlwind
temps, *m.* time; weather; **de mon —**, in my time; **en même —**, at the same time
tenace, sticky, tenacious
tendance, *f.* tendency
tendancieux, leading; biased
tendre, *v.* to stretch; to aim at; to have a tendency to; to offer; to spread
tendre, *adj.* tender
tendresse, *f.* tenderness
tendu, tense
tenir, to hold; to control; to keep; **cela se tient**, it can be upheld; **se —**, to remain; to keep oneself; **se — debout**, to stand; **s'en — là**, not to go any further; **— à**, to depend on; to insist upon; to be fond of; **— un rôle**, to play a part; **— une place**, to be important; **— compte**, to take into account; **— parole**, to keep one's word
tentant, *pres. p. of* **tenter**
tentation, *f.* temptation
tentative, *f.* attempt
tenter, to tempt, to try
ténu, tenuous, thin
tenu, obliged
terme, *m.* termination, end
terminer, to end
terne, dull
terrain, *m.* land
terrasse, *f.* outdoor part of a "café"
terrassier, *m.* construction worker
terre, *f.* land, ground, earth; **par —**, on the ground
terreau, *m.* topsoil
terrestre, earthly
terrien, *m.* man attached to the land; landowner
territoire, *m.* territory, land
terroir, *m.* soil
tesson, *m.* broken glass
têtard, *m.* tadpole
tête, *f.* head; **musique en —**, led by the band; **— de file**, head of the family; **— de pont**, bridgehead; **— haute**, with one's head up
têtu, stubborn, obstinate
thé, *m.* tea
théâtre, *m.* **— du boulevard**, light theatre or commercial theater
thèse, *f.* thesis
thym, *m.* thyme
tiède, tepid
tiens, well
tiers, *m.* third
tige, *f.* stem, stalk; leg (of boot)
timbre, *m.* tone quality, tonality
timoré, timorous, fearful
tinter, to ring
tiraillement, *m.* twitching
tirer, to pull, to extract; to create; to shoot; to derive; **s'en —**, to pull through, to come out of it; **— un profit**, to profit; **— vers**, to bear
tisserand, *m.* weaver
tissu, *m.* fabric
titre, *m.* title; **à juste —**, rightly so; **à — d'exemple**, by way of explanation; **en —**, full fledged
titulaire, with tenure
toc, bing
toile, *f.* cloth; canvas, painting; screen

toise, *f.* measure
toit, *m.* roof
toiture, *f.* roofing
tôle, *f.* sheet iron
tomber, to fall
ton, *m.* tone
tonne, *f.* ton
tordre, to twist
torse, *m.* torso, body
torsion, *f.* twisting
tort, *m.* wrong; **avoir —**, to be wrong; **donner — à**, to disapprove
tôt, early
touche, *f.* stroke, dab
toucher, to touch; **— de près**, to affect closely
toujours, always
tour, *m.* round; trip; turn; trick; **à son —**, in its turn; **faire le —**, to go around; **— à —**, in turn, successively
tour, *f.* tower; **— d'ivoire**, ivory tower
tourbillon, *m.* whirlwind, swirl
tourisme, *m.* touring, travel
tournant, *m.* turn; **être dans un mauvais —**, to take a bad turn
tournée, *f.* round; trip; tour; **c'est ma —**, this round is on me; **faire une —**, to go for a walk or ride; to go on the road (theater)
tourner, to turn; to phrase; to take with a camera; **se — vers**, to turn toward
tournoyer, to whirl around
tourterelle, *f.* turtledove
tout, *n.m.* whole
tout, *adj.* all; *adv.* very, quite; **pas du —**, not at all; **— à coup**, all of a sudden; **— à fait**, completely; **— de même**, all the same, nevertheless; **— d'un coup**, suddenly; **— de suite**, immediately; **— juste**, barely; **— le monde**, everyone; **— morts que vous êtes**, dead though you be; **à — moment**, at each instant, continually; **— au plus**, at the very most; **— en**, while; **— juste**, only
tout, *pronoun*, everything
toutefois, however
traduction, *f.* translation
traduire, to translate
tragique, *m.* writer of tragedies
trahir, to betray
train, *m.* pace, rate; **à fond de —**, at top speed; **en — de**, in the act of
traînée, *f.* streak
traîner, to pull; to linger; to follow
trait, *m.* stroke; characteristic
traité, *m.* treaty
traiter, to treat, to handle, to deal with
traître, *m.* traitor
tram, *m.* streetcar
tranche, *f.* slice
trancher, to cut, to slice
tranquille, serene, quiet
tranquillement, peacefully
transi, chilled
transmettre, to transmit
transpercer, to pierce through
transport, *m.* transportation
trapu, squatty, dumpy
travail, *m.* work; **— sur bois**, woodworking
travailler, to work; to study
travailleur, *n.m.* worker
travailleur, *adj.* hard-working

travers, à —, through; **de —,** sidewise
traverser, to go through
tremper, to dip
tremplin, *m.* springboard
trentaine, *f.* about thirty
trépidant, high pressured
très, very
trésor, *m.* treasure
tricheur, *m.* cheater
trier, to sort out
triomphe, *m.* triumph
tripoter, to toy with, to handle
triste, sad
troëne, *m.* privet
tromper, to deceive; **se —,** to be wrong; **se — d'étage,** to be on the wrong floor
trompeur, deceptive
tronc, *m.* trunk; log; frustum (side of a cone)
tronçon, *m.* broken end, stump
trône, *m.* throne
trottoir, *m.* sidewalk
trou, *m.* hole
se troubler, to become upset
trouer, to pierce, to open up holes
troupeau, *m.* heard
trouvaille, *f.* finding, discovery
trouver, to find; **comment trouvez-vous,** how do you like; **se — sur la sellette,** to be on the spot
truchement or **trucheman,** *m.* intermediary
truffe, *f.* truffle
truquer, to fake
T.S.F. *f.* radio
tube, *m.* pipe
tuer, to kill
tuerie, *f.* slaughter
tuile, *m.* slate, tile
turne, *f.* study room at the "Ecole normale"
tutoyer, to use the familiar **"tu"** forms in speaking to someone
type, *m.* guy *(colloq.)*
typique, typical

ultérieurement, subsequently
ultime, ulterior
un à un, one by one
uni, *p.p. of* **unir**
unique, fils —, only son
unir, to unite
urbanisme, *m.* city planning
usage, *m.* use
usager, *m.* customer
user, to make use of; to wear out
usine, *f.* factory, workshop
utile, useful
utilisable, usable
utilité, *f.* use; "walk on," bit part

va, *pres. and imperative of* **aller**
vacances, *f. pl.* vacation
vacant, empty
vacarme, *m.* uproar, hubbub
vache, *f.* cow
vagabondage, *m.* wandering
vagir, to wail
vague, *f.* wave
vaillant, gallant; **sans un sou —,** without a red cent
vaille, *subj. of* **valoir**
vaincu, defeated
vainqueur, *m.* victor, winner
vais, *pres. of* **aller**
vaisseau, *m.* vessel
val, *m.* vale, valley
valable, valuable
valent, *pres. of* **valoir**
valet de pied, *m.* footman

valeur, *f.* value
valide, good
valise, *f.* suitcase
vallée, *f.* valley
valoir, to be worth; **faire —,** to bring out; **lui — beaucoup de succès,** to have a great deal of success for him; **— la peine, — le coup** *(colloq.)* to be worthwhile; **— mieux,** to be better
valse, *f.* waltz
se vanter, to brag
vapeur, *f.* steam, smoke
vareuse, *f.* jacket
varier, to vary
vase, *f.* mud, slime
vaudrait, *cond. of* **valoir; autant —,** you might as well
vaurien, *m.* good for nothing, rascal, wretch
vaut, *pres. of* **valoir**
veau, *m.* veal, calf
vécu, *p.p. of* **vivre**
vedette, *f.* star
véhicule, *m.* vehicle; medium
veille, *f.* eve, the day before; **être à la —,** to be about
veiller, to watch, to look after; to keep awake
velléité, *f.* desire
vélo, *m.* bike *(colloq.)*
velouté, velvety, downy
velu, hairy
vendre, to sell
vénération, *f.* appreciation; reverence
vénérer, to esteem
venir, to come; **— de** *(followed by verb),* to have just; **en — à,** to arrive at; **— à la rencontre,** to come and meet
vent, *m.* wind; **en plein —,** in the open air
vente, *f.* sale; **— à credit,** installment buying
ventouse, *f.* sucker
ventre, *m.* stomach
venu, le premier —, the first comer; any, the first available
vêpres, *f.pl.* vespers, devotions
verdâtre, greenish
verdet, fresh green
verdure, *f.* greenery
verger, *m.* orchard
vérifier, to check
vérité, *f.* truth
verra, *future of* **voir**
verre, *m.* glass; **— dépoli,** unpolished glass
verrerie, *f.* glassworks, glassware
vers, *n.m.* verse
vers, *prep.* toward
versant, *m.* slope, side
verser, to upset; to shed; to pour; **se —,** to pour for oneself
vert, green; **— -pomme,** apple green
vertement, sharply
vertige, *m.* dizziness
vertigineux, staggering, dizzy
vertu, *f.* virtue
verve, *f.* animation, spirit
veste, *f.* jacket, coat
vêtement, *m.* clothing
vêtir, to clothe
vétuste, very old
veuille, *subj. of* **vouloir; qu'il le — ou non,** whether he wants it or not
veut, *pres. of* **vouloir**
viager, for life
viande, *f.* meat

vice, *m.* vice; fault
vide, *adj.* empty
vide, *n.m.* emptiness, vacuum
vider, to empty
vie, *f.* life
vieillard, *m.* old man
vieille, *f. of* **vieux**
vieillesse, *f.* old age
vieillir, to grow old
Vierge, *f.* the Virgin Mary
vierge, *adj.* pure, untouched
vieux, old; **mon —**, old chap
vif, *adj.* alive, vivid; quick, alert; **un — succès**, a great success
vif, *n.m.* vivacity
vigne, *f.* vine; vineyard
vigneron, *m.* vine-grower
vignoble, *m.* vineyard
vigueur, *f.* strength
vilenie, *f.* foulness
villageois, rustic
ville, *f.* city
vin, *m.* wine; **— bouché**, sparkling wine; **— ordinaire**, table wine
vinaigre, *m.* vinegar
vingt, twenty
vingtaine, *f.* about twenty
vinssent, *subj. imp. of* **venir**
vioc, *m.* old man *(colloq.)*
violettes de Parme, *f.pl.* violets of Parma (very deep violet)
violon, *m.* violin
violoncelle, *m.* cello
virent, *simple p. of* **voir**
virgule, *f.* comma
visage, *m.* face
viser, to aim at; to look at *(colloq.)*
visionnaire, *m.* visionary
visqueux, slimy, sticky
vit, *pres. of* **vivre**
vitesse, *f.* speed; **— acquise**, gathered speed
vitrail, *m.* stained-glass window
vitre, *f.* windowpane
vitré, glassed-in
vivant, alive, living; **les langues vivantes**, modern languages
vive, *subj. of* **vivre**; *(exclamation)* long live
vive, *adj. f. of* **vif**
vivifier, to give life to
vivre, to live; **faire —**, to bring alive
vocation, *f.* talent, inclination, bent
vœu, *m.* wish, vow
voguer, to sail
voici, here is, here are; **— que**, and now
voie, *f.* route, road; way; track; **en — de**, on the way to
voilà, there is, there are
voile, *f.* sail; **à pleines —**, all sails set
voiler, to veil
voir, to look at, to see; **ça se voit**, it is obvious; **se — imposer**, to find oneself bound by
voire, even, indeed
voisin, *n.m.* neighbor
voisin, *adj.* neighboring
voisinage, *m.* surrounding area
voiture, *f.* car
voiturer, to convey
voix, *f.* voice; **à pleine —**, at the top of his voice
vol, *m.* theft
volaille, *f.* poultry
voler, to steal; to fly
voleur, *m.* thief
volonté, *f.* will
volontiers, willingly, readily

voltiger, to vault; to flutter
volupté, voluptuousness, pleasure
voudrais, *cond. of* **vouloir**
vouer, to dedicate; **voué à l'échec**, doomed to failure
voui, yes *(childish)*
vouloir, *v.* to want, to wish; to claim; **l'histoire veut**, the story tells us; **— dire**, to mean; **en — à**, to bear (someone) a grudge
vouloir, *n.m.* will
voûté, stooped
voyager, to travel
voyelle, *f.* vowel
voyez-vous, you see
voyons, let's see
vrai, *n.m.* **des vrais**, he-men, tough guys *(colloq.)*
vrai, *adj.* real, true; **à — dire**, to tell the truth
vrille, *f.* borer
vu, *p.p. of* **voir**
vue, *f.* sight; **point de —**, viewpoint
vulgaire, common

wagon, *m.* railway coach car

yaourt, *m.* yogurt
yeux, *m.pl. of* **œil**, eyes; **à nos —**, in our sight; **jeter les —**, to look at

zébrer, to make streaks
zone, *f.* area; **la —**, a poor district outside of Paris

College of St. Teresa
NDEA Institute
ML 207 French Culture and Civilization
Sr. Mary Joan